U0217253

「十三五」国家重点出版物出版规划项目

国家出版基金项目
NATIONAL PUBLICATION FOUNDATION

中国中药资源大典

中国中药资源大典

资源大典

河北卷

②

黄璐琦 / 总主编

郑玉光　裴　林 / 主　编

北京科学技术出版社

图书在版编目（CIP）数据

中国中药资源大典．河北卷．2 / 郑玉光，裴林主编
．—北京：北京科学技术出版社，2023.9
　ISBN 978-7-5714-2811-2

　Ⅰ．①中… Ⅱ．①郑… ②裴… Ⅲ．①中药资源—资
源调查—河北 Ⅳ．①R281.4

　中国版本图书馆 CIP 数据核字（2022）第 253405 号

责任编辑：侍　伟　李兆弟　吕　慧　庞璐璐
责任校对：贾　荣
图文制作：樊润琴
责任印制：李　茗
出 版 人：曾庆宇
出版发行：北京科学技术出版社
社　　址：北京西直门南大街16号
邮政编码：100035
电　　话：0086-10-66135495（总编室）　　0086-10-66113227（发行部）
网　　址：www.bkydw.cn
印　　刷：北京博海升彩色印刷有限公司
开　　本：889 mm×1 194 mm　　1/16
字　　数：860千字
印　　张：38.75
版　　次：2023年9月第1版
印　　次：2023年9月第1次印刷
审 图 号：GS京（2023）1758号
ISBN 978-7-5714-2811-2

定　　价：490.00元

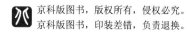

《中国中药资源大典·河北卷 2》

编写人员

总 主 编 黄璐琦

主　　编 郑玉光　裴　林

副 主 编 赵建成　谢晓亮　严玉平

编　　委（按姓氏笔画排序）

马东来　马淑兰　王　浩　王少男　毛晓霞　孔增科　由会玲　付正良

冯丽肖　冯婷婷　朱　峰　朱若嘉　朱登洋　乔永明　孙会改　孙国强

孙宝惠　严玉平　苏占辉　李　刚　李　琳　李永民　李忠思　李艳荣

吴兰芳　何　培　谷　仙　张　晟　张永鹏　张进顺　张志明　张明柱

张晓峰　罗　飞　郑玉光　赵建成　赵春颖　赵恒成　侯芳洁　贺　伟

柴天川　黄璐琦　韩晓伟　景永帅　景松松　谢晓亮　裴　林　樊英鑫

薛紫鲸

资料收集（按姓氏笔画排序）

刘玉玲　刘东波　刘晨旭　张　浩　张兴芳　张纳博　张雅蒙　段思明

摄　　影（按姓氏笔画排序）

王廷浩　王志民　田士玮　李文瑾　李忠思　张小雪　陈　光

主编简介

>> 郑玉光

教授，博士生导师，河北化工医药职业技术学院党委副书记、院长，全国中药炮制技术传承基地（河北省）负责人，孙宝惠全国名老中医药专家传承工作室负责人，国家级一流课程（中药鉴定学）负责人，河北省中药炮制技术创新中心负责人，河北省中药材产业技术研究体系岗位专家。兼任国家科学技术奖励评审专家，国家中医药管理局项目评审专家，中华中医药学会中药鉴定分会委员，《中国中药杂志》特约审稿人，《中国现代中药》编委。担任河北省第四次中药资源普查工作专家组主任委员，指导开展了河北省第四次中药资源普查工作。作为河北省中药材产业技术研究体系岗位专家，他主要负责河北省道地中药材产地无硫加工的指导及加工规范的制订，为河北省中药材产业的发展提供了技术支撑。

他毕业于黑龙江中医学院（现黑龙江中医药大学）中药资源专业，多年来一直从事中药鉴定及中药资源学领域的教学、科研工作，主要研究方向为中药材规格等级质量标准研究、道地中药材生产区划研究、中药材产地采收及无硫加工技术研究。主持国家级及省部级课题 11 项，发表学术论文 60 余篇，主编、副主编学术专著 6 部及规划教材 5 部，获得专利 9 项，制定国家级中药材商品规格标准 28 项。

主编简介

>> **裴林**

医学博士，主任医师，教授，博士生导师，曾任河北省中医药科学院院长兼党总支书记、河北省中医药科学院附属医院院长，全国老中医药专家学术经验继承工作指导老师，全国优秀中医临床人才，享受国务院政府特殊津贴专家，国家中医药管理局"十二五"重点专科学术带头人。河北省省管优秀专家，河北省名中医，河北省有突出贡献中青年专家，河北省中医药学会副会长，河北省中医药学会心身医学专业委员会主任委员，河北省浊毒证重点实验室主任。第四次全国中药资源普查试点（河北省）项目工作负责人之一，国家中医药管理局中药资源普查专家技术委员会成员，国家稀缺中药材种子种苗繁育基地（河北省）项目负责人，河北省中药原料质量监测与技术服务中心主任。

他主要从事中药资源保护与开发、中药药理学领域的教学和研究工作。承担中央财政公共卫生专项、国家重点研发专项、河北省重点研发专项等多项研究课题，获得省部级科学技术进步奖二等奖 2 项、三等奖 3 项，发表学术论文 40 余篇，出版学术专著 15 部。

被子植物

十字花科 Brassicaceae 大蒜芥属 Sisymbrium

垂果大蒜芥
Sisymbrium heteromallum C. A. Mey.

| 植物别名 | 弯果蒜芥。

| 药 材 名 | 垂果大蒜芥（药用部位：全草或种子）。

| 形态特征 | 一年生或二年生草本，高 30 ~ 90 cm。茎直立，不分枝或分枝，具
疏毛。基生叶羽状深裂或全裂，叶片长 5 ~ 15 cm，先端裂片大，
长圆状三角形或长圆状披针形，渐尖，基部常与侧裂片汇合，全缘
或具齿，侧裂片 2 ~ 6 对，长圆状椭圆形或卵圆状披针形，下面中
脉有微毛，叶柄长 2 ~ 5 cm；上部的叶无柄，叶片羽状浅裂，裂片
披针形或宽条形。总状花序密集成伞房状，果期伸长；花梗长 3 ~
10 mm；萼片淡黄色，长圆形，长 2 ~ 3 mm，内轮的基部略呈囊状；
花瓣黄色，长圆形，长 3 ~ 4 mm，先端钝圆，具爪。长角果线形，
纤细，长 4 ~ 8 cm，宽约 1 mm，常下垂；果瓣略隆起；果柄长 1 ~

1.5 cm；种子长圆形，长约 1 mm，黄棕色。花期 4～5 月。

| 生境分布 |

生于海拔 900～3 500 m 的林下、阴坡、河边。分布于河北阜平、武安、张北等。

| 资源情况 |

野生资源一般。药材主要来源于栽培。

| 采收加工 |

5～6 月果实成熟时采收，晒干。

| 药材性状 |

本品茎呈圆柱形，上部有分枝，长可达 80 cm；表面黄绿色或绿棕色；断面髓部类白色。叶皱缩，多破碎，完整叶展平后呈长圆状披针形，羽状深裂或全裂，全缘或具齿，侧裂片 2～6 对。总状花序，花梗纤细，花黄色或黄棕色，萼片 4，花瓣 4。长角果圆柱形，稍扁而弯曲，长 4～7 cm，宽约 0.8 mm，先端有极短的宿存花柱，种子多数，气微。种子长椭圆形或长圆形，长约 1 mm，宽 0.5 mm，黄棕色，在放大镜下可见颗粒状纹理，子叶 2，肥厚，纵折，有油性。破碎后香气浓，味辛、辣、刺鼻。

| 功能主治 |

甘、辛，凉。归肺经。止咳化痰，清热解毒。用于慢性支气管炎，百日咳，全草还可用于淋巴结结核；外用于肉瘤。

| 用法用量 |

内服煎汤，10～15 g。外用适量，捣敷。

十字花科 Brassicaceae 碎米荠属 Cardamine

白花碎米荠

Cardamine leucantha (Tausch) O. E. Schulz

| 植物别名 | 山芥菜。

| 药 材 名 | 菜子七（药用部位：根茎）。

| 形态特征 | 多年生草本，高 30 ~ 75 cm。根茎短而匍匐，着生多数粗线状、长短不一的匍匐茎，其上生有须根。茎单一，不分枝，有时上部有少数分枝，表面有沟棱、密被短绵毛或柔毛。基生叶有长叶柄，小叶 2 ~ 3 对，顶生小叶卵形至长卵状披针形，长 3.5 ~ 5 cm，宽 1 ~ 2 cm，先端渐尖，边缘有不整齐的钝齿或锯齿，基部楔形或阔楔形，小叶柄长 5 ~ 13 mm，侧生小叶的大小、形态和顶生小叶相似，但基部小叶柄不等或无小叶柄；茎中部叶有较长的叶柄，通常有小叶 2 对；茎上部叶有小叶 1 ~ 2 对，小叶阔披针形，较

小；全部小叶干后带膜质而半透明，两面均有柔毛，尤以下面较多。总状花序顶生，分枝或不分枝，花后伸长；花梗细弱，长约 6 mm；萼片长椭圆形，长 2.5 ~ 3.5 mm，边缘膜质，外面有毛；花瓣白色，长圆状楔形，长 5 ~ 8 mm；花丝稍扩大；雌蕊细长；子房有长柔毛，柱头扁球形。长角果线形，长 1 ~ 2 cm，宽约 1 mm，花柱长约 5 mm；果瓣散生柔毛，毛易脱落；果柄直立开展，长 1 ~ 2 cm；种子长圆形，长约 2 mm，栗褐色，边缘具窄翅或无。花期 4 ~ 7 月，果期 6 ~ 8 月。

| 生境分布 | 生于海拔 200 ~ 2 000 m 的路边、山坡湿草地、杂木林下及山谷沟边阴湿处。分布于河北平泉、平山、涿鹿等。

| 资源情况 | 野生资源一般。药材主要来源于野生。

| 采收加工 | 秋季采挖，洗净，去须根，晒干。

| 功能主治 | 清热解毒，化痰止咳。用于月经不调，痛经，急、慢性支气管炎，哮喘，百日咳。

| 用法用量 | 内服煎汤，6 ~ 15 g。

十字花科 Brassicaceae 碎米荠属 Cardamine

水田碎米荠

Cardamine lyrata Bunge

| 植物别名 | 小水田荠、水田荠。

| 药 材 名 | 水田碎米荠（药用部位：全草。别名：水田荠、水芥菜）。

| 形态特征 | 多年生草本，高 30 ~ 70 cm，无毛。根茎较短，丛生多数须根。茎直立，不分枝，表面有沟棱，通常从近根茎处的叶腋或茎下部叶的叶腋生出细长柔软的匍匐茎。生于匍匐茎上的叶为单叶，心形或圆肾形，长 1 ~ 3 cm，宽 7 ~ 23 mm，先端圆或微凹，基部心形，边缘具波状圆齿或近全缘，有叶柄，柄长 3 ~ 12 mm，有时有小叶 1 ~ 2 对；茎生叶无柄，羽状复叶，小叶 2 ~ 9 对，顶生小叶大，圆形或卵形，长 12 ~ 25 mm，宽 7 ~ 23 mm，先端圆或微凹，基部心形、截形或宽楔形，边缘有波状圆齿或近全缘，侧生小叶比顶生小叶小，卵形、近圆形或菱状卵形，长 5 ~ 13 mm，宽 4 ~ 10 mm，边缘具少

数粗大钝齿或近全裂，基部两侧不对称，楔形而无柄或有极短的柄，着生于最下面的 1 对小叶全缘，向下弯曲成耳状抱茎。总状花序顶生；花梗长 5 ~ 20 mm；萼片长卵形，长约 4.5 mm，边缘膜质，内轮萼片基部呈囊状；花瓣白色，倒卵形，长约 8 mm，先端平截或微凹，基部楔形渐狭；雌蕊圆柱形，花柱长约为子房之半，柱头球形，比花柱宽。长角果线形，长 2 ~ 3 cm，宽约 2 mm；果瓣平，自基部有一不明显的中脉；果柄水平开展，长 12 ~ 22 mm；种子椭圆形，长约 1.6 mm，宽约 1 mm，边缘有显著的膜质宽翅。花期 4 ~ 6 月，果期 5 ~ 7 月。

| **生境分布** | 生于水田边、溪边及浅水处。分布于河北灵寿、平山等。

| **资源情况** | 野生资源一般。药材主要来源于野生。

| **采收加工** | 春季采收，洗净，晒干或鲜用。

| **药材性状** | 本品常缠绕成团。须根纤细，类白色。根茎短。茎黄绿色，有沟棱；匍匐茎细长，节处有类白色细根。奇数羽状复叶多皱缩，小叶 2 ~ 9 对，先端小叶圆形或卵圆形，长 1.2 ~ 2.5 cm，宽 0.7 ~ 2.3 cm，全缘或有波状圆齿，侧生小叶较小，基部不对称；匍匐茎上的叶多为单叶，互生，圆肾形，宽 0.5 ~ 2 cm。总状花序顶生。长角果长 2 ~ 3 cm，宽约 2 mm，绿褐色，每室有数枚种子，1 列。种子椭圆形，长约 1.6 mm，宽约 1 mm，边缘有膜质宽翅。气微，味微甘。

| **功能主治** | 甘、辛，平。归肝、肾经。清热利湿，凉血调经，明目去翳。用于肾炎性水肿，痢疾，吐血，崩漏，月经不调，目赤，云翳。

| **用法用量** | 内服煎汤，15 ~ 30 g。

十字花科 Brassicaceae 糖芥属 Erysimum

糖芥

Erysimum amurense Kitagawa

| 药 材 名 | 糖芥（药用部位：全草或种子。别名：冈托巴）。

| 形态特征 | 一年生或二年生草本，高 30 ~ 60 cm，密生伏贴二叉毛。茎直立，不分枝或上部分枝，具棱角。叶披针形或长圆状线形，基生叶长 5 ~ 15 cm，宽 5 ~ 20 mm，先端急尖，基部渐狭，全缘，两面有二叉毛，叶柄长 1.5 ~ 2 cm；茎上部叶有短柄或无柄，基部近抱茎，边缘有波状齿或近全缘。总状花序顶生，有多数花；萼片长圆形，长 5 ~ 7 mm，密生二叉毛，边缘白色膜质；花瓣橘黄色，倒披针形，长 10 ~ 14 mm，有细脉纹，先端圆形，基部具长爪；雄蕊 6，近等长。长角果线形，长 4.5 ~ 8.5 cm，宽约 1 mm，稍呈四棱形，花柱长约 1 mm，柱头 2 裂，裂瓣具隆起的中肋；果柄长 5 ~ 7 mm，斜向上开展；种子每室 1 行，长圆形，侧扁，长 1 ~ 1.5 mm，深红褐色。

花期 6 ~ 8 月，果期 7 ~ 9 月。

| 生境分布 |

生于田边荒地、山坡。分布于河北蔚县、赞皇、张北等。

| 资源情况 |

野生资源一般。药材主要来源于野生。

| 采收加工 |

春、夏季采收全草；7 ~ 9 月果实成熟时割取全株，晒干，打下种子，扬净杂质。

| 药材性状 |

本品茎长达 60 cm，不分枝或上部分枝，具棱角，密生伏贴二叉毛。叶多皱缩，展平后呈披针形或长圆状线形，基生叶长 5 ~ 15 cm，宽 0.5 ~ 2 cm，全缘，两面有伏贴二叉毛。花直径约 1 cm；花瓣橙黄色，类圆形。气微，味微苦。种子长圆形，侧扁，长约 1.5 mm，深红褐色。气微，味淡。

| 功能主治 |

苦、辛，寒。归脾、胃、心经。健脾和胃，利尿强心。用于脾胃不和，食积不化，心力衰竭所致的浮肿。

| 用法用量 |

内服煎汤，6 ~ 9 g；或研末，0.3 ~ 1 g。

十字花科 Brassicaceae 糖芥属 Erysimum

小花糖芥 *Erysimum cheiranthoides* L.

| 植物别名 | 桂竹糖芥、野菜子。

| 药 材 名 | 桂竹糖芥（药用部位：全草或种子。别名：糖芥、打水水花、苦葶苈）。

| 形态特征 | 一年生草本，高 15 ~ 50 cm。茎直立，分枝或不分枝，有棱角，被二叉毛。基生叶莲座状，无柄，平铺于地面，叶片长 1 ~ 4 cm，宽 1 ~ 4 mm，被二至三叉毛，叶柄长 7 ~ 20 mm；茎生叶狭披针形或线形，长 2 ~ 6 cm，宽 3 ~ 9 mm，先端急尖，基部楔形，叶缘具深波状疏锯齿或近全缘，两面被三叉毛。总状花序顶生，果期时长达 17 cm；萼片长圆形或线形，长 2 ~ 3 mm，外面被三叉毛；花瓣浅黄色，长圆形，长 4 ~ 5 mm，先端圆形或截形，下部具爪。长角果圆柱形，长 2 ~ 4 cm，宽 1 mm 左右，扁，稍具棱，被三叉毛；果瓣有 1 不明显中脉；花柱长 1 mm 左右，柱头头状；果柄粗，长

4 ～ 6 mm；种子每室 1 行，卵形，长约 1 mm，淡褐色。花期 5 月，果期 6 月。

| **生境分布** | 生于海拔 500 ～ 2 000 m 的山坡、山谷、路旁及村旁荒地。分布于河北赤城、定州、行唐等。

| **资源情况** | 野生资源一般。药材主要来源于野生。

| **采收加工** | 4 ～ 5 月花盛期采收全草，晒干；果实近成熟时采收全草，晒干，打落种子，簸去杂质。

| **药材性状** | 本品茎呈圆柱形，长 10 ～ 45 cm，黄绿色，有纵棱和贴生的毛茸。基生叶莲座状，条形羽状分裂，无叶柄；茎生叶披针形或条形，全缘或具波状齿，两面有毛茸。长角果微扁，四角形或近圆柱形，长 2 ～ 2.5 cm。种子椭圆形，略具 3 棱，长约 0.8 mm，宽约 0.4 mm，先端圆或平截，基部略尖或微凹，有白色短小的种柄，表面黄褐色，具微细的网状瘤点样纹理及 2 纵列浅槽，种皮薄，无胚乳，胚根背倚，子叶 2，折叠。气微，味苦。

| **功能主治** | 辛、微苦，寒；有小毒。归脾、胃、心经。强心利尿，和胃消食。用于心力衰竭，脾胃不和，食积不化。

| **用法用量** | 内服煎汤，6 ～ 9 g；或研末，0.3 ～ 1 g。

| **附　　注** | 有的地区用本种的种子充葶苈子药用。

葶苈 *Draba nemorosa* L.

| 植物别名 | 光果葶苈。

| 药 材 名 | 辣辣菜（药用部位：全草。别名：腺茎独行菜、小辣辣、羊辣罐）。

| 形态特征 | 一年生或二年生草本。茎直立，高 5 ~ 45 cm，单一或分枝，疏生叶或无叶（分枝茎有叶）；下部密生单毛、叉状毛和星状毛，上部渐稀至无毛。基生叶莲座状，长倒卵形，先端稍钝，边缘有疏细齿或近全缘；茎生叶长卵形或卵形，先端尖，基部楔形或渐圆，边缘有细齿，无柄，上面被单毛和叉状毛，下面以星状毛为多。总状花序有花 25 ~ 90，密集成伞房状，花后显著伸长，疏松；小花梗细，长 5 ~ 10 mm；萼片椭圆形，背面略有毛；花瓣黄色，花期后呈白色，倒楔形，长约 2 mm，先端凹；雄蕊长 1.8 ~ 2 mm；花药短心形；雌蕊椭圆形，密生短单毛，花柱几不发育，柱头小。短角果长圆形

或长椭圆形，长 4 ～ 10 mm，宽 1.1 ～ 2.5 mm，被短单毛；果柄长 8 ～ 25 mm，与果序轴呈直角开展，或近直角向上开展；种子椭圆形，褐色，种皮有小疣。花期 3 月至 4 月上旬，果期 5 ～ 6 月。

| 生境分布 |

生于田边路旁、山坡草地及河谷湿地。分布于河北乐亭、滦平、武安等。

| 资源情况 |

野生资源丰富。药材主要来源于栽培。

| 采收加工 |

春季采收，洗净，晒干。

| 功能主治 |

辛，平。归肾、膀胱经。清热解毒，利尿通淋。用于痢疾，腹泻，小便不利，淋证，浮肿。

| 用法用量 |

内服煎汤，6 ～ 9 g。

十字花科 Brassicaceae 菥蓂属 Thlaspi

菥蓂
Thlaspi arvense L.

| 植物别名 | 遏蓝菜、败酱草、犁头草。

| 药 材 名 | 菥蓂（药用部位：地上部分。别名：苏败酱）、菥蓂子（药用部位：种子）。

| 形态特征 | 一年生草本，高 9 ~ 60 cm，无毛。茎直立，不分枝或分枝，具棱。基生叶倒卵状长圆形，长 3 ~ 5 cm，宽 1 ~ 1.5 cm，先端圆钝或急尖，基部抱茎，两侧箭形，边缘具疏齿；叶柄长 1 ~ 3 cm。总状花序顶生；花白色，直径约 2 mm；花梗细，长 5 ~ 10 mm；萼片直立，卵形，长约 2 mm，先端圆钝；花瓣长圆状倒卵形，长 2 ~ 4 mm，先端圆钝或微凹。短角果倒卵形或近圆形，长 13 ~ 16 mm，宽 9 ~ 13 mm，扁平，先端凹入，边缘有翅，翅宽约 3 mm；种子每室 5 ~ 7，倒卵形，长约 1.5 mm，稍扁平，黄褐色，有同心环状条纹。花期 3 ~ 4 月，

果期 5 ~ 6 月。

| **生境分布** | 生于平地路旁、沟边或村落附近。分布于河北沽源、乐亭、围场等。

| **资源情况** | 野生资源一般。药材主要来源于栽培。

| **采收加工** | 菥蓂：夏季果实成熟时采割，除去杂质，干燥。
菥蓂子：秋季采收成熟果实，晒干，打下种子，除去杂质。

| **药材性状** | 菥蓂：本品茎呈圆柱形，长 20 ~ 40 cm，直径 0.2 ~ 0.5 cm；表面黄绿色或灰黄色，有细纵棱线；质脆，易折断，断面髓部白色。叶互生，披针形，基部叶多为倒披针形，多脱落。总状果序生于茎枝先端和叶腋，果实卵圆形而扁平，直径 0.5 ~ 1.3 cm；表面灰黄色或灰绿色，中心略隆起，边缘有翅，翅宽约 0.3 cm，两面中间各有 1 纵棱线，先端凹陷，基部有细果柄，长约 1 cm；果实内分 2 室，中间有纵隔膜，每室有种子 5 ~ 7。种子扁卵圆形。气微，味淡。
菥蓂子：本品略呈扁卵圆形，长约 1.5 mm，宽 1 ~ 1.4 mm。表面红褐色至暗褐色，少数红棕色，具同心性隆起的环纹。种脐位于种子尖突部分，色浅，点状。种皮薄而脆。种仁黄色，有油性。无臭，味微苦、辛。

| **功能主治** | 菥蓂：辛，微寒。归肝、胃、大肠经。清肝明目，和中利湿，解毒消肿。用于目赤肿痛，脘腹胀痛，胁痛，肠痈，水肿，带下，疮疖痈肿。
菥蓂子：辛，微温。归肝、脾、肾经。清热解毒，利水消肿。用于目赤肿痛，肺痈，肠痈，泄泻，痢疾，带下，产后腹痛，消化不良，肾炎性水肿，肝硬化腹水，痈疮肿毒。

| **用法用量** | 菥蓂：内服煎汤，9 ~ 15 g。
菥蓂子：内服煎汤，2 ~ 3 g。

芥菜 *Brassica juncea* (L.) Czern.

| 植物别名 | 盖菜、芥、挂菜。

| 药 材 名 | 芥菜（药用部位：嫩茎叶。别名：芥、大芥、雪里蕻）。

| 形态特征 | 一年生草本，高 30 ~ 150 cm，常无毛，有时幼茎及叶具刺毛，带粉霜，有辣味。茎直立，有分枝。基生叶宽卵形至倒卵形，长 15 ~ 35 cm，先端圆钝，基部楔形，大头羽裂，具 2 ~ 3 对裂片，或不裂，边缘有缺刻或牙齿，叶柄长 3 ~ 9 cm，具小裂片；茎下部叶较小，边缘有缺刻或牙齿，有时具圆钝锯齿，不抱茎；茎上部叶窄披针形，长 2.5 ~ 5 cm，宽 4 ~ 9 mm，边缘具不明显疏齿或全缘。总状花序顶生，花后延长；花黄色，直径 7 ~ 10 mm；花梗长 4 ~ 9 mm；萼片淡黄色，长圆状椭圆形，长 4 ~ 5 mm，直立开展；花瓣倒卵形，长 8 ~ 10 mm，爪长 4 ~ 5 mm。长角果线形，

长 3 ~ 5.5 cm，宽 2 ~ 3.5 mm，果瓣具 1 凸出中脉；喙长 6 ~ 12 mm；果柄长 5 ~ 15 mm；种子球形，直径约 1 mm，紫褐色。花期 3 ~ 5 月，果期 5 ~ 6 月。

| 生境分布 |

河北广泛栽培。分布于河北宽城、围场等。

| 资源情况 |

栽培资源丰富。药材主要来源于栽培。

| 采收加工 |

秋季采收，鲜用或晒干。

| 药材性状 |

本品嫩茎呈圆柱形，黄绿色，有分枝，折断面髓部占大部分，类白色，海绵状。叶片常破碎，完整叶片呈宽披针形，深绿色、黄绿色或枯黄色，全缘或具粗锯齿，基部下延成狭翅状；叶柄短，不抱茎。气微，搓之有辛辣气味。

| 功能主治 |

辛，温。归肺、肝、胃、肾经。利肺豁痰，消肿散结。用于寒饮咳嗽，痰滞气逆，胸膈满闷，石淋，牙龈肿烂，乳痈，痔肿，冻疮，漆疮。

| 用法用量 |

内服煎汤，10 ~ 15 g；或鲜品捣汁。外用适量，煎汤熏洗；或烧存性研末敷。

芜青 *Brassica rapa* L.

| 植物别名 | 蔓青、变萝卜、圆根。

| 药 材 名 | 芜菁子（药用部位：种子）、芜菁（药用部位：块根、叶。别名：蔓菁、变萝卜）、芜菁花（药用部位：花）。

| 形态特征 | 二年生草本，高达 100 cm。块根肉质，球形、扁圆形或长圆形，外皮白色、黄色或红色，无辣味。茎直立，有分枝，下部稍有毛，上部无毛。基生叶大头羽裂或为复叶，长 20 ~ 34 cm，顶裂片或小叶很大，边缘波状或浅裂，侧裂片或小叶约 5 对，向下渐变小，上面有少数散生刺毛，下面有白色尖锐刺毛，叶柄长 10 ~ 16 cm，有小裂片；中部及上部茎生叶长圆状披针形，长 3 ~ 12 cm，无毛，带粉霜，基部宽心形，至少半抱茎，无柄。总状花序顶生；花直径 4 ~ 5 mm；花梗长 10 ~ 15 mm；萼片长圆形，长 4 ~ 6 mm；花瓣鲜黄色，倒

披针形，长 4 ~ 8 mm，有短爪。长角果线形，长 3.5 ~ 8 cm，果瓣具 1 明显中脉；喙长 10 ~ 20 mm；果柄长达 3 cm；种子球形，直径约 1.8 mm，浅黄棕色，近种脐处黑色，有细网状纹。花期 3 ~ 4 月，果期 5 ~ 6 月。

| 生境分布 | 生于土壤疏松、土层深厚、靠近水源、肥力相对充足的砂壤土。分布于河北赞皇、内丘等。河北广泛栽培。

| 资源情况 | 野生资源稀少。栽培资源丰富。药材主要来源于栽培。

| 采收加工 | 芜菁子：6 ~ 7 月果实成熟时割取全株，晒干，打下种子。
芜菁：冬季至翌年 3 月采收，鲜用或晒干。
芜菁花：3 ~ 4 月花开时采摘，鲜用或晒干。

| 药材性状 | 芜菁子：本品呈圆球形，直径 1.2 ~ 1.8 mm。种皮棕褐色，少数为深棕色至棕红色，质薄，易用手指压破，露出鲜黄色子叶 2。种脐呈卵圆形，光滑，色浅。气微，味微辛。
芜菁：本品块根肉质，膨大成球形、扁圆形或长椭圆形，直径 5 ~ 15 cm。上部淡黄棕色，较光滑，下部类白色或淡黄色，两侧各有 1 纵沟，沟中着生多数须状侧根，根头部有环状排列的叶痕；横切面类白色，木部占大部分，主要为薄壁组织。气微，味淡。叶多皱缩成条状，基生叶展平后呈阔披针形，长 20 ~ 34 cm；羽状深裂，裂片边缘波状或浅裂，表面蓝绿色，疏生白色糙毛；叶柄长 10 ~ 15 cm，两侧有叶状小裂片。质厚。气微，味淡。

| 功能主治 | 芜菁子：苦、辛，寒。归肝经。养肝明目，行气利水，清热解毒。用于青盲目暗，黄疸便结，小便不利，疮疽，面疱。
芜菁：辛、甘、苦，温。归胃、肝经。消食下气，解毒消肿。用于宿食不化，心腹冷痛，咳嗽，疔毒痈肿。
芜菁花：辛，平。归肝经。补肝明目，敛疮。用于虚劳目暗，久疮不愈。

| 用法用量 | 芜菁子：内服煎汤，3 ~ 9 g；或研末。外用适量，研末调敷。
芜菁：内服煮食；或捣汁。外用适量，捣敷。
芜菁花：内服研末，3 ~ 6 g。外用适量，研末调敷。

十字花科 Brassicaceae 芸薹属 Brassica

芸薹

Brassica rapa L. var. *oleifera* de Candolle

| 植物别名 | 油菜。

| 药 材 名 | 芸苔子（药用部位：种子。别名：油菜籽）。

| 形态特征 | 二年生草本，高 30 ~ 90 cm。茎粗壮，直立，分枝或不分枝，无毛或近无毛，稍带粉霜。基生叶大头羽裂，顶裂片圆形或卵形，边缘有不整齐的弯缺牙齿，侧裂片 1 至数对，卵形，叶柄宽，长 2 ~ 6 cm，基部抱茎；下部茎生叶羽状半裂，长 6 ~ 10 cm，基部扩展且抱茎，两面有硬毛及缘毛；上部茎生叶长圆状倒卵形、长圆形或长圆状披针形，长 2.5 ~ 8（~ 15）cm，宽 0.5 ~ 4（~ 5）cm，基部心形，抱茎，两侧有垂耳，全缘或有波状细齿。总状花序在花期呈伞房状，以后伸长；花鲜黄色，直径 7 ~ 10 mm；萼片长圆形，长 3 ~ 5 mm，直立开展，先端圆形，边缘透明，稍有毛；花瓣倒卵形，长 7 ~ 9 mm，

先端近微缺，基部有爪。长角果线形，长 3 ~ 8 cm，宽 2 ~ 4 mm，果瓣有中脉及网纹，萼直立，长 9 ~ 24 mm；果柄长 5 ~ 15 mm；种子球形，直径约 1.5 mm，紫褐色。花期 3 ~ 4 月，果期 5 月。

| 生境分布 | 河北多地有栽培。分布于河北围场等。

| 资源情况 | 栽培资源丰富。药材主要来源于栽培。

| 采收加工 | 初夏果实成熟后，连根拔起全株，打下种子，除去杂质，晒干。

| 药材性状 | 本品呈类圆球形，直径 1 ~ 2 mm，种皮黑色或暗红棕色，少数呈黄色。在放大镜下检视，表面有微细网状的纹理，种脐点状；浸在水中膨胀，除去种皮，有 2 黄白色、肥厚的子叶，沿主脉相重对折，胚根位于 2 对折的子叶之间。气无，味淡，微有抽样感。以饱满、表面光滑、无杂质者为佳。

| 功能主治 | 甘、辛，温。行气祛瘀，消肿散结。用于痛经，产后瘀血腹痛，恶露不净；外用于痈疖肿痛。

| 用法用量 | 内服煎汤，3 ~ 9 g。外用适量，捣烂，用鸡蛋清调敷。

景天科 Crassulaceae 八宝属 *Hylotelephium*

八宝 *Hylotelephium erythrostictum* (Miq.) H. Ohba

| 植物别名 | 景天、活血三七、对叶景天。

| 药 材 名 | 景天（药用部位：全草。别名：戒火、慎火、火母）、景天花（药用部位：花）。

| 形态特征 | 多年生草本。块根胡萝卜状。茎直立，高 30 ~ 70 cm，不分枝。叶对生，少有互生或 3 叶轮生，长圆形至卵状长圆形，长 4.5 ~ 7 cm，宽 2 ~ 3.5 cm，先端急尖、钝，基部渐狭，边缘有疏锯齿，无叶柄。伞房状花序顶生；花密生，直径约 1 cm，花梗稍短或与花等长；萼片 5，卵形，长 1.5 mm；花瓣 5，白色或粉红色，宽披针形，长 5 ~ 6 mm，渐尖；雄蕊 10，与花瓣等长或稍短，花药紫色；鳞片 5，长圆状楔形，长 1 mm，先端有微缺；心皮 5，直立，基部几分离。花期 8 ~ 10 月。

| **生境分布** | 生于海拔 450 ~ 1 800 m 的山坡草地或沟边。分布于河北滦平、迁安、青龙等。 |

| **资源情况** | 野生资源一般。药材主要来源于野生。 |

| **采收加工** | 景天：7 ~ 9 月采收，置沸水中稍烫，晒干。
景天花：8 ~ 9 月采摘，晒干。 |

| **药材性状** | 景天：本品根呈圆锥形，表面较粗糙，密生多数细根。茎呈圆柱形，长 30 ~ 60 cm，直径 2 ~ 10 mm，表面淡黄绿色、淡紫色或黑棕色，有细纵纹及叶痕。叶多对生，叶片多已碎落，展平后呈长卵形，无柄。有的可见顶生伞房状花序或黄白色果实。气微，味甘、淡。 |

| **功能主治** | 景天：苦、酸，寒。归心、肝经。清热解毒，活血止血。用于丹毒，疔疮痈疖，火眼目翳，烦热惊狂，风疹，漆疮，烫火伤，蛇虫咬伤，吐血，咯血，月经过多，外伤出血。
景天花：苦，寒。清热利湿，明目，止痒。用于赤白带下，火眼赤肿，风疹瘙痒。 |

| **用法用量** | 景天：内服煎汤，15 ~ 30 g，鲜品 50 ~ 100 g；或捣汁。外用适量，捣敷；或取汁摩涂、滴眼；或研末调搽；或煎汤洗。 |

景天科 Crassulaceae 红景天属 Rhodiola

狭叶红景天
Rhodiola kirilowii (Regel) Maxim.

| 植物别名 | 狮子七、狮子草、九头狮子七。

| 药材名 | 狭叶红景天（药用部位：根及根茎）。

| 形态特征 | 多年生草本。根粗，直立；根颈直径 1.5 cm，先端被三角形鳞片。花茎少数，高 15 ～ 60 cm，少数可达 90 cm，直径 4 ～ 6 mm，叶密生。叶互生，线形至线状披针形，长 4 ～ 6 cm，宽 2 ～ 5 mm，先端急尖，边缘有疏锯齿，或有时全缘，无柄。花序伞房状，有多花，宽 7 ～ 10 cm；雌雄异株；萼片 4 或 5，三角形，长 2 ～ 2.5 mm，先端急尖；花瓣 4 或 5，绿黄色，倒披针形，长 3 ～ 4 mm，宽 0.8 mm；雄花有雄蕊 8 或 10，与花瓣等长或稍长，花丝、花药黄色；鳞片 4 或 5，近正方形或长方形，长 0.8 mm，先端钝或有微缺；心皮 4 或 5，直立。蓇葖果披针形，长 7 ～ 8 mm，有短而外弯的喙；种子长圆状

披针形，长 1.5 mm。花期 6 ~ 7 月，果期 7 ~ 8 月。

| 生境分布 | 生于海拔 2 000 ~ 5 600 m 的山地多石草地或石坡。分布于河北兴隆、蔚县、阜平等。

| 资源情况 | 野生资源一般。药材主要来源于栽培。

| 采收加工 | 秋季采挖，洗净泥土，除去粗皮，晒干。

| 药材性状 | 本品根呈类圆柱形或不规则形，为圆段状，多分枝，长 4 ~ 10 cm，直径 1 ~ 5 cm；表面红棕色或褐棕色，栓皮脱落处呈淡黄褐色或褐色，具纵沟纹和众多疣状、凸起的须根痕。根茎膨大，残留凹凸不平的茎基痕，具膜质鳞叶，节间不规则；断面不整齐，呈红棕色或紫红色，有 1 环纹；体轻，疏松。气清香，味涩、微苦。

| 功能主治 | 微苦、涩，温。归心、肺、大肠经。活血调经，清肺养胃，止血止痢。用于跌打损伤，身体虚弱，头晕目眩，月经不调，崩漏带下，吐血，泻痢。

| 用法用量 | 内服煎汤，3 ~ 6 g；或浸酒。

景天科 Crassulaceae 红景天属 Rhodiola

小丛红景天 *Rhodiola dumulosa* (Franch.) S. H. Fu

| 植物别名 | 凤尾七、凤尾草、凤凰草。

| 药 材 名 | 凤尾七（药用部位：全草或根。别名：小丛红景天、凤尾草、凤凰草）。

| 形态特征 | 多年生草本。根颈粗壮，分枝，地上部分常有残留的老枝。花茎聚生于主轴先端，长 5 ~ 28 cm，直立或弯曲，不分枝。叶互生，线形至宽线形，长 7 ~ 10 mm，宽 1 ~ 2 mm，先端稍急尖，基部无柄，全缘。花序聚伞状，有 4 ~ 7 花；萼片 5，线状披针形，长 4 mm，宽 0.7 ~ 0.9 mm，先端渐尖，基部宽；花瓣 5，白色或红色，披针状长圆形，直立，长 8 ~ 11 mm，宽 2.3 ~ 2.8 mm，先端渐尖，有较长的短尖，边缘平直，或多少呈流苏状；雄蕊 10，较花瓣短，对萼片的长 7 mm，对花瓣的长 3 mm，着生于花瓣基部上 3 mm 处；鳞片 5，横长方形，长 0.4 mm，宽 0.8 ~ 1 mm，先端微缺；心皮 5，

卵状长圆形,直立,长 6 ~ 9 mm,基部 1 ~ 1.5 mm 合生。种子长圆形,长 1.2 mm,有微乳头状突起,有狭翅。花期 6 ~ 7 月,果期 8 月。

| 生境分布 | 生于海拔 1 600 ~ 3 900 m 的山坡石上。分布于河北兴隆、昌黎、赤城等。

| 资源情况 | 野生资源一般。药材主要来源于栽培。

| 采收加工 | 秋季采收,除去须根,洗净,晒干或阴干。

| 功能主治 | 甘、苦,平。归肾、肝经。益肾养肝,调经活血。用于劳热骨蒸,干血痨,头晕目眩,月经不调。

| 用法用量 | 内服煎汤,6 ~ 12 g。

景天科 Crassulaceae 景天属 Sedum

垂盆草
Sedum sarmentosum Bunge

| 植物别名 | 豆瓣菜、狗牙瓣、石头菜。

| 药 材 名 | 垂盆草（药用部位：全草。别名：山护花、鼠牙半支、半枝莲）。

| 形态特征 | 多年生草本。不育枝及花茎细，匍匐而节上生根，直到花序之下，长 10 ~ 25 cm。叶为 3 叶轮生，倒披针形至长圆形，长 15 ~ 28 mm，宽 3 ~ 7 mm，先端近急尖，基部急狭，有距。聚伞花序，有 3 ~ 5 分枝，花少，宽 5 ~ 6 cm；花无梗；萼片 5，披针形至长圆形，长 3.5 ~ 5 mm，先端钝，基部无距；花瓣 5，黄色，披针形至长圆形，长 5 ~ 8 mm，先端有稍长的短尖；雄蕊 10，较花瓣短；鳞片 10，楔状四方形，长 0.5 mm，先端稍有微缺；心皮 5，长圆形，长 5 ~ 6 mm，略叉开，有长花柱。种子卵形，长 0.5 mm。花期 5 ~ 7 月，果期 8 月。

| 生境分布 |

生于海拔 1 600 m 以下的山坡阳处或石上。分布于河北磁县、抚宁、阜平等。

| 资源情况 |

野生资源一般。药材主要来源于野生。

| 采收加工 |

夏、秋季采收，除去杂质，干燥。

| 药材性状 |

本品茎纤细，长可达 20 cm 以上，部分节上可见纤细的不定根。叶为 3 叶轮生，叶片倒披针形至矩圆形，绿色，肉质，长 1.5 ~ 2.8 cm，宽 0.3 ~ 0.7 cm，先端近急尖，基部急狭，有距。气微，味微苦。

| 功能主治 |

甘、淡，凉。归肝、胆、小肠经。利湿退黄，清热解毒。用于湿热黄疸，小便不利，痈肿疮疡。

| 用法用量 |

内服煎汤，15 ~ 30 g。

景天科 Crassulaceae 景天属 Sedum

繁缕景天
Sedum stellariifolium Franch.

| 植物别名 |

卧儿菜。

| 药 材 名 |

火焰草（药用部位：全草。别名：红瓦松、狗牙风）。

| 形态特征 |

一年生或二年生草本，植株被腺毛。茎直立，有多数斜向上的分枝，基部呈木质，高10 ~ 15 cm，褐色，被腺毛。叶互生，正三角形或三角状宽卵形，长7 ~ 15 mm，宽5 ~ 10 mm，先端急尖，基部宽楔形至截形，叶柄长4 ~ 8 mm，全缘。总状聚伞花序；花顶生，花梗长5 ~ 10 mm；萼片5，披针形至长圆形，长1 ~ 2 mm，先端渐尖；花瓣5，黄色，披针状长圆形，长3 ~ 5 mm，先端渐尖；雄蕊10，较花瓣短；鳞片5，宽匙形至宽楔形，长0.3 mm，先端有微缺；心皮5，近直立，长圆形，长约4 mm，花柱短。蓇葖果下部合生，上部略叉开；种子长圆状卵形，长0.3 mm，有纵纹，褐色。花期6 ~ 7月（湖北及以南）至7 ~ 8月（华北地区及西南地区高山），果期8 ~ 9月。

| 生境分布 | 生于海拔 400 ~ 1 300 m 的山坡、山谷或石缝。分布于河北赤城、怀安、内丘等。

| 资源情况 | 野生资源一般。药材主要来源于野生。

| 采收加工 | 夏季采收，晒干。

| 功能主治 | 微苦，凉。清热解毒，凉血止血。用于咽喉肿痛，热毒疮肿，丹毒，血热吐血，咯血，鼻衄。

| 用法用量 | 内服煎汤，10 ~ 30 g，鲜品 50 ~ 100 g；或捣汁。外用适量，捣敷。

景天科 Crassulaceae 费菜属 Phedimus

费菜 *Phedimus aizoon* (Linnaeus) 't Hart.

| 植物别名 | 土三七、四季还阳、景天三七。

| 药 材 名 | 景天三七（药用部位：全草或根。别名：费案、土三七、八仙草）。

| 形态特征 | 多年生草本。根茎短粗。茎高 20 ~ 50 cm，有 1 ~ 3 茎，直立，无毛，不分枝。叶互生，狭披针形、椭圆状披针形至卵状倒披针形，长 3.5 ~ 8 cm，宽 1.2 ~ 2 cm，先端渐尖，基部楔形，边缘有不整齐的锯齿；叶坚实，近革质。聚伞花序多花，水平分枝，平展，下托以苞叶；萼片 5，线形，肉质，不等长，长 3 ~ 5 mm，先端钝；花瓣 5，黄色，长圆形至椭圆状披针形，长 6 ~ 10 mm，有短尖；雄蕊 10，较花瓣短；鳞片 5，近正方形，长 0.3 mm；心皮 5，卵状长圆形，基部合生，腹面凸出，花柱长钻形。蓇葖果星芒状排列，长 7 mm；种子椭圆形，长约 1 mm。花期 6 ~ 7 月，果期 8 ~ 9 月。

| 生境分布 |

生于山地林缘、灌丛、河岸草丛。分布于河北邢台及赞皇、涿鹿等。

| 资源情况 |

野生资源丰富。药材主要来源于野生。

| 采收加工 |

夏、秋季采收，除去泥沙，晒干。

| 药材性状 |

本品根茎短小，略呈块状，表面灰棕色，根数条，粗细不等，质硬，断面呈暗棕色或类灰白色。茎圆柱形，长 15 ~ 40 cm，直径 2 ~ 5 mm；表面暗棕色或紫棕色，有纵棱；质脆，易折断，断面常中空。叶互生或近对生，几无柄；叶片皱缩，完整者展平后呈长披针形至倒披针形，长 3.5 ~ 8 cm，宽 1.2 ~ 2 cm，灰绿色或棕褐色，先端渐尖，基部楔形，边缘上部有锯齿，下部全缘。聚伞花序顶生，花黄色。气微，味微涩。

| 功能主治 |

甘、微酸，平。归心、肝经。散瘀止血，安神，解毒。用于吐血，衄血，咯血，便血，尿血，崩漏，紫癜，外伤出血，跌打损伤，心悸，失眠，疮疖痈肿，烫火伤，毒虫螫伤。

| 用法用量 |

内服煎汤，15 ~ 30 g；或绞汁，30 ~ 60 g。外用适量，捣敷；或研末撒敷。

景天科 Crassulaceae 瓦松属 Orostachys

狼爪瓦松
Orostachys cartilaginea Borissova

| 植物别名 | 辽瓦松、瓦松、干滴落。

| 药 材 名 | 辽瓦松（药用部位：地上部分。别名：瓦松、干滴落、酸塔）。

| 形态特征 | 二年生或多年生草本。莲座叶长圆状披针形，先端有软骨质附属物，背凸出，白色，全缘，先端中央有白色软骨质的刺。花茎不分枝，高 10 ~ 35 cm。茎生叶互生，线形或披针状线形，长 1.5 ~ 3.5 cm，宽 2 ~ 4 mm，先端渐尖，有白色软骨质的刺，无柄。总状花序圆柱形，紧密多花，高 10 ~ 30 cm；苞片线形至线状披针形，与花等长或较之长，先端有刺；花梗与花等长或稍长；萼片 5，狭长圆状披针形，长 2 mm，有斑点，先端呈软骨质；花瓣 5，白色，长圆状披针形，长 5 ~ 6 mm，宽 2 mm，基部稍合生，先端急尖；雄蕊 10，较花瓣稍短；鳞片 5，近四方形，长 6 ~ 7 mm，有短梗，喙丝状。

种子线状长圆形，长 0.5 mm，褐色。花果期 9 ～ 10 月。

| **生境分布** | 生于低山山坡。分布于河北行唐、赞皇等。

| **资源情况** | 野生资源一般。药材主要来源于栽培。

| **采收加工** | 6 ～ 7 月采割，晒干。

| **功能主治** | 酸，平；有毒。归肝、大肠经。凉血，止痢，解毒敛疮。用于泻痢，便血，崩漏，疮疡，烫火伤。

| **用法用量** | 内服煎汤，1.5 ～ 3 g。外用适量，捣敷；或研末撒。

景天科 Crassulaceae 瓦松属 Orostachys

瓦松 Orostachys fimbriatus (Turczaninow) A. Berger.

| **植物别名** | 流苏瓦松、瓦花、瓦塔。

| **药 材 名** | 瓦松（药用部位：地上部分。别名：昨叶荷草、屋上无根草、向天草）。

| **形态特征** | 二年生草本。一年生莲座丛的叶短；莲座叶线形，先端增大，为白色软骨质，半圆形，有齿；二年生花茎一般高 10 ~ 20 cm，矮者高仅 5 cm，高者有时高达 40 cm。叶互生，疏生，有刺，线形至披针形，长可达 3 cm，宽 2 ~ 5 mm。花序总状，紧密，或下部分枝，可呈宽 20 cm 的金字塔形；苞片线状渐尖；花梗长达 1 cm；萼片 5，长圆形，长 1 ~ 3 mm；花瓣 5，红色，披针状椭圆形，长 5 ~ 6 mm，宽 1.2 ~ 1.5 mm，先端渐尖，基部 1 mm 合生；雄蕊 10，与花瓣等长或较之稍短，花药紫色；鳞片 5，近四方形，长 0.3 ~ 0.4 mm，先端稍凹。菁葖果 5，长圆形，长 5 mm，喙细，长 1 mm；种子多数，

卵形，细小。花期 8 ~ 9 月，果期 9 ~ 10 月。

| **生境分布** | 生于海拔 1 600 m 以下的山坡石上或屋瓦上。分布于河北沽源、行唐、怀安等。

| **资源情况** | 野生资源一般。药材主要来源于野生。

| **采收加工** | 夏、秋季花开时采收，除去根及杂质，晒干。

| **药材性状** | 本品茎呈长圆柱形，长 5 ~ 27 cm，直径 2 ~ 6 mm，表面灰棕色，具多数凸起的残留叶基，有明显的纵横线。叶多脱落，破碎或卷曲，灰绿色。圆锥花序穗状，小花白色或粉红色，花梗长约 1 cm。体轻，质脆，易碎。气微，味酸。

| **功能主治** | 酸、苦，凉。归肝、肺、脾经。凉血止血，解毒，敛疮。用于血痢，便血，痔血，疮口久不愈合。

| **用法用量** | 内服煎汤，3 ~ 9 g。外用适量，研末涂敷。

东北茶藨子

Ribes mandshuricum (Maxim.) Kom.

| 植物别名 | 满洲茶藨子、山麻子、东北醋李。

| 药 材 名 | 灯笼果（药用部位：果实。别名：狗葡萄、醋栗）。

| 形态特征 | 落叶灌木，高 1 ~ 3 m。小枝灰色或灰褐色，皮纵向或呈长条状剥落；嫩枝褐色，被短柔毛或近无毛，无刺；芽卵圆形或长圆形，长 4 ~ 7 mm，宽 1.5 ~ 3 mm，先端稍钝或急尖，具数枚棕褐色鳞片，外面微被短柔毛。叶宽大，长 5 ~ 10 cm，宽与长相等，基部心形，幼时两面被灰白色平贴短柔毛，下面甚密，成长时毛逐渐脱落，老时毛稀疏，常掌状 3 裂，稀 5 裂，裂片卵状三角形，先端急尖至短渐尖，顶生裂片比侧生裂片稍长，边缘具不整齐粗锐锯齿或重锯齿；叶柄长 4 ~ 7 cm，具短柔毛。花两性，开花时直径 3 ~ 5 mm；总状花序长 7 ~ 16 cm，稀 20 cm，初直立后下垂，具花多达

40 ～ 50；花序轴和花梗密被短柔毛；花梗长 1 ～ 3 mm；苞片小，卵圆形，与花梗等长，无毛或微被短柔毛，早剥落；花萼浅绿色或黄色，无毛或近无毛，萼筒盆形，长 1 ～ 2 mm，宽 2 ～ 4 mm，萼片倒卵状舌形或近舌形，长 2 ～ 3 mm，宽 1 ～ 2 mm，先端圆钝，边缘无毛；花瓣近匙形，长 1 ～ 1.5 mm，宽稍短，先端圆钝或截形，浅黄绿色，下有 5 分离的凸出体；雄蕊长于萼片，花药近圆形，红色；子房无毛，花柱稍短或与雄蕊等长，先端 2 裂，有时分裂几达中部。果实球形，直径 7 ～ 9 mm，红色，无毛，味酸可食；种子多数，圆形，较大。花期 4 ～ 6 月，果期 7 ～ 8 月。

| 生境分布 | 生于海拔 300 ～ 1 800 m 的山坡、山谷针阔叶混交林下或杂木林内。分布于河北崇礼、涞水、蔚县等。

| 资源情况 | 野生资源丰富。药材主要来源于野生。

| 采收加工 | 7 ～ 8 月果实成熟时采摘，晒干。

| 药材性状 | 本品呈扁球形，直径 7 mm，果皮皱缩不平，红褐色至黑红色，显油性。先端有宿存花萼，基部具果柄，有绒毛。果皮薄，易碎，可见棕红色小椭圆球形或小肾形的种子。气微，味甘、辛。

| 功能主治 | 辛，温。解表。用于感冒。

| 用法用量 | 内服煎汤，9 ～ 15 g。

虎耳草科 Saxifragaceae 茶藨子属 Ribes

美丽茶藨子
Ribes pulchellum Turcz.

植物别名

小叶茶藨、碟花茶藨子。

药材名

小叶茶藨（药用部位：果实）。

形态特征

落叶灌木，高 1 ~ 2.5 m。小枝灰褐色，皮稍纵向条裂；嫩枝褐色或红褐色，有光泽，被短柔毛，老时毛脱落，在叶下部的节上常具 1 对小刺，节间无刺或小枝上散生少数细刺；芽卵圆形，长 3 ~ 4 mm，先端圆钝或微尖，具数枚褐色鳞片，外面幼时具短柔毛。叶宽卵圆形，长、宽均为（1 ~ ）1.5 ~ 3 cm，基部近截形至浅心形，上面暗绿色，下面色较浅，两面具短柔毛，老时毛较稀疏，掌状 3 裂，有时 5 裂，边缘具粗锐或微钝单锯齿，或混生重锯齿；叶柄长（0.5 ~ ）1 ~ 2 cm，具短柔毛或混生稀疏短腺毛。花单性，雌雄异株，形成总状花序；雄花序长 5 ~ 7 cm，具 8 ~ 20 疏松排列的花；雌花序短，长 2 ~ 3 cm，具 8 至 10 余密集排列的花；花序轴和花梗具短柔毛，常疏生短腺毛，老时均逐渐脱落；花梗长 2 ~ 4 mm；苞片披针形或狭长圆形，长 3 ~ 4 mm，先端稍钝或微尖，边缘有稀疏短柔毛或短腺毛，具单脉；花萼浅绿黄色至浅红褐色，无毛或近无毛，萼筒碟形，长 1.5 ~ 2 mm，宽大于长，萼片宽卵圆形，长 1.5 ~ 2 mm，长于花瓣，先端稍钝；花瓣很小，鳞片状，长 1 ~ 1.5 mm；雄蕊长于花瓣，花药白色，雌花中雄蕊败育；子房近球形，无毛，雄花中无子房，花柱先端 2 裂。果实球形，直径 5 ~ 8 mm，红色，无毛。花期 5 ~ 6 月，果期 8 ~ 9 月。

| 生境分布 |

生于海拔 300 ~ 2 800 m 的多石砾山坡、沟谷、黄土丘陵或阳坡灌丛。分布于河北阜平、涉县、武安等。

| 资源情况 |

野生资源丰富。药材主要来源于野生。

| 采收加工 |

8 ~ 9 月果实成熟时采摘，晒干。

| 药材性状 |

本品呈扁球形，直径 5 ~ 6 mm。果皮皱缩不平，红色。有短柔毛。先端有花萼的脱落痕，基部有果柄，具短柔毛。果皮易碎，可见棕色肾形种子。气微，味甘。

| 功能主治 |

微苦，凉。解表散寒。用于感冒。

| 用法用量 |

内服煎汤，9 ~ 15 g。

虎耳草科 Saxifragaceae 常山属 Dichroa

常山
Dichroa febrifuga Lour.

| 植物别名 |

恒山、蜀漆、土常山。

| 药 材 名 |

常山（药用部位：根。别名：互草、恒山、七叶）。

| 形态特征 |

灌木，高 1 ~ 2 m。小枝圆柱状或稍具 4 棱，无毛或被稀疏短柔毛，常呈紫红色。叶形状、大小变异大，常呈椭圆形、倒卵形、椭圆状长圆形或披针形，长 6 ~ 25 cm，宽 2 ~ 10 cm，先端渐尖，基部楔形，边缘具锯齿或粗齿，稀波状，两面绿色或一至两面紫色，无毛或仅叶脉被皱卷短柔毛，稀下面被长柔毛，侧脉每边 8 ~ 10，网脉稀疏；叶柄长 1.5 ~ 5 cm，无毛或疏被毛。伞房状圆锥花序顶生，有时叶腋有侧生花序，直径 3 ~ 20 cm，花蓝色或白色；花蕾倒卵形，盛开时直径 6 ~ 10 mm；花梗长 3 ~ 5 mm；花萼倒圆锥形，4 ~ 6 裂，裂片阔三角形，急尖，无毛或被毛；花瓣长圆状椭圆形，稍肉质，花后反折；雄蕊 10 ~ 20，一半与花瓣对生，花丝线形，扁平，初与花瓣合生，后分离，花药椭圆形；花柱（4 ~ ）5 ~ 6，棒状，柱头长圆形，子房 3/4 下位。浆果直径 3 ～ 7 mm，蓝色，干时黑色；种子长约 1 mm，具网纹。花期 2 ～ 4 月，果期 5 ～ 8 月。

| **生境分布** | 生于海拔 200 ～ 2 000 m 的阴湿林中。分布于河北阜平、灵寿、内丘等。

| **资源情况** | 野生资源一般。药材主要来源于野生。

| **采收加工** | 秋季采挖，除去须根，洗净，晒干。

| **药材性状** | 本品呈圆柱形，常弯曲扭转，或有分枝，长 9 ～ 15 cm，直径 0.5 ～ 2 cm。表面棕黄色，具细纵纹，外皮易剥落，剥落处露出淡黄色木部。质坚硬，不易折断，折断时有粉尘飞扬；横切面黄白色，射线类白色，呈放射状。气微，味苦。

| **功能主治** | 苦、辛，寒；有毒。归肺、肝、心经。涌吐痰涎，截疟。用于痰饮停聚，胸膈痞塞，疟疾。

| **用法用量** | 内服煎汤，5 ～ 9 g。

虎耳草科 Saxifragaceae 扯根菜属 Penthorum

扯根菜 *Penthorum chinense* Pursh

| 植物别名 | 干黄草、水杨柳、水泽兰。

| 药 材 名 | 扯根菜（药用部位：地上部分。别名：水泽兰）。

| **形态特征** | 多年生草本，高 40 ～ 90 cm。根茎分枝。茎直立，不分枝，红紫色，少基部分枝，具多数叶，中、下部无毛，上部疏被黑褐色腺毛。叶互生，无柄或近无柄，披针形至狭披针形，长 4 ～ 10 cm，宽 0.4 ～ 1.2 cm，先端渐尖，边缘具细重锯齿，两面无毛。聚伞花序具多花，长 1.5 ～ 4 cm；花序分枝与花梗均被褐色腺毛；苞片小，卵形至狭卵形；花梗长 1 ～ 2.2 mm；花小型，黄白色；萼片 5，革质，三角形，长约 1.5 mm，宽约 1.1 mm，无毛，单脉；无花瓣；雄蕊 10，长约 2.5 mm；雌蕊长约 3.1 mm，心皮 5 ～ 6，下部合生；子房 5 ～ 6 室，胚珠多数，花柱 5 ～ 6，较粗。蒴果，红紫色，直径 4 ～ 5 mm；种子多数，红色，较小，卵状长圆形，表面具小丘状突起。花果期 7 ～ 10 月。 |

| **生境分布** | 生于海拔 90 ～ 2 200 m 的林下、灌丛草甸及水边。分布于河北北戴河、新乐、赞皇等。 |

| **资源情况** | 野生资源丰富。药材主要来源于野生。 |

| **采收加工** | 夏、秋季采割，除去杂质，干燥。 |

| **药材性状** | 本品茎呈长圆柱形，直径 2 ～ 8 mm，表皮黄绿色带红色，较光滑，叶柄痕有时呈刺状。质脆，易折断，断面黄白色，纤维性，中空。叶多破碎，互生，完整者展平后呈披针形，长 3 ～ 10 cm，宽 0.4 ～ 1.2 cm，几无叶柄；叶片黄绿色，两面均无毛。花黄色，穗状着生于枝端。蒴果黄红色，五角形，直径 4 ～ 5 mm。种子细小。气微，味微苦。 |

| **功能主治** | 甘，平。归肝经。利水除湿，活血散瘀，止血，解毒。用于水肿，小便不利，黄疸。 |

| **用法用量** | 内服煎汤，15 ～ 30 g。外用适量，煎汤洗；或捣敷。 |

虎耳草科 Saxifragaceae 金腰属 Chrysosplenium

中华金腰

Chrysosplenium sinicum Maxim.

| 植物别名 | 华金腰子、中华金腰子。

| 药 材 名 | 华金腰子（药用部位：全草。别名：猫眼草、金钱苦叶草）。

| 形态特征 | 多年生草本，高（3 ~ ）10 ~ 20（~ 33）cm。不育枝发达，出自茎基部叶的叶腋，无毛。叶对生，近圆形或宽卵形，长不及 1.1 cm，具 12 ~ 16 钝齿，基部宽楔形，无毛，叶柄长 0.6 ~ 1 cm。聚伞花序长 2.2 ~ 3.8 cm，具 4 ~ 10 花；花序分枝无毛；苞叶阔卵形、卵形至近狭卵形，长 4 ~ 18 mm，宽 9 ~ 10 mm，边缘具 5 ~ 16 钝齿，基部宽楔形至偏斜形，无毛，柄长 1 ~ 7 mm，近苞腋部具褐色乳头状突起；花梗无毛；花黄绿色；萼片在花期直立，阔卵形至近阔椭圆形，长 0.8 ~ 2.1 mm，宽 1 ~ 2.4 mm，先端钝；雄蕊 8，长约 1 mm；子房半下位，花柱长约 0.4 mm；无花盘。蒴果长 7 ~ 10 mm，

2 果瓣明显不等大，叉开，喙长 0.3 ～ 1.2 mm；种子黑褐色，椭球形至阔卵球形，长 0.6 ～ 0.9 mm，被微乳头状突起，有光泽。花果期 4 ～ 8 月。

| **生境分布** | 生于海拔 500 ～ 3 550 m 的林下或山沟阴湿处。分布于河北阜平、武安等。

| **资源情况** | 野生资源一般。药材主要来源于栽培。

| **采收加工** | 8 ～ 9 月采收，洗净，晒干或鲜用。

| **功能主治** | 苦，寒。利尿退黄，清热解毒。用于黄疸，淋证，膀胱结石，胆结石，疔疮。

| **用法用量** | 内服煎汤，6 ～ 9 g。外用适量，捣敷。

虎耳草科 Saxifragaceae 落新妇属 Astilbe

落新妇 *Astilbe chinensis* (Maxim.) Franch. et Savat.

| **植物别名** | 小升麻、术活、红升麻。

| **药 材 名** | 落新妇（药用部位：全草。别名：术活、马尾参）。

| **形态特征** | 多年生草本，高 50 ~ 100 cm。根茎暗褐色，粗壮，须根多数。茎无毛。基生叶为二至三回三出羽状复叶；顶生小叶片菱状椭圆形，侧生小叶片卵形至椭圆形，长 1.8 ~ 8 cm，宽 1.1 ~ 4 cm，先端短渐尖至急尖，边缘有重锯齿，基部楔形、浅心形至圆形，腹面沿脉生硬毛，背面沿脉疏生硬毛和小腺毛；叶轴仅于叶腋部具褐色柔毛；茎生叶 2 ~ 3，较小。圆锥花序长 8 ~ 37 cm，宽 3 ~ 4（ ~ 12）cm；下部第一回分枝长 4 ~ 11.5 cm，通常与花序轴呈 15° ~ 30° 角斜向上；花序轴密被褐色卷曲长柔毛；苞片卵形，几无花梗；花密集；萼片 5，卵形，长 1 ~ 1.5 mm，宽约 0.7 mm，两

面无毛，边缘中部以上生微腺毛；花瓣 5，淡紫色至紫红色，线形，长 4.5 ～ 5 mm，宽 0.5 ～ 1 mm，具单脉；雄蕊 10，长 2 ～ 2.5 mm；心皮 2，仅基部合生，长约 1.6 mm。蓇葖果长约 3 mm；种子褐色，长约 1.5 mm。花果期 6 ～ 9 月。

| 生境分布 | 生于海拔 400 ～ 3 600 m 的山谷、溪边、林下、林缘和草甸等。分布于河北怀安、涞源等。

| 资源情况 | 野生资源丰富。药材主要来源于野生。

| 采收加工 | 秋季采收，洗净，晒干或鲜用。

| 药材性状 | 本品皱缩。茎圆柱形，直径 1 ～ 4 mm，表面棕黄色；基部具褐色膜质鳞片状毛或长柔毛。基生叶二至三回三出复叶，多破碎，完整小叶呈披针形、卵形、阔椭圆形，长 1.8 ～ 8 cm，宽 1.1 ～ 4 cm，先端渐尖，基部多楔形，边缘有牙齿，两面沿脉疏生硬毛；茎生叶较小，棕红色。圆锥花序密被褐色卷曲长柔毛，花密集，几无梗，花萼 5 深裂；花瓣 5，窄条形。有时可见枯黄色果实。气微，味辛、苦。

| 功能主治 | 苦，凉。祛风，清热，止咳。用于风热感冒，头身疼痛，咳嗽。

| 用法用量 | 内服煎汤，6 ～ 9 g，鲜品 10 ～ 20 g；或浸酒。

虎耳草科 Saxifragaceae 梅花草属 Parnassia

梅花草 *Parnassia palustris* Linn.

| 植物别名 | 苍耳七。

| 药 材 名 | 梅花草（药用部位：全草）。

| 形态特征 | 多年生草本，高 12 ~ 20（~ 30）cm。根茎短粗，偶有稍长者，其下长出多数细长纤维状根和须根，其上有残存褐色膜质鳞片。基生叶 3 至多数，具柄；叶片卵形至长卵形，偶有三角状卵形，长1.5 ~ 3 cm，宽 1 ~ 2.5 cm，先端圆钝或渐尖，常带短尖头，基部近心形，全缘，薄而微向外反卷，上面深绿色，下面淡绿色，常被紫色长圆形斑点，脉近基部 5 ~ 7，呈弧形，下面更明显；叶柄长 3 ~ 6（~ 8）cm，两侧有窄翼，具长条形紫色斑点；托叶膜质，大部分贴生于叶柄，边缘有褐色流苏状毛，早落。茎 2 ~ 4，通常近中部具 1 茎生叶，茎生叶与基生叶同形，其基部常有铁锈色附属物，无柄，

半抱茎。花单生于茎顶，直径 2.2 ~ 3（~ 3.5）cm；萼片椭圆形或长圆形，先端钝，全缘，具 7 ~ 9 脉，密被紫褐色小斑点；花瓣白色，宽卵形或倒卵形，长 1 ~ 1.5（~ 1.8）cm，宽 7 ~ 10（~ 13）mm，先端圆钝或短渐尖，基部有宽而短的爪，全缘，有显著自基部发出的 7 ~ 13 脉，常有紫色斑点；雄蕊 5，花丝扁平，长短不等，长者达 7 mm，短者则 2.5 mm，向基部逐渐加宽，花药椭圆形，长约 3 mm；退化雄蕊 5，长可达 1 cm，呈分枝状，有明显主干，主干长约 2.5 mm，分枝长短不等，中间长者比主干长 3 ~ 4 倍，两侧者则短，通常（7 ~）9 ~ 11（~ 13）分枝，每枝先端有球形腺体；子房上位，卵球形，花柱极短，柱头 4 裂。蒴果卵球形，干后有紫褐色斑点，呈 4 瓣开裂；种子多数，长圆形，褐色，有光泽。花期 7 ~ 9 月，果期 10 月。

| 生境分布 | 生于海拔 1 580 ~ 2 000 m 的潮湿的山坡草地、沟边或河谷地阴湿处。分布于河北赤城、丰宁、阜平等。

| 资源情况 | 野生资源一般。药材主要来源于野生。

| 采收加工 | 夏季开花时采收，晒干。

| 药材性状 | 本品根茎呈不规则团块状，褐色，有多数须根。茎圆柱形，长 3 ~ 27 cm，直径 1 ~ 2 mm，有纵棱，质脆，易折断。基生叶褐色，多破碎，完整叶片呈卵圆形或心形，长 1.5 ~ 3 cm，宽 1 ~ 2.5 cm，全缘，叶柄较长；茎生叶 1，形同基生

叶，无柄。花黄色，单生于茎顶。气微，味甘。

| **功能主治** | 微苦，平。归肺、肝、胆经。清热凉血，解毒消肿，止咳化痰。用于黄疸性肝炎，细菌性痢疾，咽喉肿痛，脉管炎，疮痈肿毒，咳嗽多痰。

| **用法用量** | 内服煎汤，3～9g；或研末，1～3g。

| **附　　注** | 少花梅花草 *Parnassia palustris* Linn. var. *palustris* f. *nana* Ku 与本种的主要区别在于植株矮小，高不超过5cm，花瓣边缘不明显啮蚀状，退化雄蕊7～9；花期9月。多枝梅花草 *Parnassia palustris* Linn. var. *multiseta* Ledeb. 与本种的主要区别在于退化雄蕊分枝多，（11～）13～23条，比雄蕊长，比花瓣稍短，花期植株较高大，

基生叶缺如或少而小；花期 8 月；生于海拔 1 250 ～ 2 220 m 的山坡和山沟阴处、河边、草原及路边等。

虎耳草科 Saxifragaceae 梅花草属 Parnassia

细叉梅花草
Parnassia oreophila Hance

| 药 材 名 |　细叉梅花草（药用部位：全草）。

| 形态特征 |　多年生小草本，高 17 ~ 30 cm。根茎粗壮，形状不定，常呈长圆形或块状，其上有残存褐色鳞片，周围长出丛密细长的根。基生叶 2 ~ 8，具柄，叶片卵状长圆形或三角状卵形，长 2 ~ 3.5 cm，宽 1 ~ 1.8 cm，先端圆，有时带短尖头，基部常截形或微心形，有时下延至叶柄，全缘，上面深绿色，下面色淡，有 3 ~ 5 明显凸起之脉；叶柄长 2 ~ 5（~ 10）cm，扁平，两侧均为窄膜质；托叶膜质，边缘疏生褐色流苏状毛，早落。茎（1 ~）2 ~ 9 或更多，中部或中部以下具 1 叶（苞叶），茎生叶卵状长圆形，长 2.5 ~ 4.5 cm，宽 1 ~ 2.5 cm，先端急尖，基部常有数条锈褐色的附属物，早落，无柄，半抱茎。花单生于茎顶，直径 2 ~ 3 cm；萼筒钟状，萼片披针形，长 6 ~ 7 mm，

宽约 2 mm，先端钝，全缘，具明显 3 脉；花瓣白色，宽匙形或倒卵状长圆形，长 1 ~ 1.5 cm，宽 6 ~ 8 mm，先端圆，基部渐窄成长约 2 mm 之爪，有 5 紫褐色脉；雄蕊 5，长约 6.5 mm，向基部逐渐加宽，花药长圆形，长约 1.5 mm，顶生；退化雄蕊 5，全长约 5 mm，与花丝近等长，具长 1 ~ 1.5 mm、宽约 1.5 mm 之柄，头部长约 4 mm，宽约 1.8 mm，先端 3 深裂达 2/3，稀稍超过中裂，裂片长可达 3.2 mm，先端平；子房半下位，长卵球形，花柱短，长约 1 mm，柱头 3 裂，裂片长圆形，长约 1 mm，花后开展。蒴果长卵球形，直径 5 ~ 7 mm；种子多数，沿整个缝线着生，褐色，有光泽。花期 7 ~ 8 月，果期 9 月。

| 生境分布 | 生于海拔 1 600 ~ 3 000 m 的高山草地、山腰林缘、阴坡潮湿处、路旁等。分布于河北沽源、蔚县、张北等。

| 资源情况 | 野生资源丰富。药材主要来源于野生。

| 采收加工 | 夏季花开时采收，洗净，晾干。

| 功能主治 | 苦，寒。归胃、心经。清热。用于高热。

| 用法用量 | 内服煎汤，6 ~ 9 g。

虎耳草科 Saxifragaceae 山梅花属 Philadelphus

山梅花 *Philadelphus incanus* Koehne

| **植物别名** | 白毛山梅花、毛叶山梅花。

| **药 材 名** | 山梅花（药用部位：茎、叶。别名：毛叶木通）。

| **形态特征** | 灌木，高 1.5 ~ 3.5 m。二年生小枝灰褐色，表皮呈片状脱落，当年生小枝浅褐色或紫红色，被微柔毛或有时无毛。叶卵形或阔卵形，长 6 ~ 12.5 cm，宽 8 ~ 10 cm，先端急尖，基部圆形；花枝上叶较小，卵形、椭圆形至卵状披针形，长 4 ~ 8.5 cm，宽 3.5 ~ 6 cm，先端渐尖，基部阔楔形或近圆形，边缘具疏锯齿，上面被刚毛，下面密被白色长粗毛，离基三至五出脉；叶柄长 5 ~ 10 mm。总状花序有花 5 ~ 7，下部的分枝有时具叶；花序轴长 5 ~ 7 cm，疏被长柔毛或无毛；花梗长 5 ~ 10 mm，上部密被白色长柔毛；花萼外面密被紧贴糙伏毛，萼筒钟形，裂片卵形，长约 5 mm，宽约 3.5 mm，

先端骤渐尖；花冠盘状，直径 2.5 ~ 3 cm；花瓣白色，卵形或近圆形，基部急狭，长 13 ~ 15 mm，宽 8 ~ 13 mm；雄蕊 30 ~ 35，最长者长达 10 mm；花盘无毛；花柱长约 5 mm，无毛，近先端稍分裂，柱头棒形，长约 1.5 mm，较花药小。蒴果倒卵形，长 7 ~ 9 mm，直径 4 ~ 7 mm；种子长 1.5 ~ 2.5 mm，具短尾。花期 5 ~ 6 月，果期 7 ~ 8 月。

| 生境分布 | 生于海拔 1 200 ~ 1 700 m 的林缘灌丛。分布于河北阜平、涉县、武安等。

| 资源情况 | 野生资源丰富。药材主要来源于栽培。

| 采收加工 | 夏、秋季采集，扎成把，晒干。

| 药材性状 | 本品叶片多卷曲、皱缩，完整者展平后呈长卵形，长 2 ~ 10 cm，宽 1 ~ 5 cm，先端尖，边缘具锯齿，表面深灰色至灰褐色，两面及叶柄均被白色小柔毛，离基三至五出脉；叶柄长 1 ~ 3 cm，扁平。纸质，质脆，易破碎。气微，味甘、淡。茎呈圆柱形，棕褐色，长短不一，直径 0.5 ~ 1 cm，有节，节部稍膨大，有叶及小枝的脱落痕，节间长 3 ~ 8 cm，皮孔稀疏。质脆，易折断，断面较平坦，黄白色，纤维性。气微，味淡。

| 功能主治 | 甘、淡，平。清热利湿。用于膀胱炎，黄疸性肝炎。

| 用法用量 | 内服煎汤，3 ~ 6 g。

| 附　注 | 短轴山梅花 *Philadelphus incanus* Koehne var. *baileyi* Rehd. 与本种的主要区别在于总状花序密集，有花 5 ~ 7，花序轴长 2 ~ 3 mm。

虎耳草科 Saxifragaceae 溲疏属 Deutzia

溲疏 *Deutzia scabra* Thunb.

| **药 材 名** | 溲疏（药用部位：果实。别名：巨骨、空木）。 |

| **形态特征** | 灌木，株高 2 ～ 2.5 m。小枝红褐色，疏生星状毛；二年生枝灰褐色，剥裂。叶对生；叶柄短，长 2 ～ 2.5 mm；叶片卵形至卵状披针形，长 2.5 ～ 8 cm，宽 1.2 ～ 3 cm，先端急尖或短渐尖，基部圆形至宽楔形，边缘有细锯齿，上面疏生具 5 辐射枝的星状毛，下面星状毛稍密，具 9 ～ 10 辐射枝；两面均呈绿色。圆锥花序，直立，长 5 ～ 12 cm，有星状毛；萼 5 裂，萼筒长约 2 mm，外面密生锈色星状毛；花瓣 5，长圆形，白色，长约 8 mm，外面疏生星状毛；雄蕊 10，花丝上部有 2 长齿；子房下位，花柱 3。蒴果，球形，直径约 4 mm。 |

| **生境分布** | 生于海拔 1 200 m 以下的山坡灌丛。分布于河北蔚县、阜平、迁安等。 |

| 资源情况 | 野生资源丰富。栽培资源丰富。药材来源于野生和栽培。

| 采收加工 | 7～10月采收，晒干。

| 药材性状 | 本品呈近球形，直径约4 mm。表面深褐色，具3浅沟及多数白色斑点，疏生浅黄色柔毛或无毛。先端扁平，具花萼脱落痕或残基，基部有果柄或果柄脱落痕，果柄上有黄色柔毛。外果皮较薄，易破碎，横断面可见3室，每室充满黑色种子。种子肾形，较小。气微，味苦。

| 功能主治 | 苦、辛，寒；有小毒。清热，利尿。用于发热，小便不利，遗尿。

| 用法用量 | 内服煎汤，3～9 g；或入丸剂。外用适量，煎汤洗。

薔薇科 Rosaceae 草莓属 Fragaria

草莓
Fragaria × ananassa Duch.

| 植物别名 | 荷兰草莓、凤梨草莓。

| 药 材 名 | 草莓（药用部位：果实）。

| 形态特征 | 多年生草本，高 10 ～ 40 cm。茎低于叶或近等高，密被开展黄色柔毛。叶三出，小叶具短柄，质地较厚，倒卵形或菱形，稀几圆形，长 3 ～ 7 cm，宽 2 ～ 6 cm，先端圆钝，基部阔楔形，侧生小叶基部偏斜，边缘具缺刻状锯齿，锯齿急尖，上面深绿色，几无毛，下面淡白绿色，疏生毛，沿脉较密；叶柄长 2 ～ 10 cm，密被开展黄色柔毛。聚伞花序，有花 5 ～ 15，花序下面具一短柄的小叶；花两性，直径 1.5 ～ 2 cm；萼片卵形，比副萼片稍长，副萼片椭圆状披针形，全缘，稀深 2 裂，果时扩大；花瓣白色，近圆形或倒卵状椭圆形，基部具不明显的爪；雄蕊 20，不等长；雌蕊极多。聚合果大，直径

达 3 cm，鲜红色，宿存萼片直立，紧贴于果实；瘦果尖卵形，光滑。花期 4 ~ 5 月，果期 6 ~ 7 月。

| 生境分布 |

河北有栽培。分布于河北平泉等。

| 资源情况 |

栽培资源丰富。药材主要来源于栽培。

| 采收加工 |

花开后约 30 天即成熟，果面着色 75% ~ 80% 时即可采收。

| 药材性状 |

本品肉质膨大成球形或卵球形，鲜红色，瘦果的数嵌生在肉质膨大的花托上。气清香，味甜、酸。

| 功能主治 |

微甘，温。清凉止渴，健胃消食。用于口渴，食欲不振，消化不良。

| 用法用量 |

内服适量，作食品。

蔷薇科 Rosaceae 李属 Prunus

毛叶稠李
Prunus padus var. *pubescens* Regel & Tiling

| 药 材 名 | 樱额（药用部位：果实。别名：樱额梨、稠李子）。

| 形态特征 | 落叶乔木，高可达 15 m；树皮粗糙而多斑纹。老枝紫褐色或灰褐色，有浅色皮孔；小枝红褐色或带黄褐色，密被棕褐色长柔毛；冬芽卵圆形，无毛或仅边缘有睫毛。叶片椭圆形、长圆形或长圆状倒卵形，长 4 ~ 10 cm，宽 2 ~ 4.5 cm，先端尾尖，基部圆形或宽楔形，叶片边缘为开展或贴生重锯齿，或为不规则近重锯齿，齿披针形，上面深绿色，下面淡绿色且密被棕褐色长柔毛；下面中脉和侧脉均凸起；叶柄长 1 ~ 1.5 cm，密被棕褐色长柔毛，先端两侧各具 1 腺体；托叶膜质，线形，先端渐尖，边缘有带腺锯齿，早落。总状花序具多花，长 7 ~ 10 cm，基部均密被棕褐色长柔毛，基部通常有 2 ~ 3 叶，叶片与枝生叶同形，通常较小；花梗长 1 ~ 1.5（ ~ 2.4）cm，

总花梗和花梗通常无毛；花直径 1 ～ 1.6 cm；萼筒钟状，比萼片稍长，萼片三角状卵形，先端急尖或圆钝，边缘有带腺细锯齿；花瓣白色，长圆形，先端波状，基部楔形，有短爪，比雄蕊长近 1 倍；雄蕊多数，花丝长短不等，排成紧密、不规则的 2 轮；雌蕊 1，心皮无毛，柱头盘状，花柱比长雄蕊短近 1 倍。核果卵球形，先端有尖头，直径 8 ～ 10 mm，红褐色至黑色，光滑，果柄无毛；萼片脱落；核有折皱。花期 4 ～ 6 月，果期 6 ～ 10 月。

| 生境分布 | 生于海拔 1 280 ～ 1 925 m 的山坡林中、灌丛、阴坡山腰处及沟底潮湿处。分布于河北阜平、武安等。

| 资源情况 | 野生资源丰富。药材主要来源于野生。

| 采收加工 | 夏、秋季采收，晒干。

| 药材性状 | 本品呈类球形或卵球形，直径 8 ～ 10 mm，表面褐色。果肉内有果核 1，质坚硬，表面有不规则皱纹；种仁淡黄色，富油质。气微，味甜、微涩。

| 功能主治 | 甘、涩，温。归脾经。健脾止泻。用于脾虚泄泻。

| 用法用量 | 内服煎汤，9 ～ 15 g。

蔷薇科 Rosaceae 李属 *Prunus*

郁李
Prunus japonica (Thunb.) Lois.

| 植物别名 | 秧李、爵梅、复花郁李。

| 药 材 名 | 郁李仁（药用部位：种仁。别名：小李仁、郁子）、郁李根（药用部位：根）。

| 形态特征 | 灌木，高 1 ~ 1.5 m。小枝纤细，灰褐色，嫩枝绿色或绿褐色，无毛。叶片长卵形或卵圆形，罕为卵状披针形，长 3 ~ 7 cm，宽 2 ~ 3 cm，先端渐尖，基部圆形，边缘有缺刻状尖锐重锯齿，侧脉 5 ~ 8 对；叶柄长 2 ~ 3 mm，无毛或被稀疏柔毛；托叶 2，线形，长 4 ~ 6 mm，边缘有腺齿。花 1 ~ 3，簇生，花叶同开或先叶开放；花梗长 5 ~ 10 mm，无毛或被疏柔毛；萼筒陀螺形，长、宽近相等，均为 2.5 ~ 3 mm，无毛，萼片椭圆形，比萼筒略长，先端圆钝，边缘有细齿；花瓣白色或粉红色，倒卵状椭圆形；雄蕊约 32；花柱与雄蕊近等长，无毛。

核果近球形，深红色，直径约 1 cm；核表面光滑。花期 5 月，果期 7～8 月。

| 生境分布 | 生于海拔 100～200 m 的山坡林下、灌丛。分布于河北涞源、迁西等。

| 资源情况 | 野生资源丰富。药材主要来源于野生。

| 采收加工 | 郁李仁：夏、秋季采收成熟果实，除去果肉和核壳，取出种子，干燥。
郁李根：秋、冬季采挖，洗净，切段，晒干。

| 药材性状 | 郁李仁：本品呈卵形，长 5～8 mm，直径 3～5 mm。表面黄白色或浅棕色，一端尖，另一端钝圆。尖端一侧有线形种脐，圆端中央有深色合点，自合点处向上具多条纵向维管束脉纹。种皮薄，子叶 2，乳白色，富油性。气微，味微苦。

| 功能主治 | 郁李仁：辛、苦、甘，平。归脾、大肠、小肠经。润肠通便，下气利水。用于津枯肠燥，食积气滞，腹胀便秘，水肿，脚气，小便不利。
郁李根：苦、酸，凉。归胃经。清热，杀虫，行气破积。用于龋齿疼痛，小儿发热，气滞积聚。

| 用法用量 | 郁李仁：内服煎汤，6～10 g。
郁李根：内服煎汤，3～10 g。外用适量，煎汤含漱；或洗浴。

蔷薇科 Rosaceae 李属 Prunus

山桃

Prunus davidiana (Carr.) Franch.

植物别名

苦桃、哲日勒格－陶古日。

药材名

桃仁（药用部位：种子）、碧桃干（药用部位：幼果）、桃子（药用部位：果实）、桃花（药用部位：花）、桃叶（药用部位：叶）、桃枝（药用部位：幼枝）、桃茎白皮（药用部位：树皮）、桃树根（药用部位：根或根皮）、桃胶（药用部位：树脂）。

形态特征

乔木，高可达 10 m；树冠开展，树皮暗紫色，光滑。小枝细长，直立，幼时无毛，老时褐色。叶片卵状披针形，长 5 ～ 13 cm，宽 1.5 ～ 4 cm，先端渐尖，基部楔形，两面无毛，叶缘具细锐锯齿；叶柄长 1 ～ 2 cm，无毛，常具腺体。花单生，先于叶开放，直径 2 ～ 3 cm；花梗极短或几无梗；花萼无毛，萼筒钟形，萼片卵形至卵状长圆形，紫色，先端圆钝；花瓣倒卵形或近圆形，长 10 ～ 15 mm，宽 8 ～ 12 mm，粉红色，先端圆钝，稀微凹；雄蕊多数，几与花瓣等长或较之稍短；子房被柔毛，花柱长于雄蕊或与之近等长。果实近球形，直径 2.5 ～ 3.5 cm，

淡黄色，外面密被短柔毛，果柄短而深入果洼；果肉薄而干，不可食，成熟时
不开裂；核球形或近球形，两侧不压扁，先端圆钝，基部截形，表面具纵沟纹、
横沟纹和孔穴，与果肉分离。花期 3～4 月，果期 7～8 月。

| 生境分布 | 生于海拔 800～3 200 m 的山坡、山谷沟底或荒野疏林及灌丛。分布于河北滦
平等。

| 资源情况 | 野生资源一般。栽培资源丰富。药材主要来源于栽培。

| 采收加工 | **桃仁：**夏、秋季采摘成熟果实，打碎果核，取出种子，晒干。
碧桃干：夏季拣取落地的幼果，晒干。

桃子：果实成熟时采摘，鲜用或作脯。

桃花：春季花开时采摘，阴干。

桃叶：夏、秋季采收，鲜用或晒干。

桃枝：夏季采收，切段，晒干，或随剪随用。

桃茎白皮：夏、秋季采收，除去栓皮，切碎，晒干或鲜用。

桃树根：夏季采收，切段，晒干。

桃胶：夏、秋季用刀切割树皮，待树脂溢出后收集，水浸，洗去杂质，晒干。

| 药材性状 |

桃仁：本品呈扁椭圆形，先端尖，中部略膨大，基部钝圆而偏斜，边缘较薄，长 1.2 ~ 1.8 cm，宽 0.8 ~ 1.2 cm，厚 2 ~ 4 mm。表面红棕色或黄棕色，有细小颗粒状突起。尖端一侧有 1 棱线状种脐，基部有合点，并自该处分散出多数棕色维管束脉纹及布满种皮的纵向凹纹，种皮薄。子叶肥大，富油质。气微，味微苦。

碧桃干：本品呈矩圆形或卵圆形，长 1.8 ~ 3 cm，直径 1.5 ~ 2 cm，厚 0.9 ~ 1.5 cm。先端渐尖，呈鸟喙状，基部不对称，有的存在少数棕红色的果柄。表面黄绿色，具网状皱缩的纹理，并密被黄白色柔毛。质坚硬，不易折断。破开后，断面内果皮厚而硬化，腹缝线凸出，背缝线不明显，含未成熟种子 1。气微弱，味微酸、涩。

桃叶：本品多卷缩成条状，湿润展平后呈长圆状披针形，长 6 ~ 13 cm，宽 2 ~ 3.5 cm；先端渐尖，基部宽楔形，边缘具细锯齿或粗锯齿；上面深绿色，较光亮，下面色较淡。质脆。气微，味微苦。

桃枝：本品呈圆柱形，长短不一，直径 0.5 ~ 1 cm，表面红褐色，较光滑，有类白点状皮孔。质脆，断面黄白色，木部占大部分，中央有白色髓部。气微，味微苦、涩。

桃胶：本品呈不规则块状、泪滴状等，大小不一，表面淡黄色、黄棕色，角质样，半透明。质韧软，干透较硬，断面有光泽。气微，有黏性。

| 功能主治 |

桃仁：苦、甘；有小毒。归心、肝、大肠经。清热利湿，活血止痛，截疟杀虫。用于风湿性关节炎，腰痛，跌打损伤，丝虫病，间日疟。

碧桃干：酸、苦，平。归肺、肝经。敛汗涩精，活血止血，止痛。用于盗汗，遗精，心腹疼痛，吐血，妊娠下血。

桃子：甘、酸，温。归肺、大肠经。生津，润肠，活血，消积。用于津少口渴，肠燥便秘，闭经，积聚。

桃花：苦，平。归心、肝、大肠经。利水通便，活血化瘀。用于小便不利，水肿，痰饮，脚气，石淋，便秘，闭经，癫狂，疮疹。

桃叶：苦、辛，平。归脾、胃经。祛风清热，燥湿解毒，杀虫。用于外感风邪，头风头痛，行痹，湿疹，痈肿疮疡，疮癣，疟疾，滴虫性阴道炎。

桃枝：活血通络，解毒，杀虫。用于心腹疼痛，风湿关节痛，腰痛，跌打损伤，疮癣。

桃茎白皮：苦、辛，平。清热利湿，解毒，杀虫。用于水肿，痧气腹痛，风湿关节痛，肺热喘闷，喉痹，牙痛，疮痈肿毒，瘰疬，湿疮，湿癣。

桃树根：苦，平。清热利湿，活血止痛，消痈肿。用于黄疸，痧气腹痛，腰痛，跌打劳伤疼痛，风湿痹痛，闭经，吐血，痈疮，痔疮。

桃胶：苦，平。和血，通淋，止痢。用于石淋，痢疾，腹痛，糖尿病，乳糜尿。

| 用法用量 | 桃仁：内服煎汤，6～10 g，打碎；或入丸、散剂。制霜用须包煎。

碧桃干：内服煎汤，6～9 g；或入丸、散剂。外用适量，研末调敷；或烧烟熏。

桃子：内服适量，鲜食；或作辅食。外用适量，捣敷。

桃花：内服煎汤，3～6 g；或研末，1.5 g。外用适量，捣敷；或研末调敷。

桃叶：内服煎汤，3～6 g。外用适量，煎汤洗；或鲜品捣敷；或捣汁涂。

桃枝：内服煎汤，9～15 g，鲜品加倍。外用适量，煎汤含漱；或洗浴。

桃茎白皮：内服煎汤，9～15 g。外用适量，研末调敷；或煎汤含漱；或洗浴。

桃树根：内服煎汤，15～30 g。外用适量，煎汤洗；或捣敷。

桃胶：内服煎汤，9～15 g；或入丸、散剂。

蔷薇科 Rosaceae 李属 Prunus

桃 *Prunus persica* L.

| 植物别名 | 桃子、油桃、盘桃。

| 药 材 名 | 桃树根（药用部位：根）、桃枝（药用部位：幼枝）、桃叶（药用部位：叶）、碧桃干（药用部位：幼果。别名：桃枭）、桃仁（药用部位：种子。别名：核桃人）、桃胶（药用部位：树脂）。

| 形态特征 | 乔木，高 3 ~ 8 m；树冠宽广而平展，树皮暗红褐色，老时粗糙呈鳞片状。小枝细长，无毛，有光泽，绿色，向阳处转变成红色，具大量小皮孔；冬芽圆锥形，先端钝，外面被短柔毛，常 2 ~ 3 簇生，中间为叶芽，两侧为花芽。叶片长圆状披针形、椭圆状披针形或倒卵状披针形，长 7 ~ 15 cm，宽 2 ~ 3.5 cm，先端渐尖，基部宽楔形，上面无毛，下面在脉腋间具少数短柔毛或无毛，叶缘具细锯齿或粗锯齿，齿端具腺体或无；叶柄粗壮，长 1 ~ 2 cm，常具 1 至数枚

腺体，有时无腺体。花单生，先于叶开放，直径 2.5 ~ 3.5 cm；花梗极短或几无梗；萼筒钟形，被短柔毛，稀几无毛，绿色而具红色斑点，萼片卵形至长圆形，先端圆钝，外面被短柔毛；花瓣长圆状椭圆形至宽倒卵形，粉红色，罕为白色；雄蕊 20 ~ 30，花药绯红色；花柱几与雄蕊等长或较之稍短，子房被短柔毛。果实形状和大小均有变异，卵形、宽椭圆形或扁圆形，直径（3 ~ ）5 ~ 7（ ~ 12）cm，长几与宽相等，色泽变化由淡绿白色至橙黄色，常在向阳面具红晕，外面密被短柔毛，稀无毛，腹缝线明显，果柄短而深入果洼；果肉白色、浅绿白色、黄色、橙黄色或红色，多汁，有香味，甜或酸甜；核大，离核或黏核，椭圆形或近圆形，两侧扁平，先端渐尖，表面具纵沟纹、横沟纹和孔穴；种仁味苦，稀甜。花期 3 ~ 4 月，果实成熟期因品种而异，通常为 8 ~ 9 月。

| **生境分布** | 生于房屋旁、道路旁。分布于河北滦平等。

| **资源情况** | 野生资源一般。河北广泛栽培。

| **采收加工** | **桃树根**：全年均可采挖，洗净，切片，晒干。

桃枝：夏季采收，切段，晒干，或随剪随用。

桃叶：夏、秋季采收，鲜用或干燥。

碧桃干：4～6月拾取经风吹落后未成熟的幼果，翻晒4～6天，由青色变为青黄色即得。

桃仁：夏、秋季采收成熟的果实，除去果肉和核壳，取出种子，晒干。

桃胶：夏季用刀切割树皮，待树脂溢出后收集，水浸，洗去杂质，晒干。

| **药材性状** | **桃树根**：本品呈圆柱形，常弯曲或多切成段状，长约5 cm。根皮暗紫色，有横向凸起的棕色皮孔，皮部暗紫色，易剥落，略具纤维状。木部占大部分，红棕色，具年轮及放射状纹理。质坚硬。气微，味淡。

桃枝：本品呈圆柱形，长短不一，直径0.5～1 cm，表面红褐色，较光滑，有类白点状皮孔。质脆，断面黄白色，木部占大部分，中央有白色髓部。气微，味微苦、涩。

桃叶：本品呈椭圆状披针形或卵状披针形，长5～15 cm，宽1.5～3.5 cm。先端长尖，基部阔楔形，边缘具细锯齿，两面无毛；上表面黄绿色至浅棕色，下表面色较浅。叶脉两面均明显，主脉和侧脉在背面凸出。叶柄长0.5～1 cm，具暗棕红色腺点。气清香，味苦。

碧桃干：本品呈矩圆形或卵圆形，长1.8～3 cm，直径1.5～2 cm。先端渐尖，呈鸟喙状，基部不对称，有的留存棕红色果柄。表面黄绿色，具网状皱缩的纹理，密被短柔毛；内果皮腹缝线凸出，背缝线不明显。质坚实，不易折断。气微弱，味微酸涩。

桃仁：本品呈类卵圆形，较小而肥厚，长约0.9 cm，宽约0.7 cm，厚约0.5 cm。表面黄棕色至红棕色，密布颗粒状突起。一端尖，中部膨大，另一端钝圆，稍偏斜，边缘较薄。尖端侧有短线形种脐，圆端侧有颜色略深、不甚明显的合点，自合点处散出多数纵向维管束。种皮薄，子叶2，类白色，富油性。气微，味微苦。

桃胶：本品为不规则形的团块状物，淡黄色或淡红色至黄褐色，外表光滑，半透明，但因黏附杂质而呈颗粒状或煤渣状。质韧，断面具光泽；易溶于水。气无，味略甘。

| 功能主治 | **桃树根**：苦，平。行血活络。用于黄疸，吐血，衄血，闭经，风湿痹痛，痈肿，痔疮。

桃枝：苦，平。活血通络，解毒，杀虫。用于心腹疼痛，风湿关节痛，腰痛，跌打损伤，疮癣。

桃叶：苦，平。祛风清热，燥湿解毒，杀虫。用于外感风邪，头风头痛，行痹，湿疹，痈肿疮疡，疮癣，疟疾，滴虫性阴道炎。

碧桃干：酸、苦，平。归肺、肝经。敛汗涩精，活血止血，止痛。用于盗汗，遗精，心腹疼痛，吐血，妊娠下血。

桃仁：苦、甘；有小毒。归心、肝、大肠经。活血祛瘀，润肠通便，止咳平喘。用于闭经痛经，癥瘕痞块，肺痈肠痈，跌仆损伤，肠燥便秘，咳嗽气喘。

桃胶：苦，平。调中和血，益气止痛。用于乳糜尿，糖尿病，尿路感染，痢疾，石淋，血淋。

| 用法用量 |

桃树根：内服煎汤，15 ～ 30 g。

桃枝：内服煎汤，9 ～ 15 g，鲜品加倍。外用适量，煎汤含漱；或洗浴。

桃叶：内服煎汤，3 ～ 6 g。外用适量，煎汤洗；或鲜品捣敷；或捣汁涂。

碧桃干：内服煎汤，6 ～ 9 g；或入丸、散剂。外用适量，研末调敷；或烧烟熏。

桃仁：内服煎汤，6 ～ 10 g，打碎；或入丸、散剂。制霜用须包煎。

桃胶：内服煎汤，9 ～ 15 g。

蔷薇科 Rosaceae 李属 *Prunus*

杏 *Prunus armeniaca* L.

| **植物别名** | 杏花、杏树、归勒斯。

| **药 材 名** | 杏子（药用部位：果实。别名：杏实）、杏仁（药用部位：种子）、杏叶（药用部位：叶。别名：杏树叶）、杏花（药用部位：花）、杏树皮（药用部位：树皮）、杏枝（药用部位：枝条）、杏树根（药用部位：根）。

| **形态特征** | 落叶小乔木，高 4 ~ 10 m；树皮暗红棕色，纵裂。多年生枝浅褐色，皮孔大而横生，一年生枝浅红褐色，有光泽，无毛，具多数小皮孔。单叶互生，叶片宽卵形或圆卵形，长 5 ~ 9 cm，宽 4 ~ 8 cm，先端急尖至短渐尖，基部圆形至近心形，叶缘有圆钝锯齿，两面无毛或下面脉腋间具柔毛；叶柄长 2 ~ 3.5 cm，无毛，近顶处有 2 腺体。花先叶开放，花单生于枝上端，着生较密，稍似总状；花梗极短，

被短柔毛；花萼紫绿色，萼筒外面被短柔毛，上部 5 裂，萼片卵形至卵状长圆形，先端急尖或圆钝，花后反折；花瓣 5，白色或浅粉红色，直径约 3 cm，圆形至倒卵形；雄蕊 20 ~ 45，着生于萼筒边缘；雌蕊单心皮，着生于萼筒基部。果实球形，稀倒卵形，直径长于 2.5 cm，白色、黄色至黄红色，常具红晕，微被短柔毛；果肉多汁，成熟时不开裂；核卵形或椭圆形，表面稍粗糙或平滑，沿腹缝处有纵沟；种子 1，扁心状卵形，较大，浅红棕色，味苦或甜。花期 3 ~ 4 月，果期 6 ~ 7 月。

| **生境分布** | 生于路旁或低山丘陵。分布于河北赤城、阜平、滦平等。

| **资源情况** | 野生资源一般。栽培资源丰富。药材主要来源于栽培。

| **采收加工** | 杏子：秋季采收，鲜用或晒干。

杏仁：秋季采收成熟果实，除去果肉，洗净，晒干，敲碎果核，取种子，晾干。

杏叶：夏、秋季采收，鲜用或晒干。

杏花：夏季采收，阴干备用。

杏树皮：春、秋季剥取，削去外面栓皮，切碎，晒干。

杏枝：秋季采收，切段，晒干。

杏树根：秋、冬季采挖，切碎，晒干。

| **药材性状** | 杏仁：本品呈扁心形，两端尖，基部钝圆而厚，左右略不对称，长 1.2 ~ 1.7 cm，宽 1 ~ 1.3 cm，厚 4 ~ 6 mm。表面棕色至暗棕色，有细密的颗粒状突起，尖端有深色线形种脐，基部有 1 椭圆形结合点，自合点处分散出多条深棕色凹下的

维管束脉纹，形成纵向不规则凹纹，布满种皮。种皮薄，子叶肥厚，白色。气微，加水共研，有苯甲醛的香气，味苦。

| 功能主治 | 杏子：酸、甘，温。归肺、心经。润肺定喘，生津止渴。用于肺燥咳嗽，津伤口渴。

杏仁：苦，温；有毒。归肺、大肠经。降气化痰，止咳平喘，润肠通便。用于外感咳嗽，哮喘，肠燥便秘。

杏叶：祛风利湿，明目。用于水肿，皮肤瘙痒，目疾，痈疮瘰疬。

杏花：苦，温。活血补虚。用于女性不孕症，肢体痹痛，手足逆冷。

杏树皮：解毒。用于杏仁中毒。

杏枝：活血化瘀。用于跌打损伤。

杏树根：解毒。用于杏仁中毒。

| 用法用量 | 杏子：内服煎汤，6 ~ 12 g；或生食；或晒干为脯。

杏仁：内服煎汤，3 ~ 10 g；或入丸、散剂。杏仁用时须打碎，杏仁霜入煎剂须包煎。外用适量，捣敷。

杏叶：内服煎汤，3 ~ 10 g。外用适量，煎汤洗；或研末调敷；或捣敷。

杏花：内服煎汤，5 ~ 10 g；或研末。

杏树皮：内服煎汤，30 ~ 60 g。

杏枝：内服煎汤，30 ~ 90 g。

杏树根：内服煎汤，30 ~ 60 g。

山杏

Prunus armeniaca L. var. *ansu* Maxim

| 植物别名 | 西伯利亚杏。

| 药 材 名 | 苦杏仁（药用部位：种子）。

| 形态特征 | 灌木或小乔木，高 2 ~ 5 m，树皮暗灰色。小枝无毛，稀幼时疏生短柔毛，灰褐色或淡红褐色。叶片卵形或近圆形，长 5 ~ 10 cm，宽 4 ~ 7 cm，先端长渐尖至尾尖，基部圆形至近心形，叶缘有细钝锯齿，两面无毛，稀下面脉腋间具短柔毛；叶柄长 2 ~ 3.5 cm，无毛，有小腺体或无。花单生，直径 1.5 ~ 2 cm，先于叶开放；花梗长 1 ~ 2 mm；花萼紫红色，萼筒钟形，基部微被短柔毛或无毛，萼片长圆状椭圆形，先端尖，花后反折；花瓣近圆形或倒卵形，白色或粉红色；雄蕊几与花瓣近等长；子房被短柔毛。果实扁球形，直径 1.5 ~ 2.5 cm，黄色或橘红色，有时具红晕，被短柔毛；果肉较

薄而干燥，成熟时开裂，味酸涩不可食，成熟时沿腹缝线开裂；核扁球形，易与果肉分离，两侧扁，先端圆形，基部一侧偏斜，不对称，表面较平滑，腹面宽而锐利；种仁味苦。花期 3 ~ 4 月，果期 6 ~ 7 月。

| 生境分布 | 生于海拔 700 ~ 2 000 m 的干燥向阳山坡、丘陵草原或与落叶乔木和灌木混生。分布于河北滦平等。

| 资源情况 | 野生资源丰富。药材主要来源于野生。

| 采收加工 | 夏季采收成熟果实，除去果肉和核壳，取出种子，晒干。

| 药材性状 | 本品呈扁心形，长 1 ~ 1.9 cm，宽 0.8 ~ 1.5 cm，厚 0.5 ~ 0.8 cm。表面黄棕色至深棕色，一端尖，另一端钝圆，肥厚，左右不对称，尖端一侧有短线形种脐，圆端一侧合点处向上具多数深棕色的脉纹。种皮薄，子叶 2，乳白色，富油性。气微，味苦。

| 功能主治 | 苦，微温；有小毒。归肺、大肠经。降气止咳平喘，润肠通便。用于咳嗽气喘，胸满痰多，肠燥便秘。

| 用法用量 | 内服煎汤，5 ~ 10 g，生品入煎剂后下。

蔷薇科 Rosaceae 李属 Prunus

毛樱桃
Prunus tomentosa (Thunb.) Wall.

| 植物别名 | 樱桃、山豆子、梅桃。

| 药 材 名 | 山樱桃（药用部位：果实。别名：牛桃、婴桃）。

| 形态特征 | 灌木，通常高 0.3 ~ 1 m，稀呈小乔木状，高可达 2 ~ 3 m。小枝紫褐色或灰褐色，嫩枝密被绒毛至无毛；老枝灰褐色，片状剥离；冬芽卵形，常 2 ~ 3 并生，疏被短柔毛或无毛。叶片卵状椭圆形或倒卵状椭圆形，长 2 ~ 7 cm，宽 1 ~ 3.5 cm，先端急尖或渐尖，基部楔形，叶缘有急尖或粗锐锯齿，上面暗绿色或深绿色，被疏柔毛，下面灰绿色，密被灰色绒毛，毛后变稀疏，侧脉 4 ~ 7 对；叶柄长 2 ~ 8 mm，被绒毛或脱落稀疏；托叶线形，长 3 ~ 6 mm，被长柔毛。花单生或 2 并生，花与叶同开或先叶开放；花梗长达 2.5 mm 或近无梗；萼筒管状或杯状，长 4 ~ 5 mm，外面被短柔毛或无毛，萼

片 5，三角状卵形，先端圆钝或急尖，长 2 ~ 3 mm，内外两面被短柔毛或无毛；花瓣白色或粉红色，倒卵形，先端圆钝；雄蕊 20 ~ 25，短于花瓣；花柱伸出，与雄蕊近等长或稍长，子房全部被毛或仅先端或基部被毛。核果近球形，红色，直径 0.5 ~ 1.2 cm，稍有毛；核表面除棱脊两侧有纵沟外，无棱纹。花期 4 ~ 5 月，果期 6 ~ 9 月。

| **生境分布** | 生于海拔 100 ~ 3 200 m 的山坡林中、林缘、灌丛或草地。分布于河北张北、涉县、顺平等。

| **资源情况** | 野生资源丰富。药材主要来源于野生。

| **采收加工** | 6 ~ 9 月果实成熟时采摘，晒干。

| **功能主治** | 甘、辛，平。健脾，益气，固精。用于食积泻痢，便秘，脚气，遗精滑泄。

| **用法用量** | 内服煎汤，100 ~ 300 g。

蔷薇科 Rosaceae 李属 Prunus

欧李
Prunus humilis (Bge.) Sok.

| 植物别名 | 酸丁、乌拉奈。

| 药 材 名 | 郁李仁（药用部位：种仁。别名：小李仁）。

| 形态特征 | 灌木，高 1 ~ 1.5 m，分枝多。小枝灰褐色或棕褐色，被短柔毛；冬芽卵形，疏被短柔毛或几无毛。叶矩圆状倒卵形或椭圆形，长 2.5 ~ 5 cm，宽 1 ~ 2 cm，先端急尖或短渐尖，基部宽楔形，边缘有细密锯齿，无毛；叶柄短；托叶条形，边缘有腺齿，早落。花与叶同时开放，多 1 ~ 2 生于叶腋，直径 1 ~ 2 cm；花梗长约 1 cm，有稀疏短柔毛；萼筒钟状，无毛或微生短柔毛，裂片长卵形，花后反折；花瓣白色或微带红色，矩圆形或卵形；雄蕊多数，离生；心皮 1，无毛。核果近球形，无沟，直径约 1.5 cm，鲜红色，有光泽，味酸；核平滑。

| **生境分布** | 生于海拔 100 ～ 1 800 m 的阳坡沙地、山地灌丛。分布于河北山海关、北戴河、迁西等。

| **资源情况** | 野生资源一般。栽培资源丰富。药材主要来源于栽培。

| **采收加工** | 夏、秋季采收成熟果实，除去果肉和核壳，取出种子，干燥。

| **药材性状** | 本品呈卵形，长 5 ～ 8 mm，直径 3 ～ 5 mm。表面黄白色或浅棕色，一端尖，另一端钝圆。尖端有线形种脐，圆端中央有深色合点，自合点处向上具多条纵向维管束脉纹。种皮薄，子叶 2，乳白色，富油性。气微，味微苦。

| **功能主治** | 辛、苦、甘，平。归脾、大肠、小肠经。润肠通便，下气利水。用于津枯肠燥，食积气滞，腹胀便秘，水肿，脚气，小便不利。

| **用法用量** | 内服煎汤，6 ～ 10 g。

蔷薇科 Rosaceae 李属 Prunus

樱桃

Prunus pseudocerasus (Lindl.) G. Don

| 植物别名 | 樱珠、牛桃、英桃。

| 药 材 名 | 樱桃核（药用部位：种子。别名：樱桃米）、樱桃（药用部位：果实。别名：含桃、山朱樱）、樱桃水（药材来源：果实加工成的浓汁）、樱桃叶（药用部位：叶）、樱桃枝（药用部位：枝条。别名：樱桃梗）、樱桃花（药用部位：花）、樱桃根（药用部位：根）。

| 形态特征 | 乔木，高 2 ~ 6 m；树皮灰白色。小枝灰褐色，嫩枝绿色，无毛或被疏柔毛；冬芽卵形，无毛。叶片卵形或长圆状卵形，长 5 ~ 12 cm，宽 3 ~ 5 cm，先端渐尖或尾状渐尖，基部圆形，边缘有尖锐重锯齿，齿端有小腺体，上面暗绿色，近无毛，下面淡绿色，沿脉或脉间有稀疏柔毛，侧脉 9 ~ 11 对；叶柄长 0.7 ~ 1.5 cm，被疏柔毛，先端有 1 或 2 大腺体；托叶早落，披针形，有羽裂腺齿。花序伞房状或

近伞形，有花 3 ~ 6，先叶开放；总苞片倒卵状椭圆形，褐色，长约 5 mm，宽约 3 mm，边缘有腺齿；花梗长 0.8 ~ 1.9 cm，被疏柔毛；萼筒钟状，长 3 ~ 6 mm，宽 2 ~ 3 mm，外面被疏柔毛，萼片三角状卵圆形或卵状长圆形，先端急尖或钝，全缘，长为萼筒的一半或过半；花瓣白色，卵圆形，先端下凹或 2 裂；雄蕊 30 ~ 35，栽培者可达 50；花柱与雄蕊近等长，无毛。核果近球形，红色，直径 0.9 ~ 1.3 cm。花期 3 ~ 4 月，果期 5 ~ 6 月。

| 生境分布 | 生于海拔 300 ~ 600 m 的山坡阳处或沟边。分布于河北滦平、涉县、武安等。

| 资源情况 | 野生资源一般。药材来源于栽培。

| 采收加工 | **樱桃核：**取成熟果实放置缸中，用手揉搓，使果肉与果核分离，洗去果肉，取净核晒干。

樱桃：采收带果柄的果实，多鲜用。

樱桃水：采摘成熟果实，去核后压榨取得液体，装入瓷坛封固备用。

樱桃叶：夏、秋季采收，鲜用或晒干。

樱桃枝：全年均可采收，切段，晒干。

樱桃花：花盛开时采摘，阴干。

樱桃根：全年均可采挖，洗净，切段，晒干或鲜用。

| 药材性状 | 樱桃核：本品呈卵圆形，长 0.7 ～ 1 cm，直径约 0.7 cm。表面灰白色或灰黄色，有网状纹理，核的两侧各有 1 棱线，尖端微歪，底部钝圆，有 1 小坑，质坚硬，难破碎，砸开后内有 1 棕黄色种子，表面皱缩，干而无油。无臭，味微苦。以色灰白、无杂质者为佳。

| 功能主治 | 樱桃核：辛，温。归肺经。发表透疹，消瘤去瘢，行气止痛。用于痘疹初期透发不畅，皮肤瘢痕，瘿瘤，疝气疼痛。

樱桃：甘，温。归脾、胃、肾经。补脾益肾。用于脾虚泄泻，肾虚遗精，腰腿疼痛，四肢不仁，瘫痪。

樱桃水：甘，平。归肺、脾、肝经。透疹，敛疮。用于疹发不出，冻疮，烫火伤。

樱桃叶：甘、苦，温。归肝、脾、肺经。温中健脾，止咳止血，解毒杀虫。用于胃寒食积，腹泻，咳嗽，吐血，痈肿疮疡，蛇虫咬伤，滴虫性阴道炎。

樱桃枝：辛、甘，温。归脾、胃经。温中行气，止咳，祛斑。用于胃寒疼痛，咳嗽，雀斑。

樱桃花：养颜祛斑。用于面部粉刺。

樱桃根：甘，平。归肝、胃、大肠经。杀虫，调经，益气阴。用于绦虫病，蛲虫病，闭经，劳倦内伤。

| 用法用量 | 樱桃核：内服煎汤，5～15 g。外用适量，磨汁涂；或煎汤熏洗。

樱桃：内服煎汤，30～150 g；或浸酒。外用适量，浸酒涂擦；或捣敷。

樱桃水：内服适量，炖温。外用适量，搽。

樱桃叶：内服煎汤，15～30 g；或捣汁。外用适量，捣敷；或煎汤熏洗。

樱桃枝：内服煎汤，3～10 g。外用适量，煎汤洗。

樱桃花：外用适量，煎汤洗。

樱桃根：内服煎汤，9～15 g，鲜品30～60 g。外用适量，煎汤洗。

| 附　注 | 同属植物毛樱桃 *Prunus tomentosa* (Thunb.) Wall. 与本种的主要区别在于幼枝密生黄色毛，花单生或2并生，花梗极短，花冠白色或粉红色，分布于东北、华北、西北地区和西藏。

蔷薇科 Rosaceae 李属 Prunus

李 *Prunus salicina* Lindl.

| 植物别名 | 玉皇李、嘉庆子、山李子。

| 药 材 名 | 李核仁（药用部位：种子。别名：李仁、李子仁）、李根（药用部位：根。别名：山李子根）、李根皮（药用部位：根皮。别名：李根白皮）、李树胶（药用部位：树脂）、李树叶（药用部位：叶。别名：李叶）、李子（药用部位：果实。别名：李实、嘉庆子）、李子花（药用部位：花）。

| 形态特征 | 落叶乔木，高9~12 m；树冠广圆形，树皮灰褐色，起伏不平。老枝紫褐色或红褐色，无毛；小枝黄红色，无毛；冬芽卵圆形，红紫色，有数枚覆瓦状排列的鳞片，通常无毛，稀鳞片边缘有极稀疏毛。叶片长圆状倒卵形、长椭圆形，稀长圆状卵形，长6~8（~12）cm，宽3~5 cm，先端渐尖、急尖或短尾尖，基部楔形，边缘有圆钝重

锯齿，常混有单锯齿，幼时齿尖带腺，上面深绿色，有光泽，侧脉 6 ~ 10 对，不达叶片边缘，与主脉呈 45° 角，两面均无毛，有时下面沿主脉有稀疏柔毛或脉腋有髯毛；托叶膜质，线形，先端渐尖，边缘有腺，早落；叶柄长 1 ~ 2 cm，通常无毛，先端有 2 腺体或无，有时在叶片基部边缘有腺体。花通常 3 花并生；花梗 1 ~ 2 cm，通常无毛；花直径 1.5 ~ 2.2 cm；萼筒钟状，萼片长圆状卵形，长约 5 mm，先端急尖或圆钝，边缘有疏齿，与萼筒近等长，萼筒和萼片外面均无毛，内面在萼筒基部被疏柔毛；花瓣白色，长圆状倒卵形，先端啮蚀状，基部楔形，有明显带紫色的脉纹，具短爪，着生在萼筒边缘，比萼筒长 2 ~ 3 倍；雄蕊多数，花丝长短不等，排成不规则 2 轮，比花瓣短；雌蕊 1，柱头盘状，花柱比雄蕊稍长。核果球形、卵球形或近圆锥形，直径 3.5 ~ 5 cm，栽培品种可达 7 cm，黄色或红色，有时为绿色或紫色，梗凹陷入，先端微尖，基部有纵沟，外面被蜡粉；核卵圆形或长圆形，有皱纹。花期 4 月，果期 7 ~ 8 月。

| 生境分布 | 生于海拔 400 ~ 2 600 m 的山坡灌丛、山谷疏林或水边、沟底、路旁等。分布于河北昌黎、平泉、武安等。

| 资源情况 | 野生资源一般。栽培资源丰富。药材主要来源于栽培。

| 采收加工 | 李核仁：7 ~ 8 月采摘成熟果实，除去果肉，收集果核，洗净，破核取仁，晒干。
李根：全年均可采挖。

李根皮：全年均可采挖根，剥取根皮，晒干。

李树胶：在李树生长繁茂的季节，收采树干上分泌的胶质，晒干。

李树叶：夏、秋季间采摘，鲜用或晒干。

李子：7～8月果实成熟时采摘，鲜用。

李子花：4～5月花盛开时采摘，晒干。

| 药材性状 |　李核仁：本品呈扁平长椭圆形，长6～10 mm，宽4～7 mm，厚约2 mm，种皮褐黄色，有明显纵皱纹。子叶2，白色，含油脂。气微弱，味微甜，似甜杏仁。

李根：本品呈圆柱形，长30～130 cm，直径0.3～2.5 cm。表面黑褐色或灰褐色，有纵皱纹及须根痕，质坚硬，不易折断。断面黄白色或棕黄色，木部有放射状纹理。气微，味淡。

李根皮：本品呈卷曲筒状、槽状或不规则块片状，长短、宽窄不一，厚0.2～0.5 cm。外表面为灰褐色或黑褐色的栓皮，内表面黄白色或淡黄棕色，有纵皱纹。体轻，质韧，纤维性强，难折断。气微，味苦而涩。

李树叶：本品大多皱缩、破碎。完整叶片呈椭圆状披针形或椭圆状倒卵形，长6～10 cm，宽3～4 cm，边缘有细钝的重锯齿，上下两面均为棕绿色，下面脉间簇生柔毛。叶柄长1～2 cm，有数个腺点。质脆，易碎。气微，味淡。

李子：本品呈球状卵形，直径3.5～5 cm，先端微尖，基部凹陷，一侧有深沟，表面黄棕色或棕色。果肉较厚，果核扁平，呈长椭圆形，长6～10 mm，宽

4 ～ 7 mm，厚约 2 mm，褐黄色，有明显纵向皱纹。气微，味酸、微甜。

| 功能主治 |　李核仁：苦，平。归肝、肺、大肠经。祛瘀，利水，润肠。用于血瘀疼痛，跌打损伤，水肿膨胀，脚气，肠燥便秘。

李根：苦，寒。归脾、胃经。清热解毒，利湿。用于疮疡肿毒，热淋，痢疾，带下。

李根皮：苦、咸，寒。归肝、脾、心经。降逆，燥湿，清热解毒。用于气逆奔豚，湿热痢疾，赤白带下，消渴，脚气，丹毒，疮痈。

李树胶：苦，寒。归心、肝经。清热，透疹，退翳。用于麻疹透发不畅，目生翳障。

李树叶：甘、酸，平。归胃、脾、肺经。清热解毒。用于壮热惊痫，肿毒溃烂。

李子：甘、酸，平。归肝、脾、肾经。清热，生津，消积。用于虚劳骨蒸，消渴，食积。

李子花：苦，平。泽面。用于粉滓鼾䵟，斑点。

| 用法用量 |　李核仁：内服煎汤，3 ～ 9 g。外用适量，研末调敷。

李根：内服煎汤，6 ～ 15 g。外用适量，烧存性研末调敷。

李根皮：内服煎汤，3 ～ 9 g。外用适量，煎汤含漱；或磨汁涂。

李树胶：内服煎汤，15 ～ 30 g。

李树叶：内服煎汤，10 ～ 15 g。外用适量，煎汤洗浴；或捣敷；或捣汁涂。

李子：内服煎汤，10 ～ 15 g；或鲜品生食，100 ～ 300 g。

李子花：外用研末敷，6 ～ 18 g。

薔薇科 Rosaceae 地薔薇属 Chamaerhodos

地薔薇 *Chamaerhodos erecta* (L.) Bge.

| 植物别名 | 追风蒿、茵陈狼牙。

| 药 材 名 | 追风蒿（药用部位：全草。别名：茵陈狼牙）。

| 形态特征 | 一年生或二年生草本，具长柔毛及腺毛。根木质。茎直立或弧曲上升，高 20 ～ 50 cm，单一，少有多茎丛生，基部稍木质化，常在上部分枝。基生叶密生，莲座状，长 1 ～ 2.5 cm，二回羽状 3 深裂，侧裂片 2 深裂，中央裂片常 3 深裂，二回裂片具缺刻或 3 浅裂，小裂片条形，长 1 ～ 2 mm，先端圆钝，基部楔形，全缘，果期枯萎；叶柄长 1 ～ 2.5 cm；托叶形状似叶，3 至多深裂；茎生叶似基生叶，3 深裂，近无柄。聚伞花序顶生，具多花，二歧分枝形成圆锥花序，直径 1.5 ～ 3 cm；苞片及小苞片 2 ～ 3 裂，裂片条形；花梗细，长 3 ～ 6 mm；花直径 2 ～ 3 mm；萼筒倒圆锥形或钟形，长 1 mm，萼

片卵状披针形，长 1 ～ 2 mm，先端渐尖；花瓣倒卵形，长 2 ～ 3 mm，白色或粉红色，无毛，先端圆钝，基部有短爪；花丝比花瓣短；心皮 10 ～ 15，离生，花柱侧基生，子房卵形或长圆形。瘦果卵形或长圆形，长 1 ～ 1.5 mm，深褐色，无毛，平滑，先端具尖头。花果期 6 ～ 8 月。

| 生境分布 | 生于海拔 2 500 m 的山坡、丘陵或干旱河滩。分布于河北沽源、行唐、怀安等。

| 资源情况 | 野生资源丰富。药材主要来源于野生。

| 采收加工 | 夏、秋季采收，晒干。

| 功能主治 | 苦、辛，温。祛风除湿。用于风湿痹病。

| 用法用量 | 外用煎汤熏洗，15 ～ 30 g。

| 附　　注 | 本种为一年生或二年生草本；茎单一，少有多茎丛生，上部分枝；基生叶二回羽状 3 深裂；花较小，直径 2 ～ 3 mm；花瓣与萼片等长或较之稍长；心皮 10 ～ 15。以上特征易与本属其他种区别。

薔薇科 Rosaceae 地榆属 Sanguisorba

地榆 *Sanguisorba officinalis* L.

| 植物别名 |

山枣子、玉札、黄瓜香。

| 药 材 名 |

地榆（药用部位：根。别名：豚榆系、白地榆、西地榆）。

| 形态特征 |

多年生草本，高 30 ~ 120 cm。根粗壮，多呈纺锤形，稀圆柱形，表面棕褐色或紫褐色，有纵皱纹及横裂纹，横切面黄白色或紫红色，较平正。茎直立，有棱，无毛或基部有稀疏腺毛。基生叶为羽状复叶，有小叶 4 ~ 6 对，叶柄无毛或基部有稀疏腺毛；小叶片有短柄，卵形或长圆状卵形，长 1 ~ 7 cm，宽 0.5 ~ 3 cm，先端圆钝，稀急尖，基部心形至浅心形，边缘有多数粗大、圆钝、稀急尖的锯齿，两面绿色，无毛；茎生叶较少，小叶片有短柄至几无柄，长圆形至长圆状披针形，狭长，基部微心形至圆形，先端急尖；基生叶托叶膜质，褐色，外面无毛或被稀疏腺毛，茎生叶托叶大，草质，半卵形，外侧边缘有尖锐锯齿。穗状花序椭圆形、圆柱形或卵球形，直立，通常长 1 ~ 3（~ 4）cm，横径 0.5 ~ 1 cm，从花序先端向下开放，花序梗光滑或偶有稀疏腺毛；苞片膜质，披针形，先端渐尖至尾尖，比萼片短或近等长，背面及边缘有柔毛；萼片 4，紫红色，椭圆形至宽卵形，背面被疏柔毛，中央微有纵棱脊，先端常具短尖头；雄蕊 4，花丝丝状，不扩大，与萼片近等长或较之稍短；子房外面无毛或基部微被毛，柱头先端扩大，盘形，边缘具流苏状乳头。果实包藏在宿存萼筒内，外面有斗棱。花果期 7 ~ 10 月。

| 生境分布 | 生于海拔 30 ~ 3 000 m 的草原、草甸、山坡草地、灌丛及疏林。分布于河北内丘、易县、赞皇等。

| 资源情况 | 野生资源一般。栽培资源丰富。药材主要来源于栽培。

| 采收加工 | 春季发芽前或秋季植株枯萎后采挖，除去残茎及须根，洗净，干燥，或趁鲜切片，干燥。

| 药材性状 | 本品呈不规则纺锤形或圆柱形，稍弯曲或扭曲，长 5 ~ 25 cm，直径 0.5 ~ 2 cm。表面灰褐色、棕褐色或暗紫色，粗糙，有纵皱纹、横裂纹及支根痕，先端有时具环纹。质硬，不易折断，断面较平坦，粉红色或淡黄色，木部略呈放射状排列。切片呈不规则圆形或椭圆形，厚 0.2 ~ 0.5 cm。无臭，味微苦、涩。以条粗、质坚、断面色粉红者为佳。

| 功能主治 | 苦、酸、涩，微寒。归肝、大肠经。凉血止血，清热解毒，消肿敛疮。用于便血，痔血，血痢，崩漏，烫火伤，痈肿疮毒。

| 用法用量 | 内服煎汤，9 ~ 15 g。外用适量，研末涂敷。

| 附　注 | 本种的根为止血要药，并可治疗烫火伤。

蔷薇科 Rosaceae 棣棠花属 Kerria

重瓣棣棠花 *Kerria japonica* (L.) DC. f. *pleniflora* (Witte) Rehd.

| 药 材 名 | 棣棠花（药用部位：花。别名：三月花、鸡蛋花）。

| 形态特征 | 落叶灌木，高 1 ~ 1.5 m。小枝绿色，有条纹，略呈曲折状。叶三角状卵形，先端渐尖，基部近圆形，长 2 ~ 5 cm，边缘有重锯齿，表面鲜绿色，背面苍白色而微有细毛。花金黄色，顶生于侧枝上，重瓣，直径 3 ~ 4.5 cm。瘦果褐黑色。花期 4 ~ 5 月。

| 生境分布 | 河北多地有栽培。分布于河北涞源等。

| 资源情况 | 栽培资源丰富。药材主要来源于栽培。

| 采收加工 | 夏季采收，鲜用或晒干。

| **药材性状** | 本品呈扁球形，直径 0.5 ～ 1 cm，黄色；萼片先端 5 裂，裂片卵形，筒部短广；花瓣 5，金黄色，广椭圆形，具钝头，萼筒内有环状花盘；雄蕊多数；雌蕊 5。气微，味苦。

| **功能主治** | 苦、涩，平。化痰止咳，利湿消肿，解毒。用于咳嗽，风湿痹痛，产后劳伤痛，水肿，小便不利，消化不良，痈疽肿毒，湿疹，荨麻疹。

| **用法用量** | 内服煎汤，6 ～ 15 g。外用适量，煎汤洗。

蔷薇科 Rosaceae 花楸属 *Sorbus*

花楸树

Sorbus pohuashanensis (Hance) Hedl.

| 植物别名 |

山槐子、百华花楸、马加木。

| 药 材 名 |

花楸果（药用部位：果实。别名：山槐子）、花楸茎皮（药用部位：茎皮）。

| 形态特征 |

乔木，高达 8 m。小枝粗壮，灰褐色，老时无毛；冬芽长大，长圆状卵形，先端渐尖，具数枚黑褐色鳞片，外面密被灰白色绒毛。奇数羽状复叶，连叶柄长 12 ~ 20 cm，叶柄长 2.5 ~ 5 cm；小叶片 5 ~ 7 对，卵状披针形或长披针形，长 3 ~ 7 cm，宽 1.4 ~ 1.8 cm，先端急尖或短渐尖，基部圆形，偏斜，边缘有细锐锯齿，有时有重锯齿，上面具稀疏绒毛或近无毛，下面苍白色，有稀疏柔毛或沿中脉有较密集柔毛；托叶革质，宿存，宽卵形，有粗锐锯齿。复伞房花序具多数密集花朵；总花梗和花梗均密被白色绒毛，成长时逐渐脱落；萼筒钟状，外面有绒毛或近无毛，内面有绒毛，萼片三角形，先端急尖，内外两面均具绒毛；花瓣宽卵形或近圆形，白色；雄蕊 20，几与花瓣等长；花柱 3，基部具短柔毛。果实近球形，直径 6 ~ 8 mm，

红色或橘红色，具宿存闭合萼片。花期 5 ~ 6 月，果期 9 ~ 10 月。

| **生境分布** | 生于海拔 900 ~ 2 500 m 的山坡或山谷杂木林内。分布于河北赤城、涞源、承德等。

| **资源情况** | 野生资源丰富。药材主要来源于野生。

| **采收加工** | 花楸果：秋季果实成熟时采摘，鲜用或晒干。
花楸茎皮：春季剥取树皮，或采茎枝切段晒干。

| **药材性状** | 花楸果：本品呈不规则圆球形，直径 6 ~ 8 mm。表面橘黄色或橘红色，皱缩起棱，有光泽；一端具小凹窝，为 5 角形萼裂片所掩盖，而遗留有五角星状裂缝，另一端为 1 小圆点状果柄痕。果皮薄膜质；果肉柔软；味酸、微甜。种子常为 3，长卵形，棕色，长约 4 mm；气微，味微甜、苦。

| **功能主治** | 花楸果：甘、苦，平。归肺、脾经。
止咳化痰，健脾利水。用于咳嗽，哮喘，脾虚水肿，胃炎。
花楸茎皮：苦，寒。归肺、大肠经。
清肺止咳，解毒止痢。用于慢性支气管炎，肺痨，痢疾。

| **用法用量** | 花楸果：内服煎汤，30 ~ 60 g。
花楸茎皮：内服煎汤，9 ~ 15 g。

蔷薇科 Rosaceae 梨属 *Pyrus*

白梨
Pyrus bretschneideri Rehd.

| 植物别名 |

罐梨、白挂梨。

| 药材名 |

梨（药用部位：果实。别名：快果、果宗）、梨皮（药用部位：果皮）、梨花（药用部位：花）、梨叶（药用部位：叶）、梨枝（药用部位：树枝）、梨木皮（药用部位：树皮）、梨木灰（药材来源：木材烧成的灰）、梨树根（药用部位：根）。

| 形态特征 |

乔木，高达 5 ~ 8 m。小枝微屈曲，紫褐色，具稀疏皮孔，老时无毛。叶片卵形或椭圆状卵形，长 5 ~ 12 cm，宽 3.5 ~ 8 cm，先端渐尖，稀急尖，基部近圆形，边缘有尖锐锯齿，齿尖有刺芒，微向内合拢，老叶无毛；叶柄细，长 2.5 ~ 7 cm，嫩时密被绒毛，不久脱落。伞形总状花序，有花 7 ~ 10，直径 4 ~ 7 cm；总花梗和花梗嫩时有绒毛，不久脱落，花梗长 1.5 ~ 3 cm；萼片三角形，先端渐尖，边缘有腺齿，外面无毛，内面密被褐色绒毛；花瓣卵形，长 1.2 ~ 1.4 cm，宽 1 ~ 1.2 cm，白色，先端常呈啮蚀状，基部具短爪；花柱4 或 5，无毛。果实卵形或近球形，大小不一，

先端萼片脱落，基部具肥厚果柄，黄色，有细密斑点，心皮 4 ~ 5 室；种子倒卵形，微扁，褐色。花期 4 月，果期 8 ~ 9 月。

| 生境分布 | 生于海拔 100 ~ 2 000 m 的干旱寒冷地区或山坡阳处。分布于河北滦平等。

| 资源分布 | 野生资源丰富。药材主要来源于野生。

| 采收加工 | **梨**：秋季采收，鲜用，或切片，晒干。

梨皮：秋季采收果实，削取果皮，鲜用或晒干。

梨花：花盛开时采摘，晒干。

梨叶：夏、秋季采收，鲜用或晒干。

梨枝：全年均可采收，剪取枝条，切小段，晒干。

梨木皮：春、秋季采收树枝，环剥或条剥，截成条状，晒干。

梨木灰：全年均可采收木材，晒干，烧成炭灰，保存。

梨树根：全年均可采挖，洗净，切段，晒干。

| 药材性状 | **梨**：本品多呈卵形或近球形，通常直径 5 ~ 7 cm，先端有残留花萼。基部具肥厚果柄，长 3 ~ 4 cm，表面黄白色，有细密斑点。横切面可见白色子房 4 ~ 5 室。种子倒卵形，微扁，长 6 ~ 7 mm，褐。果肉微香，多汁，味甜、微酸。干品为圆形横切片，多卷缩，直径 2 ~ 2.5 cm。外皮淡黄色，有细密斑点。果肉黄白色，有的可见子房室或灰褐色种子。气微，味甜、微酸。

梨皮：本品呈不规则片状，外表面淡黄色，有细密斑点，内表面黄白色。气微，味微甜而酸。

梨叶：本品多皱缩、破碎。表面灰褐色，两面被绒毛或光滑无毛。质脆，易碎。

梨枝：本品表面灰褐色或灰绿色，微有光泽，有纵皱纹，并可见叶痕及点状凸起的皮孔。质硬而脆，易折断，断面皮部灰褐色或褐色，大部分黄白色或灰黄白色。气微，味涩。

梨木皮：本品呈卷筒状、槽状或不规则片状，长短、宽窄不一，厚 1 ~ 3 mm。外表面灰褐色，有不规则的细皱纹及较大的凸起皮孔；内表面棕色或棕黄色，较平滑，有细纵纹。质硬而脆，易折断，断面较平坦。气微，味苦、涩。

梨木灰：本品呈粉末状，表面灰白色或灰褐色。质轻。气微，味淡。

梨树根：本品呈圆柱形，长 20 ~ 120 cm，直径 0.5 ~ 3 cm。表面黑褐色，有不规则皱纹及横向皮孔样突起。质硬脆，易折断，断面黄白色或淡棕黄色。气微，味涩。

| 功能主治 |

梨：甘、酸，凉。归肺、胃、心经。清肺化痰，生津止渴，润燥。用于肺燥咳嗽，热病津伤烦躁，津少口干，消渴，目赤，热咳，痰热惊狂，噎膈，便秘。

梨皮：甘、涩，凉。清心润肺，降火生津，解疮毒。用于暑热烦渴，肺燥咳嗽，吐血，痢疾，发背，疔疮，疥癣。

梨花：淡，平。泽面祛斑。用于面生黑斑粉滓。

梨叶：辛、涩、苦，平。舒肝和胃，利水解毒。用于霍乱吐泻，腹痛，水肿，小便不利，小儿疝气，菌菇中毒。

梨枝：辛、涩、苦，平。行气和中，止痛。用于霍乱吐泻，腹痛。

梨木皮：苦，寒。清热解毒。用于热病发热，疮癣。

梨木灰：咸，平。降逆下气。用于气积郁冒，胸满气促，结气咳逆。

梨树根：甘、淡，平。润肺止咳，理气止痛。用于肺虚咳嗽，疝气腹痛。

| 用法用量 |

梨：内服煎汤，15 ~ 30 g；或生食，1 ~ 2 枚；或捣汁；或蒸服；或熬膏。外用适量，捣敷；或捣汁点眼。

梨皮：内服煎汤，9 ~ 15 g，鲜品 30 ~ 60 g。外用适量，捣汁涂。

梨花：内服煎汤，9 ~ 15 g；或研末。外用适量，研末调涂。

梨叶：内服煎汤，9 ~ 15 g；或鲜品捣汁服。外用适量，捣敷；或捣汁涂。

梨枝：内服煎汤，9 ~ 15 g。

梨木皮：内服煎汤，3 ~ 9 g；或研末，3 g。

梨木灰：内服煎汤，3 ~ 9 g；或入丸、散剂。

梨树根：内服煎汤，10 ~ 30 g。

| 附　注 |

本种与秋子梨 *Pyrus ussuriensis* Maxim. 甚为相似，但后者的叶片较宽，基部圆形或近心形，锯齿刺芒较为显著，果实上具宿存萼片；本种的叶片稍狭长，基部宽楔形或近圆形，锯齿上刺芒较短并向内合拢，果实大多数不具宿萼，二者易于区别。

蔷薇科 Rosaceae 梨属 Pyrus

杜梨
Pyrus betulifolia Bge.

| 植物别名 | 灰梨、野梨子、海棠梨。

| 药材名 | 棠梨（药用部位：果实。别名：杜、甘棠、白棠）、棠梨枝叶（药用部位：枝叶）。

| 形态特征 | 乔木，高达 10 m，枝常具刺。小枝嫩时密被灰白色绒毛，二年生枝条则近无毛，紫褐色。叶片菱状卵形至长圆状卵形，长 4 ~ 8 cm，宽 2.5 ~ 3.5 cm，先端渐尖，基部宽楔形，稀近圆形，边缘有粗锐锯齿，幼叶上下两面均密被灰白色绒毛，成长后脱落，老叶上面无毛而有光泽；叶柄长 2 ~ 3 cm，被灰白色绒毛。伞形总状花序，有花 10 ~ 15；总花梗和花梗均被灰白色绒毛，花梗长 2 ~ 2.5 cm；花直径 1.5 ~ 2 cm；萼筒外密被灰白色绒毛，萼片三角状卵形，内外两面均密被绒毛；花瓣宽卵形，先端圆钝，基部具短爪，白色；

花柱 2 ～ 3。果实近球形，直径 5 ～ 10 mm，褐色，有淡色斑点，萼片脱落，基部具带绒毛的果柄。花期 4 月，果期 8 ～ 9 月。

| **生境分布** | 生于海拔 50 ～ 1 800 m 的平原或山坡处。分布于河北昌黎、阜平、行唐等。

| **资源情况** | 野生资源丰富。药材主要来源于野生。

| **采收加工** | 棠梨：8 ～ 9 月果实成熟时采摘，晒干或鲜用。
棠梨枝叶：夏季采收，切段，晒干。

| **药材性状** | 棠梨：本品呈类球形，直径 0.5 ～ 1 cm。表面黑褐色，有白色斑点，质硬，果肉薄，褐色。气微，味酸、微甜。

| **功能主治** | 棠梨：酸、甘、涩，寒。归肺、胃、大肠经。涩肠，敛肺，消食。用于泻痢，咳嗽，食积。
棠梨枝叶：酸、甘、涩，寒。舒肝和胃，缓急止泻。用于反胃呕吐，霍乱吐泻，转筋腹痛。

| **用法用量** | 棠梨：内服煎汤，15 ～ 30 g。
棠梨枝叶：内服煎汤，15 ～ 30 g；或研末。外用适量，煎汤洗。

蔷薇科 Rosaceae 梨属 *Pyrus*

秋子梨 *Pyrus ussuriensis* Maxim.

| 植物别名 | 酸梨、沙果梨、野梨。

| 药 材 名 | 梨（药用部位：果实）、梨木灰（药材来源：木材烧成的灰）、梨木皮（药用部位：树皮）、梨皮（药用部位：果皮）、梨树根（药用部位：根）、梨叶（药用部位：叶）、梨枝（药用部位：树枝）、梨花（药用部位：花）。

| 形态特征 | 乔木，高达 15 m，树冠宽广。嫩枝无毛或微具毛，二年生枝条黄灰色至紫褐色，老枝转为黄灰色或黄褐色，具稀疏皮孔；冬芽肥大，卵形，先端钝，鳞片边缘微具毛或近无毛。叶片卵形至宽卵形，长 5 ~ 10 cm，宽 4 ~ 6 cm，先端短渐尖，基部圆形或近心形，稀宽楔形，边缘具刺芒状尖锐锯齿，上下两面无毛或在幼嫩时被绒毛，不久脱落；叶柄长 2 ~ 5 cm，嫩时有绒毛，不久脱落；托叶线状披

针形，先端渐尖，边缘具腺齿，长 8 ~ 13 mm，早落。花序密集，有花 5 ~ 7；花梗长 2 ~ 5 cm，总花梗和花梗在幼嫩时被绒毛，不久脱落；苞片膜质，线状披针形，先端渐尖，全缘，长 12 ~ 18 mm；花直径 3 ~ 3.5 cm；萼筒外面无毛或微具绒毛，萼片三角状披针形，先端渐尖，边缘有腺齿，长 5 ~ 8 mm，外面无毛，内面密被绒毛；花瓣倒卵形或广卵形，先端圆钝，基部具短爪，长约 18 mm，宽约 12 mm，无毛，白色；雄蕊 20，短于花瓣，花药紫色；花柱 5，离生，近基部有稀疏柔毛。果实近球形，黄色，直径 2 ~ 6 cm，萼片宿存，基部微下陷，具短果柄，长 1 ~ 2 cm。花期 5 月，果期 8 ~ 10 月。

| 生境分布 | 生于海拔 100 ~ 2 000 m 的寒冷而干燥的山区。分布于河北滦平、青龙、平泉等。

| 资源情况 | 野生资源一般。栽培资源丰富。药材主要来源于栽培。

| 采收加工 | 梨：8 ~ 9 月当果皮呈现该品种固有的颜色、有光泽和香味、种子变为褐色、果柄易脱落时，即可采摘。

梨木灰：全年均可采收，将木材晒干，烧成炭灰，保存。

梨木皮：春、秋季均可剥取树皮。

梨皮：9 ~ 10 月采摘成熟果实，削取果皮，鲜用或晒干。

梨树根：全年均可采挖，挖取侧根，洗净，切段，晒干。

梨叶：夏、秋季采摘，鲜用或晒干。

梨枝：全年均可采收，剪取枝条，切小段，晒干。

梨花：花盛开时采摘，晒干。

| **药材性状** | 梨：本品呈近球形，较小，直径 2 ～ 6 cm，果皮暗绿色，稍带褐色或黄色，有红色斑点。先端萼片残留，果柄直生。

梨木灰：本品呈粉末状，表面灰白色或灰褐色。质轻。气微，味淡。

梨木皮：本品呈卷筒状、槽状或不规则片状，长短、宽窄不一，厚 1 ～ 3 mm。外表面灰褐色，有不规则的细皱纹及较大的凸起皮孔，内表面棕色或棕黄色，较平滑，有细纵纹。质硬而脆，易折断，断面较平坦。气微，味苦、涩。

梨皮：本品呈不规则片状或卷曲成条状，外表面淡黄色，有细密斑点，内表面黄白色。气微，味微甜而酸。

梨树根：本品呈圆柱形，长 20 ～ 120 cm，直径 0.5 ～ 3 cm。表面黑褐色，有不规则皱纹及横向皮孔样突起。质硬脆，易折断，断面黄白色或淡棕黄色。气微，味涩。

梨叶：本品多皱缩、破碎，完整叶片呈卵形或卵状椭圆形，长 5 ～ 10 cm，宽 4 ～ 6 cm，先端锐尖，基部宽楔形或近圆形，叶缘锯齿呈刺芒状。叶柄长 2.5 ～ 5 cm。表面灰褐色，两面被绒毛或光滑无毛。质脆，易碎。气微，味淡、微涩。

梨枝：本品呈圆柱形，有分枝，直径 0.3 ～ 1 cm。表面灰褐色或灰绿色，微有光泽，有纵皱纹，并可见叶痕及点状凸起的皮孔。质硬而脆，易折断，断面皮部灰褐色或褐色，大部分黄白色或灰黄白色。气微，味涩。

| **功能主治** | 梨：甘、微酸，凉。归肺、胃、心经。清肺化痰，生津止渴。用于肺燥咳嗽，热病烦躁，津少口干，消渴，目赤，疮疡，烫火伤。

梨木灰：微咸，平。降逆下气。用于气积郁冒，胸满气促，结气咳逆。

梨木皮：苦，寒。清热解毒。用于热病发热，疮癣。

梨皮：甘、涩，凉。清心润肺，降火生津，解疮毒。用于暑热烦渴，肺燥咳嗽，吐血，痢疾，疥癣，发背，疔疮。

梨树根：甘、淡，平。润肺止咳，理气止痛。用于肺虚咳嗽，疝气腹痛。

梨叶：辛、涩、微苦，平。舒肝和胃，利水解毒。用于霍乱吐泻，腹痛，水肿，小便不利，小儿疝气，菌菇中毒。

梨枝：辛、涩、微苦，平。行气和中，止痛。用于霍乱吐泻，腹痛。

梨花：淡，平。泽面祛斑。用于面生黑斑。

| 用法用量 | **梨**：内服煎汤，15 ～ 30 g；或生食，1 ～ 2 枚；或捣汁；或蒸服；或熬膏。外用适量，捣敷；或捣汁点眼。

梨木灰：内服煎汤，3 ～ 9 g；或入丸、散剂。

梨木皮：内服煎汤，3 ～ 9 g；或研末，3 g。

梨皮：内服煎汤，9 ～ 15 g，鲜品 30 ～ 60 g。外用适量，捣汁涂。

梨树根：内服煎汤，10 ～ 30 g。

梨叶：内服煎汤，9 ～ 15 g；或鲜品捣汁服。外用适量，捣敷；或捣汁涂。

梨枝：内服煎汤，9 ～ 15 g。

梨花：内服煎汤，9 ～ 15 g；或研末。外用适量，研末调涂。

蔷薇科 Rosaceae　龙芽草属 Agrimonia

龙芽草
Agrimonia pilosa Ldb.

| 植物别名 | 龙牙草、路边黄、老鹳嘴。

| 药 材 名 | 仙鹤草（药用部位：地上部分。别名：狼牙草、龙牙草）。

| 形态特征 | 多年生草本。根多呈块茎状，周围长出若干侧根；根茎短，基部常有1至数个地下芽。茎高30～120 cm，被疏柔毛及短柔毛，稀下部被稀疏长硬毛。叶为间断奇数羽状复叶，通常有小叶3～4对，稀2对，向上减少至3小叶，叶柄被稀疏柔毛或短柔毛；小叶片无柄或有短柄，倒卵形、倒卵状椭圆形或倒卵状披针形，先端急尖至圆钝，稀渐尖，基部楔形至宽楔形，边缘有急尖至圆钝的锯齿，上面被疏柔毛，稀脱落几无毛，下面通常脉上伏生疏柔毛，稀脱落几无毛，有显著腺点；托叶草质，绿色，镰形，稀卵形，先端急尖或渐尖，边缘有尖锐锯齿或裂片，稀全缘，茎下部托叶有时卵状披针形，常

全缘。花序穗状，总状顶生，分枝或不分枝；花序轴被柔毛；花梗长 1 ~ 5 mm，被柔毛；苞片通常 3 深裂，裂片带形；小苞片对生，卵形，全缘或边缘分裂；花直径 6 ~ 9 mm；萼片 5，三角状卵形；花瓣黄色，长圆形；雄蕊 5 ~ 8（~ 15）；花柱 2，丝状，柱头头状。果实倒卵状圆锥形，外面有 10 肋，被疏柔毛，先端有数层钩刺，幼时直立，成熟时靠合，连钩刺长 7 ~ 8 mm，最宽处直径 3 ~ 4 mm。花果期 5 ~ 12 月。

| **生境分布** | 生于海拔 100 ~ 3 800 m 的溪边、路旁、草地、灌丛、林缘及疏林下。分布于河北蔚县等。

| **资源情况** | 野生资源丰富。药材主要来源于野生。

| 采收加工 | 夏、秋季茎叶茂盛时采割，除去杂质，干燥。

| 药材性状 | 本品长 50 ~ 100 cm，全体被白色柔毛。茎下部圆柱形，直径 4 ~ 6 mm，红棕色，
上部方柱形，四面略凹陷，绿褐色，有纵沟和棱线，有节；体轻，质硬，易折断，
断面中空。奇数羽状复叶互生，暗绿色，皱缩、卷曲；质脆，易碎；叶片有大
小 2 种，相间生于叶轴上，先端小叶较大，完整小叶片展平后呈卵形或长椭圆
形，先端尖，基部楔形，边缘有锯齿；托叶 2，抱茎，斜卵形。总状花序细长，
花萼下部呈筒状，萼筒上部有钩刺，先端 5 裂，花瓣黄色。气微，味微苦。

| 功能主治 | 苦、涩，平。归心、肝经。收敛止血，截疟，止痢，解毒，补虚。用于咯血，吐血，
崩漏下血，疟疾，血痢，痈肿疮毒，阴痒带下，脱力劳伤。

| 用法用量 | 内服煎汤，6 ~ 12 g。外用适量。

| **附　注** | 黄龙尾 *Agrimonia pilosa* Ldb. var. *nepalensis* (D. Don) Nakai 与本种的区别在于茎下部密被粗硬毛，叶上面脉上被长硬毛或微硬毛，脉间密被柔毛或绒毛状柔毛。

蔷薇科 Rosaceae 路边青属 Geum

路边青 *Geum aleppicum* Jacq.

| 植物别名 | 水杨梅、草本水杨梅。

| 药 材 名 | 五气朝阳草（药用部位：全草。别名：追风七、见肿消）。

| 形态特征 | 多年生草本。须根簇生。茎直立，高 30 ~ 100 cm，被开展粗硬毛，稀几无毛。基生叶为大头羽状复叶，通常有小叶 2 ~ 6 对，连叶柄长 10 ~ 25 cm，叶柄被粗硬毛，小叶大小极不相等，顶生小叶最大，菱状广卵形或宽扁圆形，长 4 ~ 8 cm，宽 5 ~ 10 cm，先端急尖或圆钝，基部宽心形至宽楔形，边缘常浅裂，有不规则粗大锯齿，锯齿急尖或圆钝，两面绿色，疏生粗硬毛；茎生叶羽状复叶，有时重复分裂，向上小叶逐渐减少，顶生小叶披针形或倒卵状披针形，先端常渐尖或短渐尖，基部楔形；茎生叶托叶大，绿色，叶状，卵形，边缘有不规则粗大锯齿。花序顶生，疏散排列；花梗被短柔毛或微硬毛；

花直径 1 ~ 1.7 cm；花瓣黄色，几圆形，比萼片长；萼片卵状三角形，先端渐尖，副萼片狭小，披针形，先端渐尖，稀 2 裂，比萼片短 1 倍多，外面被短柔毛及长柔毛；花柱顶生，在上部 1/4 处扭曲，成熟后自扭曲处脱落，脱落部分下部被疏柔毛。聚合果倒卵球形，瘦果被长硬毛，花柱宿存部分无毛，先端有小钩；果托被短硬毛，长约 1 mm。花果期 7 ~ 10 月。

| 生境分布 | 生于海拔 200 ~ 3 500 m 的山坡、路旁、山谷或水边。分布于河北井陉、沽源、平山等。

| 资源情况 | 野生资源丰富。药材主要来源于野生。

| 采收加工 | 夏季采收，鲜用，或切段，晒干。

| 药材性状 | 本品根茎粗短，长 1 ~ 2.5 cm，有多数细须根，均为棕褐色。茎圆柱形，被毛或近无毛。基生叶有长柄，羽状全裂或近羽状复叶，顶裂片较大，卵形或宽卵形，边缘有锯齿，两面被毛，侧生裂片小，边缘有不规则的粗齿；茎生叶互生，卵形，3 浅裂或羽状分裂。花顶生，常脱落。聚合瘦果近球形。气微，味辛、微苦。以色鲜、叶多、完整者为佳。

| 功能主治 | 苦、辛，微寒。归胃、脾、大肠经。清热解毒，消肿止痛，调经止带。用于痈肿疮疡，乳腺炎，咽痛，扁桃体炎，瘰疬，痢疾，跌打损伤，小儿惊风。

| 用法用量 | 内服煎汤，10 ~ 15 g；或研末，1 ~ 1.5 g。外用适量，捣敷；或煎汤洗。

| 附　注 | 本种别名水杨梅、草本水杨梅。同属植物柔毛路边青 *Geum japonicum* Thunb. var. *chinense* F. Bolle 分布于华东、中南、西南地区及陕西、甘肃、新疆等地，又称柔毛水杨梅、南水杨梅，以全草入药，功效同本种药材，民间将其作为利尿剂和收敛剂使用。贵州少数民族地区将本种与柔毛路边青 *Geum japonicum* Thunb. var. *chinense* F. Bolle 并称为蓝布正，并广泛用于治疗头晕目眩、头痛等症。

蔷薇科 Rosaceae 木瓜属 Chaenomeles

木瓜 *Chaenomeles sinensis* (Thouin) Koehne

| 植物别名 | 海棠、木李、榠楂。

| 药 材 名 | 光皮木瓜（药用部位：果实。别名：木瓜）。

| 形态特征 | 灌木或小乔木，高达 5 ~ 10 m；树皮呈片状脱落。小枝无刺，圆柱形，幼时被柔毛，不久即脱落，紫红色，二年生枝无毛，紫褐色；冬芽半圆形，先端圆钝，无毛，紫褐色。叶片椭圆状卵形或椭圆状长圆形，稀倒卵形，长 5 ~ 8 cm，宽 3.5 ~ 5.5 cm，先端急尖，基部宽楔形或圆形，边缘有刺芒状尖锐锯齿，齿尖有腺，幼时下面密被黄白色绒毛，不久即脱落无毛；叶柄长 5 ~ 10 mm，微被柔毛，有腺齿；托叶膜质，卵状披针形，先端渐尖，边缘具腺齿，长约 7 mm。花单生于叶腋；花梗短粗，长 5 ~ 10 mm，无毛；花直径 2.5 ~ 3 cm；萼筒钟状，外面无毛，萼片三角状披针形，长

6 ~ 10 mm，先端渐尖，边缘有腺齿，外面无毛，内面密被浅褐色绒毛，反折；花瓣倒卵形，淡粉红色；雄蕊多数，长不及花瓣之半；花柱 3 ~ 5，基部合生，被柔毛，柱头头状，不明显分裂，约与雄蕊等长或较之稍长。果实长椭圆形，长 10 ~ 15 cm，暗黄色，木质，味芳香，果柄短。花期 4 月，果期 9 ~ 10 月。

| 生境分布 | 生于阳光充足、雨量充足、温暖的半干半湿土壤中。分布于河北阜平、武安等。

| 资源情况 | 野生资源丰富。栽培资源丰富。药材来源于野生和栽培。

| 采收加工 | 夏、秋季果实绿色或黄色时采摘，纵剖成 2 ~ 4 瓣后，晾晒至水分渐干、颜色变红时，再翻晒至干。

| 药材性状 | 本品呈瓣状或片状，长 4 ~ 8 cm，宽 3 ~ 6 cm。外表面红棕色或紫红色，平滑不皱；基部凹陷并残留果柄痕，先端有花柱残留。剖面较平坦或边缘稍向内翻，果肉厚 0.5 ~ 2 cm，粗糙，显颗粒性。种子呈扁平三角形，紫褐色，紧密排列成行或脱落。气微，味涩、微酸，嚼之有沙粒感。

| 功能主治 | 酸、涩，平。归胃、肝、肺经。和胃舒筋，祛风湿，消痰止咳。用于吐泻转筋，风湿痹痛，咳嗽痰多，泄泻，痢疾，跌仆伤痛，脚气水肿。

| 用法用量 | 内服煎汤，3 ~ 10 g。

蔷薇科 Rosaceae 木瓜属 Chaenomeles

贴梗海棠 *Chaenomeles speciosa* (Sweet) Nakai

| 植物别名 | 铁脚梨、贴梗木瓜。

| 药 材 名 | 木瓜（药用部位：果实）、野木瓜（药用部位：带叶茎枝）、木瓜核（药用部位：种子）、木瓜花（药用部位：花）、木瓜根（药用部位：根）、木瓜枝（药用部位：枝）、木瓜皮（药用部位：树皮）。

| 形态特征 | 落叶灌木，高达 2 m，枝条直立开展，有刺。小枝圆柱形，微屈曲，无毛，紫褐色或黑褐色，疏生浅褐色皮孔；冬芽三角状卵形，先端急尖，近无毛或在鳞片边缘具短柔毛，紫褐色。叶片卵形至椭圆形，稀长椭圆形，长 3 ~ 9 cm，宽 1.5 ~ 5 cm，先端急尖，稀圆钝，基部楔形至宽楔形，边缘具尖锐锯齿，齿尖开展，无毛或在萌蘖上沿下面叶脉有短柔毛；叶柄长约 1 cm；托叶大形，草质，肾形或半圆形，稀卵形，长 5 ~ 10 mm，宽 12 ~ 20 mm，边缘有尖锐重锯齿，

无毛。花先叶开放，3 ~ 5 簇生于二年生老枝上；花梗短粗，长约 3 mm 或近无梗；花直径 3 ~ 5 cm；萼筒钟状，外面无毛，萼片直立，半圆形，稀卵形，长 3 ~ 4 mm，宽 4 ~ 5 mm，长约为萼筒之半，先端圆钝，全缘或有波状齿及黄褐色睫毛；花瓣倒卵形或近圆形，基部延伸成短爪，长 10 ~ 15 mm，宽 8 ~ 13 mm，猩红色，稀淡红色或白色；雄蕊 45 ~ 50，长约为花瓣之半；花柱 5，基部合生，无毛或稍有毛，柱头头状，不明显分裂，约与雄蕊等长。果实球形或卵球形，直径 4 ~ 6 cm，黄色或带黄绿色，有稀疏不明显斑点，味芳香；萼片脱落，果柄短或近无柄。花期 3 ~ 5 月，果期 9 ~ 10 月。

| **生境分布** | 河北多地有栽培。分布于河北阜平、涉县、武安等。 |

| **资源情况** | 栽培资源丰富。药材主要来源于栽培。 |

采收加工	**木瓜**：夏、秋季采收，晒干。
	野木瓜：全年均可采收，洗净，切段，干燥。
	木瓜核：秋季采收，鲜用或晒干。
	木瓜花：夏季采收，晒干研末。
	木瓜根：全年均可采挖，洗净，切片，晒干。
	木瓜枝：全年均可采收，切段，晒干。
	木瓜皮：春、秋季采剥，鲜用或晒干。

| **药材性状** | **木瓜**：本品呈长圆形，多纵剖成两半。外表面紫红色或红棕色，有不规则的深皱纹，剖面边缘向内卷曲，果肉红棕色，中心部分凹陷，棕黄色；种子扁长三角形，多脱落。质坚硬。气微清香，味酸。以外皮皱缩、肉厚、内外均紫红色、质坚实、味酸者为佳。饮片为月牙形薄片。外表面紫红色或棕红色，有不规则的深皱纹，切面棕红色。气微清香，味酸。 |
| | **野木瓜**：本品茎呈圆柱形，长 3 ~ 5 cm，直径 0.2 ~ 3 cm。粗茎表面灰黄色或灰棕色，有粗纵纹，外皮常块状脱落；细茎表面深棕色，具光泽，纵纹明显，可见小枝痕或叶痕。切面皮部狭窄，深棕色，木部宽广，浅棕黄色，有密集的放射状纹理和成行小孔，髓部明显。质硬或稍韧。掌状复叶互生，小叶片长椭圆形，革质，长 5 ~ 9 cm，宽 2 ~ 4 cm，先端尖，基部近圆形，上表面深棕绿色，有光泽，下表面浅棕绿色，网脉明显；小叶柄长约 1 cm。气微，味微苦、涩。 |

功能主治	**木瓜**：酸、温。归肝、脾、胃经。疏通经络，祛风活血，强壮，兴奋，镇痛，平肝，和脾，化湿舒筋。用于中暑，霍乱转筋，脚气水肿，湿痹。
	野木瓜：微苦，平。归肝、胃经。祛风止痛，舒筋活络。用于风湿痹痛，腰腿疼痛，头痛，牙痛，痛经，跌打伤痛。
	木瓜核：祛湿舒筋。用于霍乱。
	木瓜花：养颜润肤。用于面黑粉滓。
	木瓜根：酸、涩，温。祛湿舒筋。用于霍乱，脚气，风湿痹痛，肢体麻木。
	木瓜枝：酸、涩，温。祛湿舒筋。用于霍乱吐下，腹痛转筋。
	木瓜皮：酸、涩，温。祛湿舒筋。用于霍乱转筋，脚气。

| **用法用量** | **木瓜**：内服煎汤，5 ~ 10 g；或入丸、散剂。外用适量，煎汤洗。

野木瓜：内服煎汤，9 ~ 15 g。

木瓜核：内服适量，生嚼。

木瓜花：外用适量，研末，盥洗手面。

木瓜根：内服煎汤，10 ~ 15 g；或浸酒。外用适量，煎汤洗。

木瓜枝：内服煎汤，10 ~ 15 g。

木瓜皮：内服煎汤，10 ~ 15 g。

蔷薇科 Rosaceae 苹果属 Malus

花红
Malus asiatica Nakai

| 植物别名 | 沙果、文林郎果、林檎。

| 药 材 名 | 花红叶（药用部位：叶）、林檎（药用部位：果实。别名：文林郎果）、林檎根（药用部位：根）。

| 形态特征 | 小乔木，高 4 ~ 6 m。嫩枝密被柔毛，老枝暗紫褐色，无毛，有稀疏浅色皮孔。叶片卵形或椭圆形，长 5 ~ 11 cm，宽 4 ~ 5.5 cm，先端急尖或渐尖，基部圆形或宽楔形，边缘有细锐锯齿，上面有稀疏柔毛且逐渐脱落，下面密被短柔毛；叶柄长 1.5 ~ 5 cm，具短柔毛；托叶小，膜质，披针形，早落。伞房花序，具花 4 ~ 7，集生在小枝先端；花梗长 1.5 ~ 2 cm，密被柔毛；花直径 3 ~ 4 cm；萼筒钟状，外面密被柔毛，萼片三角状披针形，先端渐尖，全缘，内外两面密被柔毛，比萼筒稍长；花瓣倒卵形或长圆状倒卵形，淡粉色；雄蕊

17～20，比花瓣短；花柱 4，基部具长绒毛。果实卵形或近球形，直径 4～5 cm，因品种不同，差异很大，黄色或红色，先端渐狭，不具隆起，基部陷入。花期 4～5 月，果期 8～9 月。

| 生境分布 | 生于海拔 50～2 800 m 的山坡阳处、平原沙地。分布于河北昌黎等。

| 资源情况 | 野生资源丰富。药材主要来源于野生。

| 采收加工 | 花红叶：夏季采摘，鲜用或晒干。
林檎：8～9 月果实将成熟时采摘，鲜用，或切片，晒干。
林檎根：全年均可采挖，洗净，切片，晒干。

| 药材性状 | 林檎：本品呈扁球形，直径 2.5～4 cm，表面黄色至深红色，有点状黄色皮孔。先端凹而有竖起的残存萼片，底部深陷。气清香，味微甜、酸。

| 功能主治 | 花红叶：泻火明目，杀虫解毒。用于眼目青盲，小儿疥疮。
林檎：酸、甘、温。归胃、大肠经。下气宽胸，生津止渴，和中止痛。用于痰饮食积，胸膈痞塞，消渴，霍乱，吐泻腹痛，痢疾。
林檎根：杀虫，止渴。用于蛔虫病，绦虫病，消渴。

| 用法用量 | 花红叶：内服煎汤，3～9 g。外用适量，煎汤洗。
林檎：内服煎汤，30～90 g；或捣汁。外用适量，研末调敷。
林檎根：内服煎汤，15～30 g。

| 附 注 | 本种品种很多，果实形状、颜色、香味、成熟期都相差很大。河北西北部栽植的沙果、花红、槟子、槟楸、果楸、柰子、山东的冬果、秋果、夏果、半夏、槟子，陕西的白果子、花红、松子、蜜果，山西的夏果、槟果均属于本种。

蔷薇科 Rosaceae 苹果属 Malus

苹果 *Malus pumila* Mill.

| 植物别名 | 西洋苹果、奈、黄元帅。

| 药 材 名 | 苹果（药用部位：果实。别名：奈子）、苹果皮（药用部位：果皮）、苹果叶（药用部位：叶）。

| 形态特征 | 乔木，高可达 15 m，多具圆形树冠和短主干。小枝短而粗，圆柱形，幼嫩时密被绒毛，老枝紫褐色，无毛；冬芽卵形，先端钝，密被短柔毛。叶片椭圆形、卵形至宽椭圆形，长 4.5 ~ 10 cm，宽 3 ~ 5.5 cm，先端急尖，基部宽楔形或圆形，边缘具圆钝锯齿，幼嫩时两面具短柔毛，长成后上面无毛；叶柄粗壮，长 1.5 ~ 3 cm，被短柔毛；托叶草质，披针形，先端渐尖，全缘，密被短柔毛，早落。伞房花序，具花 3 ~ 7，集生于小枝先端，花梗长 1 ~ 2.5 cm，密被绒毛；苞片膜质，线状披针形，先端渐尖，全缘，被绒毛；

花直径 3 ~ 4 cm；萼筒外面密被绒毛，萼片三角状披针形或三角状卵形，长 6 ~ 8 mm，先端渐尖，全缘，内外两面均密被绒毛，萼片比萼筒长；花瓣倒卵形，长 15 ~ 18 mm，基部具短爪，白色，含苞未放时带粉红色；雄蕊 20，花丝长短不齐，约等于花瓣之半；花柱 5，下半部密被灰白色绒毛，较雄蕊稍长。果实扁球形，直径超过 2 cm，先端常有隆起，萼洼下陷，萼片永存，果柄短粗。花期 5 月，果期 7 ~ 10 月。

| **生境分布** | 生于海拔 50 ~ 2 500 m 的山坡梯田、平原旷野及黄土丘陵等。分布于河北平山、迁安、迁西等。

| **资源情况** | 野生资源一般。栽培资源丰富。药材主要来源于栽培。

| 采收加工 | 苹果：早熟品种 7 ~ 8 月采收，晚熟品种 9 ~ 10 月采收。保鲜，包装贮藏，及时调运。

苹果皮：7 ~ 10 月采收成熟果实，取皮，晒干。

苹果叶：6 ~ 10 月采摘，晒干。

| 药材性状 | 苹果：本品呈扁球形，通常直径 5 ~ 8 cm，表面青色、淡黄色或红色，有光泽，顶部及基部皆凹陷，萼裂片宿存，果柄短粗；剖面白色或黄白色，果肉肥厚细腻，露光渐变为棕色，中心分隔 5 室，有种子 5 ~ 10。气香，味酸、甜。

| 功能主治 | 苹果：甘、酸，凉。益胃，生津，除烦，醒酒。用于津少口渴，脾虚泄泻，食后腹胀，饮酒过度。

苹果皮：降逆和胃。用于反胃。

苹果叶：凉血解毒。用于产后血晕，月经不调，发热，热毒疮疡，烫伤。

| **用法用量** | **苹果**：内服适量，生食；或捣汁；或熬膏。

苹果皮：内服煎汤，15 ~ 30 g；或沸汤泡饮。

苹果叶：内服煎汤，30 ~ 60 g。外用适量，鲜品贴敷。

蔷薇科 Rosaceae 苹果属 *Malus*

楸子 *Malus prunifolia* (Willd.) Borkh.

| 植物别名 | 海棠果。

| 药 材 名 | 楸子（药用部位：果实）。

| 形态特征 | 小乔木，高达 3 ~ 8 m。小枝粗壮，圆柱形，嫩时密被短柔毛，老枝灰紫色或灰褐色，无毛；冬芽卵形，先端急尖，微具柔毛，边缘较密，紫褐色，有数枚外露鳞片。叶片卵形或椭圆形，长 5 ~ 9 cm，宽 4 ~ 5 cm，先端渐尖或急尖，基部宽楔形，边缘有细锐锯齿，幼嫩时上下两面的中脉及侧脉有柔毛，后逐渐脱落，仅在下面中脉稍有短柔毛或近无毛；叶柄长 1 ~ 5 cm，嫩时密被柔毛，老时脱落。花 4 ~ 10 组成近伞形花序；花梗长 2 ~ 3.5 cm，被短柔毛；苞片膜质，线状披针形，先端渐尖，微被柔毛，早落；花直径 4 ~ 5 cm；萼筒外面被柔毛，萼片披针形或三角状披针形，长 7 ~ 9 cm，先端

渐尖，全缘，两面均被柔毛，萼片比萼筒长；花瓣倒卵形或椭圆形，长 2.5 ~ 3 cm，宽约 1.5 cm，基部有短爪，白色，含苞未放时粉红色；雄蕊 20，花丝长短不齐，约等于花瓣的 1/3；花柱 4 ~ 5，基部有长绒毛，比雄蕊长。果实卵形，直径 2 ~ 2.5 cm，红色，先端渐尖，稍具隆起，萼洼微凸，萼片宿存，肥厚，果柄细长。花期 4 ~ 5 月，果期 8 ~ 9 月。

| **生境分布** | 生于海拔 50 ~ 1 300 m 的山坡、平地或山谷梯田边。分布于河北怀安等。

| **资源情况** | 野生资源丰富。栽培资源丰富。药材来源于野生或栽培。

| **采收加工** | 秋季采收，鲜用。

| **药材性状** | 本品呈卵形，直径 2 ~ 2.5 cm，果皮红色，无灰白色斑点，果肉黄白色，成熟后有 2 ~ 5 室，每室含种子 1 ~ 2。种子扁卵圆形，浅紫红色至红紫色。有宿存花萼，略凸出，萼片两面被毛，萼筒外面被毛。气微香，味甘、微酸。

| **功能主治** | 酸、甘，平。生津，消食。用于口渴，食积。

| **用法用量** | 内服煎汤，15 ~ 30 g。

蔷薇科 Rosaceae 苹果属 *Malus*

山荆子

Malus baccata (L.) Borkh.

| 植物别名 | 山定子、林荆子、山丁子。

| 药 材 名 | 山荆子（药用部位：果实）。

| 形态特征 | 乔木，高达 10 ~ 14 m，树冠广圆形。幼枝细弱，微屈曲，圆柱形，无毛，红褐色，老枝暗褐色；冬芽卵形，先端渐尖鳞片边缘微具绒毛，红褐色。叶片椭圆形或卵形，长 3 ~ 8 cm，宽 2 ~ 3.5 cm，先端渐尖，稀尾状渐尖，基部楔形或圆形，边缘有细锐锯齿，嫩时稍有短柔毛或无毛；叶柄长 2 ~ 5 cm，幼时有短柔毛及少数腺体，不久即全部脱落，无毛；托叶膜质，披针形，长约 3 mm，全缘或有腺齿，早落。伞形花序，具花 4 ~ 6，无总花梗，集生在小枝先端，直径 5 ~ 7 cm；花梗细长，1.5 ~ 4 cm，无毛；苞片膜质，线状披针形，边缘具腺齿，无毛，早落；花直径 3 ~ 3.5 cm；萼筒外面无毛，萼片披针形，

先端渐尖，全缘，长 5 ~ 7 cm，外面无毛，内面被绒毛，长于萼筒；花瓣倒卵形，长 2 ~ 2.5 cm，先端圆钝，基部有短爪，白色；雄蕊 15 ~ 20，长短不一，长约等于花瓣之半；花柱 4 或 5，基部有长柔毛，较雄蕊长。果实近球形，直径 8 ~ 10 mm，红色或黄色，柄洼及萼洼稍微陷入，萼片脱落；果柄长 3 ~ 4 cm。花期 4 ~ 6 月，果期 9 ~ 10 月。

| 生境分布 | 生于海拔 50 ~ 1 500 m 的山坡杂木林及山谷阴处灌丛。分布于河北昌黎、怀安、青龙等。

| 资源情况 | 野生资源一般。栽培资源丰富。药材主要来源于栽培。

| 采收加工 | 秋季果实成熟时采摘，切片，晾干。

| 药材性状 | 本品呈不规则扁球形，直径约 1 cm，先端有萼洼，稍凹陷，基部偶有果柄，果柄长 2 ~ 3 cm。表面红棕色，剖开后分 5 室，偶有扁三角形种子，内果皮稍革质，质较重。味酸、微涩。

| 功能主治 | 止泻痢。用于痢疾，吐泻。

| 用法用量 | 内服煎汤，15 ~ 30 g；或研末；或浸酒。

蔷薇科 Rosaceae 苹果属 Malus

西府海棠 *Malus × micromalus* Makino

| 植物别名 | 海红、小果海棠、子母海棠。

| 药 材 名 | 海红（药用部位：果实。别名：赤棠、海棠）。

| 形态特征 | 小乔木，高达 2.5 ～ 5 m。小枝细弱，圆柱形，嫩时被短柔毛，老时脱落，紫红色或暗褐色。叶片长椭圆形或椭圆形，长 5 ～ 10 cm，宽 2.5 ～ 5 cm，先端急尖或渐尖，基部楔形，边缘有尖锐锯齿，嫩叶被短柔毛，下面较密，老叶两边无毛；叶柄长 2 ～ 2.5 cm；托叶膜质，线状披针形，早落。伞形总状花序，有花 4 ～ 6，集生于小枝先端；花梗长 2 ～ 3 cm，线状披针形，早落；萼筒外面密被白色长绒毛，萼片三角状卵形、三角状披针形至长卵形，先端急尖或渐尖，内面被白色绒毛，外面毛较稀疏，与萼筒等长；花瓣近圆形或长椭圆形，粉红色；雄蕊约 20，比花瓣稍短；花柱 5，

基部具绒毛。果实近球形，直径 1 ~ 1.5 cm，红色，萼洼下陷，萼片多数脱落，少数宿存。花期 4 ~ 5 月，果期 8 ~ 9 月。

| 生境分布 |

生于海拔 100 ~ 2 400 m 的阳光充足处。分布于河北怀来、昌黎等。

| 资源情况 |

野生资源一般。栽培资源丰富。药材主要来源于栽培。

| 采收加工 |

8 ~ 9 月果实成熟时采收，鲜用。

| 药材性状 |

本品呈近球形，直径 1 ~ 1.5 cm，表面红色带黄色，无斑点，光亮，基部凹陷，花萼脱落或宿存，内果皮革质，形似苹果。气清香，味微酸、甜。

| 功能主治 |

酸、甘，平。涩肠止泻。用于泄泻，痢疾。

| 用法用量 |

内服煎汤，15 ~ 30 g；或生食。

蔷薇科 Rosaceae 蔷薇属 Rosa

玫瑰
Rosa rugosa Thunb.

| 植物别名 | 滨茄子、滨梨、海棠花。

| 药 材 名 | 玫瑰花（药用部位：花蕾。别名：徘徊花、笔头花）、玫瑰根（药用部位：根）。

| 形态特征 | 落叶直立灌木，高可达 2 m。茎粗壮，丛生。小枝密被绒毛，并有针刺和腺毛，有直立或弯曲、淡黄色的皮刺，皮刺外面被绒毛。奇数羽状复叶，互生，小叶 5 ~ 9，椭圆形或椭圆状倒卵形，长 1.5 ~ 5 cm，宽 1 ~ 2.5 cm，先端急尖或圆钝，基部圆形或宽楔形，边缘有尖锐锯齿，上面深绿色，有光泽，无毛，叶脉下陷，有折皱，下面灰绿色，中脉凸起，网脉明显，密被绒毛；叶柄和叶轴密被绒毛和腺毛；托叶大部分贴生于叶柄，离生部分卵形，边缘有带腺锯齿，两面被绒毛。花单生于叶腋或 3 ~ 6 簇生于枝端；花梗长 5 ~ 22.5 mm，

密被刺、绒毛和腺毛；花直径 6 ～ 8 cm；萼片卵状披针形，先端尾状渐尖，常有羽状裂片而扩展成叶状，内面及边缘有稀疏柔毛，下面密被柔毛和腺毛；花瓣 5 或多数，倒卵形，重瓣至半重瓣，芳香，紫红色至白色；雄蕊多数，不等长；花柱离生，被毛，稍伸出萼筒口外。蔷薇果扁球形，直径 2 ～ 2.5 cm，砖红色，肉质，平滑，萼片宿存。花期 5 ～ 6 月，果期 7 ～ 9 月。

| 生境分布 | 河北多地有栽培。分布于河北平泉、涉县等。

| 资源情况 | 栽培资源丰富。药材主要来源于栽培。

| 采收加工 | 玫瑰花：春末夏初花将开放时分批采摘，及时低温干燥。
玫瑰根：全年均可采挖，洗净，切片，晒干。

| 药材性状 | 玫瑰花：本品略呈半球形或不规则团状，直径 0.7 ～ 1.5 cm。残留花梗上被细柔毛，花托半球形，与花萼基部合生；萼片 5，披针形，黄绿色或棕绿色，被有细柔毛；花瓣多皱缩，展平后呈宽卵形，覆瓦状排列，紫红色，有的黄棕色；雄蕊多数，黄褐色；花柱多数，柱头在花托口集成头状，略凸出，短于雄蕊。体轻，质脆。气芳香浓郁，味微苦、涩。以花大、完整、瓣厚、色紫、色泽鲜艳、不露蕊、香气浓者为佳。

| 功能主治 | 玫瑰花：甘、微苦，温。归肝、脾经。行气解郁，和血散瘀，调经止痛。用于肝胃气痛，食少呕恶，月经不调，跌仆伤痛。
玫瑰根：甘、苦，温。归肝经。活血，调经，止带。用于月经不调，带下，跌打损伤，风湿痹痛。

| 用法用量 | 玫瑰花：内服煎汤，3 ～ 10 g；或浸酒；或泡茶饮。
玫瑰根：内服煎汤，9 ～ 15 g。

蔷薇科 Rosaceae 蔷薇属 Rosa

美蔷薇 *Rosa bella* Rehd. et Wils.

| 植物别名 | 油瓶子。

| 药 材 名 | 美蔷薇果（药用部位：果实。别名：山刺枚、油瓶子）、美蔷薇叶（药用部位：叶）、美蔷薇花（药用部位：花蕾。别名：山刺枚花）。

| 形态特征 | 落叶直立灌木，高 1 ~ 3 m。小枝常带紫色，细弱，散生皮刺，皮刺直立状，基部略膨大；托叶下偶见成对皮刺，近基部有针刺或近无刺。奇数羽状复叶，小叶 7 ~ 9，稀 5，椭圆形、卵形或长圆形，长 1 ~ 3 cm，宽 6 ~ 20 mm，先端急尖或圆钝，基部近圆形，边缘有单锯齿，下面近无毛；小叶柄和叶轴无毛或有稀疏柔毛，有散生腺毛和小皮刺；托叶宽平，大部分贴生于叶柄，离生部分卵形，先端急尖，边缘有腺齿，无毛。花单生或 2 ~ 3 集生，苞片 1 ~ 3；花梗长 5 ~ 10 mm，花梗和花托均被腺毛；花直径 4 ~ 5 cm；萼片

卵状披针形，全缘，先端延长成带状，外面近无毛或有腺毛，内面密被柔毛，边缘较密；花瓣粉红色，宽倒卵形，先端微凹，基部楔形；花柱离生，密被长柔毛，比雄蕊短。蔷薇果椭圆状卵球形，直径 1 ~ 1.5 cm，深红色，先端收缩成短颈，并有直立的宿存萼片，密被腺毛，果柄长可达 1.8 cm。花期 5 ~ 7 月，果期 8 ~ 10 月。

| **生境分布** | 生于海拔 1 700 m 的灌丛、山麓、河沟旁。分布于河北赤城、丰宁、阜平等。

| **资源情况** | 野生资源丰富。药材主要来源于野生。

| **采收加工** | 美蔷薇果：秋季采收，晒干。
美蔷薇叶：夏、秋季采收，鲜用或晒干。
美蔷薇花：夏、秋季采收，晾干或晒干。

| **功能主治** | 美蔷薇果：甘、酸、涩，平。固精，止泻，养血，活血。用于肾虚遗精、遗尿，脾虚泻痢，赤白带下，脉管炎，高血压，头晕。

美蔷薇叶：止血，解毒。用于创伤出血，痈疽疔疮。

美蔷薇花：甘、酸、苦，温。理气，活血，消肿，调经。用于消化不良，气滞腹痛，乳痈肿毒，月经不调，跌打损伤。

| **用法用量** | 美蔷薇果：内服煎汤，5 ~ 10 g。
美蔷薇叶：外用适量，鲜品捣敷；或干品研末调敷。
美蔷薇花：内服煎汤，5 ~ 10 g；或浸酒。

山刺玫 *Rosa davurica* Pall.

| 植物别名 | 刺玫果、刺玫蔷薇、墙花刺。

| 药 材 名 | 刺玫果（药用部位：果实。别名：刺莓果、刺木果）、刺玫花（药用部位：花蕾）、刺玫根（药用部位：根。别名：野玫瑰根）。

| 形态特征 | 落叶直立灌木，高 1 ~ 2 m。枝无毛，紫褐色或灰褐色，有黄色皮刺，皮刺基部膨大，稍弯曲，常成对生于小枝或叶柄基部。奇数羽状复叶，小叶 7 ~ 9（~ 11），长圆形或阔披针形，长 1 ~ 3.5 cm，宽 5 ~ 15 mm，先端急尖或圆钝，基部圆形或宽楔形，边缘近中部以上有单锯齿和重锯齿，上面深绿色，无毛，中脉和侧脉下陷，下面灰绿色，有白霜，中脉和侧脉凸起，有腺点和稀疏短柔毛；叶柄和叶轴有柔毛、腺毛和稀疏皮刺；托叶大部分贴生于叶柄，离生部分卵形，边缘有带腺锯齿，下面被柔毛。花单生于叶腋，或 2 ~ 3 簇生于叶

腋；花直径 3 ~ 4 cm；有苞片；萼筒近圆形，光滑无毛，萼片披针形，先端扩展成叶状，边缘有不整齐锯齿和腺毛，和花瓣等长；花瓣粉红色；花柱离生，被毛，比雄蕊短，柱头刚伸出花托口外，花托平滑。蔷薇果近球形或卵球形，直径 1 ~ 1.5 cm，红色，光滑无毛，萼片宿存，直立。花期 6 ~ 7 月，果期 8 ~ 9 月。

| 生境分布 | 生于海拔 430 ~ 2 500 m 的山坡阳处、杂木林边、丘陵草地。分布于河北张家口及平山等。

| 资源情况 | 野生资源丰富。栽培资源丰富。药材主要来源于栽培。

| 采收加工 | **刺玫果**：秋季采收，晒干，干后除去花萼，或把新鲜果实切两半，除去果核，干燥。
刺玫花：夏、秋季采收，晾干或晒干。
刺玫根：夏、秋季采挖，洗净，切段，晒干。

| 药材性状 | **刺玫果**：本品呈球形，壁坚脆，橙红色，直径 1.2 cm，种子 24 左右，有毛茸。味酸、甜。

刺玫花：本品呈球形，偶有苞片2。花托与花萼合生，花梗具腺毛；萼片5，卵状披针形，边缘具短柔毛和腺毛，萼筒无毛。花瓣深玫瑰红色，久储呈棕褐色。

| 功能主治 |

刺玫果：酸、苦，温。归肝、脾、胃、膀胱经。健脾消食，活血调经，敛肺止咳。用于消化不良，食欲不振，脘腹胀痛，腹泻，月经不调，痛经，动脉粥样硬化，肺痨咳嗽。

刺玫花：甘、酸、苦，温。理气和血，止咳。用于月经不调，痛经，崩漏，吐血，肋间神经痛，肺痨咳嗽。

刺玫根：苦、涩，平。归肺、肝、大肠经。止咳，止痢，止血。用于咳嗽，泄泻，痢疾，崩漏，跌打损伤。

| **用法用量** | **刺玫果**：内服煎汤，6 ~ 10 g。
| | **刺玫花**：内服煎汤，3 ~ 6 g。
| | **刺玫根**：内服煎汤，5 ~ 15 g。外用适量，研末调涂。

蔷薇科 Rosaceae 蔷薇属 Rosa

野蔷薇
Rosa multiflora Thunb.

| **植物别名** | 蔷薇、多花蔷薇、营实墙蘼。

| **药 材 名** | 蔷薇花（药用部位：花蕾）、营实（药用部位：果实）。

| **形态特征** | 攀缘灌木。小枝圆柱形，通常无毛，有短粗、稍弯曲的皮刺。小叶
5 ~ 9，近花序的小叶有时 3，连叶柄长 5 ~ 10 cm；小叶片倒卵形、
长圆形或卵形，长 1.5 ~ 5 cm，宽 8 ~ 28 mm，先端急尖或圆钝，
基部近圆形或楔形，边缘有尖锐单锯齿，稀混有重锯齿，上面无毛，
下面有柔毛；小叶柄和叶轴有柔毛或无毛，有散生腺毛；托叶篦齿
状，大部分贴生于叶柄，边缘有腺毛或无。花多数，排成圆锥状花
序；花梗长 1.5 ~ 2.5 cm，无毛或有腺毛，有时基部有篦齿状小苞片；
花直径 1.5 ~ 2 cm；萼片披针形，有时中部具 2 线形裂片，外面无毛，
内面有柔毛；花瓣白色，宽倒卵形，先端微凹，基部楔形；花柱结

合成束，无毛，比雄蕊稍长。果实近球形，直径 6 ~ 8 mm，红褐色或紫褐色，有光泽，无毛，萼片脱落。

| **生境分布** | 生于路旁、田边或丘陵地的灌丛。分布于河北涞源、平山等。

| **资源情况** | 野生资源丰富。药材主要来源于野生。

| **采收加工** | **蔷薇花**：夏季采收，晒干。
营实：秋季采收，鲜用或晒干。

| **药材性状** | **蔷薇花**：本品大多破碎不全；萼片披针形，内面密被绒毛；花瓣黄白色至棕色，多数萎落、皱缩、卷曲，展平后呈三角状卵形，长约 1.3 cm，宽约 1 cm，先端中央微凹，基部楔形，可见条状脉纹（维管束）。雄蕊多数，着生于萼筒上，黄色，卷曲成团，花托小壶形，基部有长短不等的花梗。质脆，易碎。气微香，味微苦而涩。
营实：本品呈卵圆形，长 6 ~ 8 mm，具果柄，先端有宿存花萼之裂片。果实外皮红褐色，内为肥厚肉质果肉，种子黄褐色，果肉与种子间有白毛，果肉味甜、酸。

| **功能主治** | **蔷薇花**：苦、涩，寒。清暑，和胃，活血止血，解毒。用于暑热烦渴，胃脘胀闷，吐血，衄血，口疮，痈疖，月经不调。
营实：酸，凉。归肝、胃、肾经。清热解毒，祛风活血，利水消肿。用于疮痈肿毒，风湿痹痛，关节不利，月经不调，水肿，小便不利。

| **用法用量** | **蔷薇花**：内服煎汤，3 ~ 6 g。
营实：内服煎汤，15 ~ 30 g，鲜品加倍。外用适量，捣敷。

月季花 *Rosa chinensis* Jacq.

| 植物别名 | 月月花、月月红、玫瑰。

| 药 材 名 | 月季花（药用部位：花。别名：四季花、月月红）、月季花叶（药用部位：叶。别名：月季叶）、月季花根（药用部位：根。别名：月月开根、月月红根）。

| 形态特征 | 常绿或半常绿直立灌木，高 1 ~ 2 m。小枝粗壮，近无毛，有短粗的三棱形钩状皮刺或无刺。小叶 3 ~ 5，稀 7，宽卵形至卵状长圆形，长 2 ~ 7 cm，宽 1 ~ 3 cm，先端长渐尖或渐尖，基部近圆形或宽楔形，边缘有锐锯齿，两面近无毛，上面暗绿色，常带光泽，下面色较浅，总叶柄较长，有散生皮刺和腺毛；托叶大部分贴生于叶柄，仅先端分离部分呈耳状，边缘常有腺毛和羽状裂片。花数朵集生，稀单生，直径 4 ~ 6 cm；花梗长 2 ~ 4 cm，近无毛或有腺毛；花瓣重瓣至半

重瓣，红色、粉红色，稀白色，三角状倒卵形，先端有凹缺，基部楔形，脉纹明显，呈覆瓦状排列；雄蕊多数，花柱离生；子房被柔毛。蔷薇果卵球形或梨形，长 1 ~ 2 cm，红色，萼片脱落。花期 4 ~ 9 月，果期 6 ~ 11 月。

| 生境分布 | 生于山坡或路旁。分布于河北阜平、滦平、平泉等。

| 资源情况 | 野生资源一般。栽培资源丰富。药材主要来源于栽培。

| 采收加工 | **月季花**：全年均可采收，花微开时采摘，阴干或低温干燥。
月季花叶：春、秋季采收，鲜用或晒干。
月季花根：全年均可采挖，洗净，切段，晒干。

| **药材性状** | **月季花**：本品呈类球形，直径 1.5 ~ 2.5 cm。花托长圆形，萼片 5，暗绿色，先端尾尖；花瓣呈覆瓦状排列，有的散落，长圆形，紫红色或淡紫红色；雄蕊多数，黄色。体轻，质脆。气清香，味淡、微苦。

月季花叶：本品呈羽状复叶，叶片宽卵形或卵状长圆形，基部边缘有锐锯齿，两面光滑无毛，质较硬，不皱缩。叶柄和叶轴散生小皮刺。

| **功能主治** | **月季花**：甘，温。归肝经。活血调经，疏肝解郁。用于气滞血瘀，月经不调，痛经，闭经，胸胁胀痛。

月季花叶：苦，平。活血消肿，解毒，止血。用于疮疡肿毒，瘰疬，跌打损伤，腰膝肿痛，外伤出血。

月季花根：甘，温。活血调经，消肿散结，涩精止带。用于月经不调，痛经，闭经，崩漏，跌打损伤，瘰疬，遗精，带下。

| **用法用量** | **月季花**：内服煎汤，3 ~ 6 g。

月季花叶：内服煎汤，3 ~ 9 g。外用适量，鲜品捣敷。

月季花根：内服煎汤，9 ~ 30 g。

蔷薇科 Rosaceae 山楂属 *Crataegus*

甘肃山楂 *Crataegus kansuensis* Wils.

| **植物别名** | 面旦子。

| **药 材 名** | 平凉山楂（药用部位：果实）。

| **形态特征** | 灌木或乔木，高 2.5 ～ 8 m。枝刺多，锥形，长 7 ～ 15 mm；小枝细，圆柱形，无毛，绿色带红色，二年生枝光亮，紫褐色；冬芽近圆形，先端钝，无毛，紫褐色。叶片宽卵形，长 4 ～ 6 cm，宽 3 ～ 4 cm，先端急尖，基部截形或宽楔形，边缘有尖锐重锯齿和 5 ～ 7 对不规则羽状浅裂片，裂片三角状卵形，先端急尖或短渐尖，上面有稀疏柔毛，下面中脉及脉腋有髯毛，老时减少，近无毛；叶柄细，长 1.8 ～ 2.5 cm，无毛；托叶膜质，卵状披针形，边缘有腺齿，早落。伞房花序，直径 3 ～ 4 cm，具花 8 ～ 18；总花梗和花梗均无毛，花梗长 5 ～ 6 mm；苞片与小苞片膜质，披针形，长 3 ～ 4 mm，边缘

有腺齿，早落；花直径 8 ~ 10 mm；萼筒钟状，外面无毛，萼片三角状卵形，长 2 ~ 3 mm，约为萼筒之半，先端渐尖，全缘，内外两面均无毛；花瓣近圆形，直径 3 ~ 4 mm，白色；雄蕊 15 ~ 20；子房先端被绒毛，花柱 2 ~ 3，柱头头状。果实近球形，直径 8 ~ 10 mm，红色或橘黄色，萼片宿存；果柄细，长 1.5 ~ 2 cm；小核 2 ~ 3，内面两侧有凹痕。花期 5 月，果期 7 ~ 9 月。

| 生境分布 | 生于海拔 1 000 ~ 3 000 m 的杂木林中、山坡阴处及山沟旁。分布于河北阜平、沽源、武安等。

| 资源情况 | 野生资源丰富。药材主要来源于野生。

| 采收加工 | 秋季果实成熟时采收，晒干或剖开后晒干。

| 药材性状 | 本品呈近球形，或纵切成两半，直径 8 ~ 10 mm。表面黄棕色至棕红色，微具光泽，密布灰棕色细斑点，先端具宿存花萼，基部具果柄痕或果柄残基。横切面果肉较厚，呈黄棕色，可见 1 ~ 3 坚硬的果核，呈黄白色。质坚硬。气微香，味酸、微甜。

| 功能主治 | 酸、甘，微温。归脾、胃、肝经。消食健脾，行气散瘀。用于胃脘腹胀，泻痢腹痛，瘀血闭经，产后瘀阻，心腹刺痛，疝气疼痛，高脂血症。

| **用法用量** | 内服煎汤，9 ～ 12 g。

| **附　　注** | 本种与产于东北地区的辽宁山楂 *Crataegus sanguinea* Pall. 的区别在于后者叶片基部多楔形，两面微有短柔毛，边缘锯齿较钝，枝刺较小。本种与山东山楂 *Crataegus wattiana* Hemsl. & Lace 的区别在于本种叶片两面稍有柔毛，果实红色或橘黄色，小核 2 ～ 3，子房先端有毛。

蔷薇科 Rosaceae 山楂属 Crataegus

山里红 *Crataegus pinnatifida* Bge. var. *major* N. E. Br.

| 植物别名 | 酸楂、大山楂、棠。

| 药 材 名 | 山里红（药用部位：果实）、山里红叶（药用部位：叶）。

| 形态特征 | 落叶乔木，高达 12 m，通常有刺。主干粗大，多分枝，树皮灰棕色，小枝蓝紫色，幼时被绵毛。叶互生或丛生于短枝，卵形或长卵形，长 4 ~ 7 cm，宽 2 ~ 5 cm，先端渐尖或急尖，基部圆形或近心形，稀宽楔形，边缘具钝锯齿；叶柄长 1.5 ~ 3 cm。伞形总状花序，有花 7 ~ 13；总花梗和花梗均密生绒毛，渐脱落，果期无毛或近无毛；花白色或粉红色，直径 2 ~ 2.5 cm，花瓣 5；雄蕊 25 ~ 30，稍短于花瓣；花柱 3 ~ 5，离生，无毛。梨果近球形，直径 1 ~ 1.5 cm，成熟时红色。花期 4 ~ 6 月，果期 8 ~ 10 月。

| **生境分布** | 生于海拔 100 ～ 1 500 m 的山坡林边或灌丛。分布于河北隆化、平泉、涉县等。 |

| **资源情况** | 野生资源丰富。药材主要来源于野生。 |

| **采收加工** | 山里红：秋季采收，切片，晒干。
山里红叶：夏、秋季采收，晒干。 |

| **药材性状** | 山里红：本品为圆形片，皱缩不平，直径 1 ～ 1.5 cm，厚 0.2 ～ 0.4 cm。外皮红色，具皱纹，有灰白色小斑点。果肉深黄色至浅棕色。中部横切片具 5 浅黄色果核，但核多脱落而中空。有的片上可见短而细的果柄或花萼残迹。气微清香，味酸、微甜。

山里红叶：本品多已破碎，完整者展开后呈宽卵形，长 4 ～ 7 cm，宽 2 ～ 5 cm，绿色至棕黄色，先端渐尖，基部宽楔形，具 2 ～ 6 羽状裂片，边缘具尖锐重锯齿。叶柄长 1.5 ～ 3 cm，托叶卵圆形至卵状披针形。气微，味涩、微苦。 |

| **功能主治** | 山里红：酸、甘，温。消食积，化瘀滞。用于肉食积滞，消化不良，泄泻，痛经，产后瘀血作痛，高血压。

山里红叶：微苦、微甘，平。归脾、胃、肝经。开胃，消滞，去湿，化瘀。用于食积，暑湿厌食，高脂血症。 |

| **用法用量** | 山里红：内服煎汤，2 ～ 6 g；或入丸、散剂。

山里红叶：内服煎汤，3 ～ 9 g。 |

蔷薇科 Rosaceae 山楂属 *Crataegus*

山楂 *Crataegus pinnatifida* Bge.

| 植物别名 | 山里果、山里红、酸里红。

| 药 材 名 | 山楂（药用部位：果实）、山楂糕（药材来源：果实加工成的糕）、山楂核（药用部位：种子）、山楂花（药用部位：花蕾）、山楂叶（药用部位：叶）、山楂木（药用部位：木材）、山楂根（药用部位：根）。

| 形态特征 | 落叶乔木，高达 6 m；树皮粗糙，暗灰色或灰褐色。小枝圆柱形，当年生枝紫褐色，无毛或近无毛，疏生皮孔，老枝灰褐色；枝刺长 1 ~ 2 cm，有时无刺。叶片宽卵形或三角状卵形，稀菱状卵形，长 5 ~ 10 cm，宽 4 ~ 7.5 cm，先端短渐尖，基部截形至宽楔形，通常两侧各有 3 ~ 5 羽状深裂片，裂片卵状披针形或带形，先端短渐尖，边缘有尖锐、稀疏、不规则的重锯齿，上面暗绿色，有光泽；叶柄长 2 ~ 6 cm，无毛；托叶草质，镰形，边缘有锯齿。伞房花序具多

花，直径 4 ~ 6 cm；总花梗和花梗均被柔毛，花后脱落，花梗长 4 ~ 7 mm；苞片膜质，线状披针形，长 6 ~ 8 mm，先端渐尖，边缘具腺齿，早落；花直径约 1.5 cm；萼筒钟状，长 4 ~ 5 mm，外面密被灰白色柔毛，萼片三角状卵形至披针形，先端渐尖，全缘，约与萼筒等长，内外两面均无毛，或在内面先端有髯毛；花瓣倒卵形或近圆形，长 7 ~ 8 mm，宽 5 ~ 6 mm，白色；雄蕊 20，短于花瓣，花药粉红色；花柱 3 ~ 5，基部被柔毛，柱头头状。果实近球形或梨形，直径 1 ~ 1.5 cm，深红色，有浅色斑点；小核 3 ~ 5，外面稍具棱，内面两侧平滑；萼片脱落很迟，先端留 1 圆形深洼。花期 5 ~ 6 月，果期 9 ~ 10 月。

| **生境分布** | 生于海拔 100 ~ 1 500 m 的山地阳坡及荒地。分布于河北武安、兴隆、涿鹿等。

| **资源情况** | 野生资源丰富。栽培资源丰富。药材主要来源于栽培。

| **采收加工** | 山楂：秋季采收，切两半，晒干。

山楂糕：秋季采收，加工后制成糕。

山楂核：加工山楂或山楂糕时收集，晒干。

山楂花：夏季采收，晒干。

山楂叶：夏、秋季采收，晒干。

山楂木：全年均可采收，切片，晒干。

山楂根：春、秋季采挖，洗净，切段，晒干。

| **药材性状** | 山楂：本品为圆形片，皱缩不平，直径 1 ～ 1.5 cm，厚 0.2 ～ 0.4 cm。外皮红色，具皱纹，有灰白色小斑点。果肉深黄色至浅棕色。中部横切片具 5 浅黄色果核，但核多脱落而中空。有的片上可见短而细的果柄或花萼残迹。气微清香，味酸、微甜。

山楂糕：本品多呈长方块状，长短、厚薄不一。表面红色，有光泽，具糖黏性。质软，极易切成各种形状。气微香，味甜，具山楂特殊的酸味。

山楂核：本品呈橘瓣状椭圆形或卵形，长 3 ～ 5 mm，宽 2 ～ 3 mm。表面黄棕色，背部稍隆起，左右两面平坦或有凹痕。质坚硬，不易碎。气微。

山楂叶：本品多已破碎，完整者展开后呈宽卵形，长 6 ～ 10 cm，宽 5 ～ 7.5 cm，绿色至棕黄色，先端渐尖，基部宽楔形，具 3 ～ 5 羽状裂片，边缘具尖锐重锯齿。叶柄长 2 ～ 6 cm，托叶卵圆形至卵状披针形。气微，味涩、微苦。

| **功能主治** | **山楂**：酸、甘，温。归脾、胃、肝经。消食，行气散瘀。用于肉食积滞，胃脘胀满，泻痢腹痛，瘀血闭经，产后瘀阻，心腹刺痛，疝气疼痛，高脂血症。

山楂糕：酸、甘，温。归脾、胃、肝经。消食，行气散瘀。用于肉食积滞，胃脘胀满，泻痢腹痛，瘀血闭经，产后瘀阻，心腹刺痛，疝气疼痛，高脂血症。

山楂核：苦，平。归胃、肝经。消食，散结，催产。用于食积不化，疝气，睾丸偏坠，难产。

山楂花：苦，平。归肝经。降血压。用于高血压。

山楂叶：酸，平。归肝经。止痒，敛疮，降血压。用于漆疮，溃疡不敛，高血压。

山楂木：苦，寒。祛风燥湿，止痒。用于痢疾，头风，身痒。

山楂根：甘，平。归胃、肝经。消积和胃，祛风，止血，消肿。用于食积，反胃，痢疾，风湿痹痛，咯血，水肿。

| **用法用量** | **山楂**：内服煎汤，3～10 g；或入丸、散剂。外用适量，煎汤洗；或搽敷。

山楂糕：内服嚼食，15～30 g。

山楂核：内服煎汤，3～10 g；或研末吞。

山楂花：内服煎汤，3～10 g；或泡茶饮。

山楂叶：内服煎汤，3～10 g；或泡茶饮。外用适量，煎汤洗。

山楂木：内服煎汤，3～10 g。外用适量，煎汤洗。

山楂根：内服煎汤，10～15 g。外用适量，煎汤熏洗。

野山楂 *Crataegus cuneata* Sieb. et Zucc.

| 植物别名 |

山梨、毛枣子、猴楂。

| 药 材 名 |

野山楂（药用部位：果实）、山楂核（药用部位：种子）、山楂木（药用部位：木材。别名：赤爪木）、山楂根（药用部位：根）、山楂叶（药用部位：叶）。

| 形态特征 |

落叶灌木，高达 15 m，分枝密，常具细刺，刺长 5 ~ 8 mm。小枝幼时被柔毛，老枝无毛；冬芽三角状卵圆形，无毛。叶宽倒卵形至倒卵状长圆形，长 2 ~ 6 cm，先端急尖，基部楔形，下延成叶柄，有不规则重锯齿，先端常 3 或稀 5 ~ 7 浅裂，上面无毛，下面疏被柔毛，沿叶脉较密，后脱落；叶柄两侧有翼，长 0.4 ~ 1.5 cm；托叶草质，镰状，有齿。伞房花序直径 2 ~ 2.5 cm，具 5 ~ 7 花；花梗长约 1 cm，和花序梗均被柔毛；苞片披针形，条裂或有锯齿；花直径约 1.5 cm；萼筒钟状，外面被长柔毛；萼片三角形，全缘或有齿，被柔毛；花瓣白色，近圆形或倒卵形，基部有短爪；雄蕊 20，花药红色；花柱 4 ~ 5，基部被绒毛。果实近球形或扁球形，直径

1 ～ 1.2 cm，红色或黄色，常有宿存反折萼片或 1 苞片；小核 4 ～ 5，两侧平滑。花期 5 ～ 6 月，果期 9 ～ 11 月。

| **生境分布** | 生于山谷、多石湿地或山地灌丛。分布于河北涉县、蔚县等。

| **资源情况** | 野生资源丰富。栽培资源丰富。药材主要来源于栽培。

| **采收加工** | **野山楂**：秋季采摘，横切或纵切成两半，干燥，或直接干燥。
山楂核：收集种子，晒干。
山楂木：修剪时留较粗茎枝，去皮，切片，晒干。
山楂根：春、秋季采挖，洗净，切段，晒干。
山楂叶：夏、秋季采收，晒干。

药材性状	**野山楂**：本品直径约 1.2 cm，外皮斑点不明显，果核 4 ~ 5。
	山楂核：本品呈橘瓣状椭圆形或卵形，长 3 ~ 5 mm，宽 2 ~ 3 mm。表面黄棕色，背部稍隆起，左右两面平坦或有凹痕。质坚硬，不易碎。气微。

功能主治	**野山楂**：酸、甘，温。消食健胃，行滞散瘀。用于肉食积滞，胃脘胀满，泻痢腹痛，瘀血闭经，产后瘀阻，心腹刺痛，疝气疼痛。
	山楂核：消食，散结，催产。用于食积不化，疝气，睾丸偏坠，难产。
	山楂木：苦，寒。祛风燥湿，止痒。用于痢疾，头痛，身痒。
	山楂根：甘，平。归胃、肝经。消积和胃，祛风，止血，消肿。用于食积，反胃，痢疾，风湿痹痛，咯血，痔痛，水肿。
	山楂叶：酸，平。归肝经。止痒，敛疮，降血压。用于溃疡不敛，高血压。

用法用量	野山楂：内服煎汤，3 ~ 10 g。外用适量，煎汤擦洗。
	山楂核：内服煎汤，3 ~ 10 g；或研末吞。
	山楂木：内服煎汤，3 ~ 10 g。外用适量，煎汤洗。
	山楂根：内服煎汤，10 ~ 15 g。外用适量，煎汤熏洗。
	山楂叶：内服煎汤，3 ~ 10 g；或泡茶饮。外用适量，煎汤洗。

蛇莓 *Duchesnea indica* (Andr.) Focke

| 植物别名 | 三爪风、龙吐珠、蛇泡草。

| 药 材 名 | 蛇莓（药用部位：全草。别名：蚕莓、鸡冠果）、蛇莓根（药用部位：根。别名：三皮风根、蛇泡草根）。

| 形态特征 | 多年生草本。根茎短，粗壮。匍匐茎多数，长 30 ~ 100 cm，有柔毛。小叶片倒卵形至菱状长圆形，长 2 ~ 3.5（~ 5）cm，宽 1 ~ 3 cm，先端圆钝，边缘有钝锯齿，两面皆有柔毛，或上面无毛，具小叶柄；叶柄长 1 ~ 5 cm，有柔毛；托叶窄卵形至宽披针形，长 5 ~ 8 mm。花单生于叶腋，直径 1.5 ~ 2.5 cm；花梗长 3 ~ 6 cm，有柔毛；萼片卵形，长 4 ~ 6 mm，先端锐尖，外面有散生柔毛，副萼片倒卵形，长 5 ~ 8 mm，比萼片长，先端常具 3 ~ 5 锯齿；花瓣倒卵形，长 5 ~ 10 mm，黄色，先端圆钝；雄蕊 20 ~ 30；心皮多数，离生；

花托在果期膨大，海绵质，鲜红色，有光泽，直径 10 ~ 20 mm，外面有长柔毛。瘦果卵形，长约 1.5 mm，光滑或具不明显突起，鲜时有光泽。花期 6 ~ 8 月，果期 8 ~ 10 月。

| **生境分布** | 生于山坡阴湿处、水边、田边、沟边、草丛和林中。分布于河北赤城、围场、磁县等。

| **资源情况** | 野生资源丰富。栽培资源丰富。药材主要来源于栽培。

| **采收加工** | **蛇莓**：秋、冬季采收，洗净，晒干或鲜用。
蛇莓根：夏、秋季采挖，洗净，晒干或鲜用。

| **药材性状** | **蛇莓**：本品多缠绕成团，被白色毛茸，根茎粗壮，有多数长而纤细的匍匐茎。叶互生，掌状复叶；小叶片 3，基生叶的叶柄长 6 ~ 10 cm，小叶多皱缩，完整者呈倒卵形，长 1.5 ~ 4 cm，宽 1 ~ 3 cm，基部偏斜，边缘有钝齿，表面黄绿色，上面近无毛，下面被疏毛。花单生于叶腋，具长梗。聚合果棕红色，瘦果小，花萼宿存。气微，味微涩。

| **功能主治** | **蛇莓**：甘、苦，寒。清热解毒，凉血止血，散瘀消肿。用于热痢，惊痫，感冒，黄疸，目赤，口疮，咽痛，毒蛇咬伤，吐血，崩漏，月经不调，跌打肿痛。

蛇莓根：苦、甘，寒；有小毒。清热泻火，解毒消肿。用于热病，小儿惊风，目赤红肿，疟腮，牙龈肿痛，咽喉肿痛，热毒疮疡。

| **用法用量** | **蛇莓**：内服煎汤，9 ~ 15 g，鲜品 30 ~ 60 g；或捣汁饮。外用适量，捣敷；或研末敷。
蛇莓根：内服煎汤，3 ~ 6 g。外用适量，捣敷。

蔷薇科 Rosaceae 委陵菜属 Potentilla

白萼委陵菜 *Potentilla betonicifolia* Poir.

| 植物别名 | 三出萎陵菜、白叶委陵菜。

| 药 材 名 | 三出叶委陵菜（药用部位：地上部分。别名：草杜仲）。

| 形态特征 | 多年生草本。根粗壮，圆柱形，常木质化。花茎直立或上升，高 8 ~
16 cm，初被白色绒毛，以后脱落无毛。基生叶掌状三出复叶，连叶
柄长 5 ~ 12 cm，叶柄初被白色绒毛，以后脱落无毛，小叶片无柄，
革质，长圆状披针形或卵状披针形，长 1 ~ 5 cm，宽 0.5 ~ 1.5 cm，
先端急尖，基部楔形或近圆形，边缘有多数圆钝或急尖粗大的锯齿，
上面绿色，初被白色绒毛，以后脱落几无毛，下面密被白色绒毛，
沿中脉被稀疏绢状柔毛；茎生叶不发达，呈苞叶状；基生叶托叶膜
质，褐色，外面被白色绢状长柔毛，茎生叶托叶很小，革质，长卵
圆形，全缘，下面被白色绒毛。聚伞花序圆锥状，多花，疏散；花梗

长 1 ~ 1.5 cm，外面被白色绒毛；花直径约 1 cm；萼片三角状卵圆形，先端急尖，副萼片披针形或椭圆形，先端急尖，比萼片短或与之近等长，外面被白色绒毛及稀疏柔毛；花瓣黄色，倒卵形，先端圆钝；花柱近顶生，基部膨大，柱头略扩大。瘦果有脉纹。花果期 5 ~ 6 月。

| 生境分布 |

生于海拔 700 ~ 1 600 m 的山坡草地及岩石缝。分布于河北沽源、蔚县、张北等。

| 资源情况 |

野生资源丰富。药材主要来源于野生。

| 采收加工 |

夏季采割，扎成把，晒干。

| 功能主治 |

苦、辛，微温。归肾、膀胱经。利水消肿。用于水肿。

| 用法用量 |

内服煎汤，10 ~ 15 g；或入丸、散剂。

蔷薇科 Rosaceae 委陵菜属 Potentilla

朝天委陵菜 Potentilla supina L.

| 植物别名 | 鸡毛菜、铺地委陵菜、仰卧委陵菜。

| 药 材 名 | 朝天委陵菜（药用部位：全草。别名：涝洼筋）。

| 形态特征 | 一年生或二年生草本。主根细长，并有稀疏侧根。茎平展，上升或直立，叉状分枝，长 20 ~ 50 cm，被疏柔毛或脱落几无毛。基生叶为羽状复叶，有小叶 2 ~ 5 对，间隔 0.8 ~ 1.2 cm，连叶柄长 4 ~ 15 cm，叶柄被疏柔毛或脱落几无毛，小叶互生或对生，无柄，最上面 1 ~ 2 对小叶基部下延与叶轴合生，小叶片长圆形或倒卵状长圆形，通常长 1 ~ 2.5 cm，宽 0.5 ~ 1.5 cm，先端圆钝或急尖，基部楔形或宽楔形，边缘有圆钝或缺刻状锯齿，两面绿色，被稀疏柔毛或脱落几无毛；茎生叶与基生叶相似，向上小叶对数逐渐减少；基生叶托叶膜质，褐色，外面被疏柔毛或几无毛，茎生叶托叶草质，

绿色，全缘，有齿或分裂。花茎上多叶，下部花腋生，先端呈伞房状聚伞花序；花梗长 0.8 ~ 1.5 cm，常密被短柔毛；花直径 0.6 ~ 0.8 cm；萼片三角状卵形，先端急尖，副萼片长椭圆形或椭圆状披针形，先端急尖，比萼片稍长或近等长；花瓣黄色，倒卵形，先端微凹，与萼片近等长或较之短；花柱近顶生，基部乳头状膨大，花柱扩大。瘦果长圆形，先端尖，表面具脉纹，腹部鼓胀若翅或有时不明显。花果期 3 ~ 10 月。

| 生境分布 | 生于海拔 100 ~ 2 000 m 的田边、荒地、河岸沙地、草甸、山坡湿地。分布于河北昌黎等。

| 资源情况 | 野生资源丰富。药材主要来源于野生。

| 采收加工 | 夏季枝叶茂盛时采收，除去杂质，扎成把，晒干。

| 药材性状 | 本品茎呈圆柱形，直立中空，直径约 0.3 cm；表面灰绿色或黄绿色，有的带淡紫色，有时可见黄褐色的细长根部。叶皱缩、破碎，灰绿色，背面疏生细毛，完整基生叶为奇数羽状复叶，茎生叶多为三出复叶，小叶边缘不规则深裂。花单生于叶腋，多数已成果实，具长梗，长 0.8 ~ 1.2 cm。聚合果扁圆球形，直径 0.3 ~ 0.5 cm，基部有宿萼；小瘦果卵圆形，直径约 0.1 cm，黄绿色或淡黄棕色。气微弱，味淡。

| 功能主治 | 甘、酸，寒。凉血止血，收敛止泻，滋阴益肾。用于吐血，尿血，便血，血痢，泄泻，须发早白，牙齿不固。

| 用法用量 | 内服煎汤，6 ~ 15 g。外用适量，煎汤熏洗。

蔷薇科 Rosaceae 委陵菜属 Potentilla

大萼委陵菜 *Potentilla conferta* Bge.

| 植物别名 | 大头委陵菜、白毛委陵菜。

| 药 材 名 | 白毛委陵菜（药用部位：根）。

| 形态特征 | 多年生草本。根圆柱形，木质化。花茎直立或上升，高 20 ~ 45 cm，
外面被短柔毛及开展的白色绢状长柔毛，毛长可达 3 ~ 4 mm。基
生叶为羽状复叶，有小叶 3 ~ 6 对，间隔 0.3 ~ 0.5 cm，连叶柄长
6 ~ 20 cm，叶柄被短柔毛及开展的白色绢状长柔毛，小叶片对生
或互生，披针形或长椭圆形，长 1 ~ 5 cm，宽 0.5 ~ 2 cm，边缘
羽状中裂或深裂，但不达中脉，裂片通常三角状长圆形、三角状披
针形或带状长圆形，先端圆钝或舌形，基部常扩大，边缘向下反卷
或有时不明显，上面绿色，伏生短柔毛或脱落几无毛，下面被灰白
色绒毛，沿脉被开展的白色绢状长柔毛；茎生叶与基生叶相似，惟

小叶对数较少；基生叶托叶膜质，褐色，外面被疏柔毛，有时脱落，茎生叶托叶草质，绿色，常牙齿状分裂或不分裂，先端渐尖。聚伞花序多花至少花，春季时常密集于先端，夏、秋季时花梗常伸长，疏散；花梗长 1 ~ 2.5 cm，密被短柔毛；花直径 1.2 ~ 1.5 cm；萼片三角状卵形或椭圆状卵形，先端急尖或渐尖，副萼片披针形或长圆状披针形，先端圆钝或急尖，比萼片稍短或与之近等长，果时显著增大；花瓣黄色，倒卵形，先端圆钝或微凹，比萼片稍长；花柱圆锥形，基部膨大，柱头微扩大。瘦果卵形或半球形，直径约 1 mm，具皱纹，稀不明显。花期 6 ~ 9 月。

| 生境分布 |　生于耕地边、山坡草地、沟谷、草甸及灌丛。分布于河北阜平、沙河、武安等。

| 资源情况 |　野生资源丰富。药材主要来源于野生。

| 采收加工 |　夏季采挖，洗净，切片，晒干。

| 功能主治 |　苦、酸，凉。凉血止血。用于崩漏，鼻衄。

| 用法用量 |　内服煎汤，10 ~ 15 g；或研末，3 ~ 6 g。

| 附　注 |　本种与多裂委陵菜 *Potentilla multifida* L. 的区别在于后者花茎和叶柄上伏生短柔毛及绢状疏柔毛，且毛较短，不超过 2 mm，小叶深裂几达中脉，带形或带状长圆形。本种与委陵菜 *Potentilla chinensis* Ser. 的区别在于本种基生叶小叶对数较少，上面柔毛较多，下面绒毛不密，呈灰绿色，花直径较大，花后萼片直立增大。

多裂委陵菜 *Potentilla multifida* L.

| **植物别名** | 白马肉、细叶委陵菜。

| **药 材 名** | 多裂委陵菜（药用部位：全草。别名：白马肉）。

| **形态特征** | 多年生草本。根圆柱形，稍木质化。花茎上升，稀直立，高
12 ～ 40 cm，被紧贴或开展短柔毛或绢状柔毛。基生叶为羽状复叶，
有小叶 3 ～ 5 对，稀达 6 对，间隔 0.5 ～ 2 cm，连叶柄长 5 ～ 17 cm，
叶柄被紧贴或开展短柔毛，小叶片对生，稀互生，长椭圆形或宽卵
形，长 1 ～ 5 cm，宽 0.8 ～ 2 cm，向基部逐渐减小，羽状深裂几达
中脉，裂片带形或带状披针形，先端舌状或急尖，边缘向下反卷，
上面伏生短柔毛，稀脱落几无毛，中脉、侧脉下陷，下面被白色绒毛，
沿脉伏生绢状长柔毛；茎生叶 2 ～ 3，与基生叶形状相似，惟小叶
对数向上逐渐减少；基生叶托叶膜质，褐色，外面被疏柔毛或脱落

几无毛，茎生叶托叶草质，绿色，卵形或卵状披针形，先端急尖或渐尖，2 裂或全缘。花序为伞房状聚伞花序，花后花梗伸长，疏散；花梗长 1.5 ~ 2.5 cm，被短柔毛；花直径 1.2 ~ 1.5 cm；萼片三角状卵形，先端急尖或渐尖，副萼片披针形或椭圆状披针形，先端圆钝或急尖，比萼片略短或与之近等长，外面被伏生长柔毛；花瓣黄色，倒卵形，先端微凹，长不超过萼片的 1 倍；花柱圆锥形，近顶生，基部具乳头，膨大，柱头稍扩大。瘦果平滑或具皱纹。花期 5 ~ 8 月。

| 生境分布 |

生于海拔 1 200 ~ 4 300 m 的山坡及草地。分布于河北张家口、石家庄及承德等。

| 资源情况 |

野生资源丰富。药材主要来源于野生。

| 采收加工 |

夏、秋季采收，洗净，切段，晒干。

| 功能主治 |

甘、苦，寒。归肝经。止血，清利湿热，杀虫。用于外伤出血，崩漏，肝炎，蛲虫病。

| 用法用量 |

内服煎汤，15 ~ 30 g。外用适量，研末敷。

蔷薇科 Rosaceae 委陵菜属 Potentilla

二裂委陵菜 Potentilla bifurca L.

| 植物别名 | 痔疮草、叉叶委陵菜。

| 药 材 名 | 鸡冠草（药用部位：由于病态，枝条缩短、叶片卷曲而变为紫红色，形如鸡冠花样疣状物的红色全草。别名：地红花、黄瓜瓜苗）。

| 形态特征 | 多年生草本或亚灌木。根圆柱形，纤细，木质。花茎直立或上升，高 5 ~ 20 cm，密被疏柔毛或微硬毛。羽状复叶，有小叶 5 ~ 8 对，最上面 2 ~ 3 对小叶基部下延与叶轴汇合，连叶柄长 3 ~ 8 cm；叶柄密被疏柔毛或微硬毛；小叶片无柄，对生，稀互生，椭圆形或倒卵状椭圆形，长 0.5 ~ 1.5 cm，宽 0.4 ~ 0.8 cm，先端常 2 裂，稀 3 裂，基部楔形或宽楔形，两面绿色，伏生疏柔毛；下部茎生叶托叶膜质，褐色，外面被微硬毛，稀脱落几无毛，上部茎生叶托叶草质，绿色，卵状椭圆形，常全缘，稀有齿。近伞房状聚伞花序，顶生，疏散；

花直径 0.7 ~ 1 cm；萼片卵圆形，先端急尖，副萼片椭圆形，先端急尖或钝，比萼片短或与之近等长，外面被疏柔毛；花瓣黄色，倒卵形，先端圆钝，比萼片稍长；心皮沿腹部有稀疏柔毛，花柱侧生，棒形，基部较细，先端缢缩，柱头扩大。瘦果表面光滑。花果期 5 ~ 9 月。

| 生境分布 |

生于海拔 800 ~ 3 600 m 的耕地边、路旁、沙滩、山坡草地、黄土坡、半干旱荒漠草原及疏林下。分布于河北隆化、平泉、围场等。

| 资源情况 |

野生资源丰富。药材主要来源于野生。

| 采收加工 |

夏、秋季采收，扎成把，晒干。

| 功能主治 |

甘、微苦，微寒。归肝、大肠经。凉血，止血，解毒。用于崩漏，产后出血，痔疮，痢疾。

| 用法用量 |

内服煎汤，15 ~ 30 g。外用适量，捣敷。

蔷薇科 Rosaceae　委陵菜属 Potentilla

翻白草 *Potentilla discolor* Bge.

| 植物别名 | 鸡爪参、叶下白、翻白萎陵菜。

| 药 材 名 | 翻白草（药用部位：全草）。

| 形态特征 | 多年生草本。根粗壮，下部常肥厚成纺锤形。花茎直立，上升或微铺散，高 10 ~ 45 cm，密被白色绵毛。基生叶有小叶 2 ~ 4 对，间隔 0.8 ~ 1.5 cm，连叶柄长 4 ~ 20 cm，叶柄密被白色绵毛，有时并有长柔毛；小叶对生或互生，无柄，小叶片长圆形或长圆状披针形，长 1 ~ 5 cm，宽 0.5 ~ 0.8 cm，先端圆钝，稀急尖，基部楔形、宽楔形或偏斜圆形，边缘具圆钝锯齿，稀急尖，上面暗绿色，被稀疏白色绵毛或脱落几无毛，下面密被白色或灰白色绵毛，脉不显或微显，茎生叶 1 ~ 2，有掌状 3 ~ 5 小叶；基生叶托叶膜质，褐色，外面被白色长柔毛，茎生叶托叶草质，绿色，卵形或宽卵形，边缘

常有缺刻状牙齿，稀全缘，下面密被白色绵毛。聚伞花序有花数朵至多朵，疏散，花梗长 1 ~ 2.5 cm，外被绵毛；花直径 1 ~ 2 cm；萼片三角状卵形，副萼片披针形，比萼片短，外面被白色绵毛；花瓣黄色，倒卵形，先端微凹或圆钝，比萼片长；花柱近顶生，基部具乳头状膨大，柱头稍扩大。瘦果近肾形，宽约 1 mm，光滑。花果期 5 ~ 9 月。

| 生境分布 | 生于海拔 100 ~ 1 850 m 的荒地、山谷、沟边、山坡草地、草甸及疏林。分布于河北丰宁、抚宁、阜平等。

| 资源情况 | 野生资源丰富。药材主要来源于野生。

| 采收加工 | 夏、秋季花开前采收，除去泥沙和杂质，干燥。

| 药材性状 | 本品块根呈纺锤形或圆柱形，长 4 ~ 8 cm，直径 0.4 ~ 1 cm；表面黄棕色或暗褐色，有不规则扭曲沟纹；质硬而脆，折断面平坦，呈灰白色或黄白色。基生叶丛生，奇数羽状复叶，多皱缩、弯曲，展平后长 4 ~ 13 cm；小叶 5 ~ 9，柄短或无，长圆形或长椭圆形，先端小叶片较大，上表面暗绿色或灰绿色，下表面密被白色绒毛，边缘有粗锯齿。气微，味甘、微涩。

| 功能主治 | 甘、微苦，平。归肝、胃、大肠经。清热解毒，止痢，止血。用于湿热泻痢，痈肿疮毒，血热吐衄，便血，崩漏。

| 用法用量 | 内服煎汤，9 ~ 15 g。

蔷薇科 Rosaceae 委陵菜属 Potentilla

金露梅 *Potentilla fruticosa* L.

| **植物别名** | 棍儿茶、药王茶、金蜡梅。

| **药材名** | 金老梅根（药用部位：根）、金老梅花（药用部位：花）、金老梅叶（药用部位：叶）、金老梅枝（药用部位：枝条）。

| **形态特征** | 灌木，高 0.5 ~ 2 m，多分枝；树皮纵向剥落。小枝红褐色，幼时被长柔毛。羽状复叶，有小叶 2 对，稀 3 小叶，上面 1 对小叶基部下延与叶轴汇合；叶柄被绢毛或疏柔毛；小叶片长圆形、倒卵状长圆形或卵状披针形，长 0.7 ~ 2 cm，宽 0.4 ~ 1 cm，全缘，边缘平坦，先端急尖或圆钝，基部楔形，两面绿色，疏被绢毛或柔毛，或脱落几无毛；托叶薄膜质，宽大，外面被长柔毛或脱落。单花或数朵生于枝顶；花梗密被长柔毛或绢毛；花直径 2.2 ~ 3 cm；萼片卵圆形，先端急尖至短渐尖，副萼片披针形至倒卵状披针形，先端渐尖至急

尖，与萼片近等长，外面疏被绢毛；花瓣黄色，宽倒卵形，先端圆钝，比萼片长；花柱近基生，棒形，基部稍细，顶部缢缩，柱头扩大。瘦果近卵形，褐棕色，长 1.5 mm，外面被长柔毛。花果期 6 ~ 9 月。

| **生境分布** | 生于海拔 1 000 ~ 4 000 m 的山坡草地、砾石坡、灌丛及林缘。分布于河北丰宁、平泉、蔚县等。

| **资源情况** | 野生资源丰富。药材主要来源于野生。

| **采收加工** | **金老梅根**：夏季采挖，洗净，切段，晒干。
金老梅花：花盛开时采摘，晾干。
金老梅叶：夏季采摘，晒干。

金老梅枝：夏季采收，切段，晒干。

| **药材性状** | 金老梅花：本品花梗长 8 ~ 12 mm，有丝状柔毛，花用水浸润后呈黄色，直径 1.5 ~ 3 cm；副萼片披针形，萼筒外面有疏长柔毛或丝状长柔毛，萼裂片卵形，花瓣圆形。气微，味淡。

金老梅叶：本品多皱缩，展开后呈长圆形，稀为长圆状倒卵形或披针形，长 1 ~ 2 cm，先端急尖，基部楔形，全缘，有丝状毛，有的侧脉有绢毛。托叶膜质，卵状或卵状披针形。气微，味淡。

| **功能主治** | 金老梅根：微甘，平。止血，解毒利咽。用于崩漏，口疮，咽喉肿痛。

金老梅花：苦，凉。归脾经。化湿健脾。用于湿阻脾胃，食欲不振，身面浮肿，

赤白带下，乳腺炎。

金老梅叶：微甘，平。清泻暑热，健胃消食，调经。用于暑热眩晕，两目不清，胃气不和，食滞纳呆，月经不调。

金老梅枝：微甘、涩，平。涩肠止泻。用于腹泻，痢疾。

用法用量	**金老梅根**：内服煎汤，6～9 g。
	金老梅花：内服煎汤，6～9 g；或研末，0.5 g。
	金老梅叶：内服煎汤，6～9 g；或代茶饮。
	金老梅枝：内服煎汤，6～9 g。

蔷薇科 Rosaceae 委陵菜属 Potentilla

绢毛匍匐委陵菜 *Potentilla reptans* L. var. *sericophylla* Franch.

| 植物别名 | 金棒锤、金金棒、绢毛细蔓萎陵菜。

| 药 材 名 | 金金棒（药用部位：块根。别名：金棒锤、五金棒）、匍匐委陵菜（药用部位：全草。别名：小五爪龙）。

| 形态特征 | 多年生匍匐草本。根多分枝，常具纺锤状块根。匍匐枝长 20 ~ 100 cm，节上生不定根，被稀疏柔毛或脱落近无毛。基生叶为掌状三出复叶，叶柄伏生绢毛，稀脱落，被稀疏柔毛，小叶有柄或近无柄，托叶膜质，褐色，外面近无毛，小叶片倒卵形，先端圆钝，基部楔形，边缘 2 小叶浅裂至深裂，有时混生不裂者，上面几无毛，下面伏生绢状柔毛，稀脱落被稀疏柔毛；纤匍枝上叶与基生叶相似，托叶草质，卵状长圆形或卵状披针形，全缘，稀有 1 ~ 2 齿，先端渐尖或急尖。花两性；单花生于叶腋或与叶对生，花梗被疏柔毛；花直径

1.5 ~ 2.2 cm；萼片卵状披针形，先端急尖，副萼片长椭圆形或椭圆状披针形，先端急尖或圆钝，与萼片近等长，外面被疏柔毛，果时显著增大；花瓣宽倒卵形，先端显著下凹，比萼片稍长，黄色；花柱近顶生，柱头扩大。果实卵球形，黄褐色，外面被显著点纹。花果期4 ~ 9 月。

| 生境分布 | 生于海拔300 ~ 3 500 m的山坡草地、渠旁、溪边灌丛及林缘。分布于河北阜平、武安、赞皇等。

| 资源情况 | 野生资源丰富。药材主要来源于野生。

| 采收加工 | **金金棒**：秋季采挖，晒干。
匍匐委陵菜：夏季采收，洗净，晒干或鲜用。

| 药材性状 | **匍匐委陵菜**：本品叶皱缩、破碎，灰绿色，背面疏生细毛，完整基生叶为奇数羽状复叶，茎生叶多为三出复叶，小叶边缘不规则深裂。花单生于叶腋，多数已成果实，具长梗，长0.8 ~ 1.2 cm。聚合果扁圆球形，直径0.3 ~ 0.5 cm，基部有宿萼；小瘦果卵圆形，直径约0.1 cm，黄绿色或淡黄棕色。气微弱，味淡。

| 功能主治 | **金金棒**：甘，平。滋阴除热，生津止渴。用于虚劳发热，虚喘，热病伤津，口渴咽干，带下。

匍匐委陵菜：辛，平。发表，止咳，止血，解毒。用于外感风热，咳嗽，崩漏，疮疖。

| 用法用量 | **金金棒**：内服煎汤，15 ~ 30 g。
匍匐委陵菜：内服煎汤，9 ~ 15 g。外用适量，捣敷。

薔薇科 Rosaceae 委陵菜属 Potentilla

蕨麻
Potentilla anserina L.

| 植物别名 | 鹅绒委陵菜、莲花菜、蕨麻委陵菜。

| 药 材 名 | 蕨麻（药用部位：块根。别名：延寿果、鹿跑草、人参果）、蕨麻草
（药用部位：全草）。

| 形态特征 | 多年生草本。根向下延长，有时在根的下部长成纺锤形或椭圆形块根。
茎匍匐，在节处生根，常着地长出新植株，外面被伏生或半开展疏
柔毛，或脱落几无毛。基生叶为间断羽状复叶，有小叶 6 ~ 11 对，
连叶柄长 2 ~ 20 cm，叶柄被伏生或半开展疏柔毛，有时脱落几无
毛，小叶对生或互生，无柄或顶生小叶有短柄，最上面 1 对小叶基
部下延与叶轴汇合，基部小叶渐小，呈附片状，小叶片通常椭圆形、
倒卵状椭圆形或长椭圆形，长 1 ~ 2.5 cm，宽 0.5 ~ 1 cm，先端圆
钝，基部楔形或阔楔形，边缘有多数尖锐锯齿或呈裂片状，上面绿

色，被疏柔毛或脱落几无毛，下面密被紧贴银白色绢毛，叶脉明显或不明显；茎生叶与基生叶相似，惟小叶对数较少；基生叶和下部茎生叶托叶膜质，褐色，和叶柄连成鞘状，外面被疏柔毛或脱落几无毛，上部茎生叶托叶草质，多分裂。单花腋生；花梗长 2.5 ~ 8 cm，被疏柔毛；花直径 1.5 ~ 2 cm；萼片三角状卵形，先端急尖或渐尖，副萼片椭圆形或椭圆状披针形，常 2 ~ 3 裂，稀不裂，与萼片近等长或较之稍短；花瓣黄色，倒卵形，先端圆形，比萼片长 1 倍；花柱侧生，小枝状，柱头稍扩大。

| 生境分布 | 生于海拔 500 ~ 4 100 m 的河岸、路边、山坡草地及草甸。分布于河北昌黎等。

| 资源情况 | 野生资源丰富。药材主要来源于野生。

| 采收加工 | **蕨麻**：6 ~ 9 月采挖，除去杂质，洗净，晒干。
蕨麻草：夏、秋季采收，除去杂质，扎成把，晒干。

| 药材性状 | **蕨麻**：本品呈纺锤形、圆球形、圆柱形或不规则形，微弯曲，长 0.5 ~ 3.5 cm，直径 2 ~ 7 mm；表面棕褐色，有纵皱纹。质坚硬而脆，断面平坦，类白色，有黄白相间的同心环纹，髓部淡黄色。气微清香，味微甜，嚼之有黏牙感。

| 功能主治 | **蕨麻**：甘、微苦，寒。归肺、脾、大肠经。补气血，健脾胃，生津止渴。用于脾虚泄泻，病后贫血，营养不良，水肿，风湿痹痛。
蕨麻草：甘、苦，凉。凉血止血，解毒利湿。用于各种出血。

| 用法用量 | **蕨麻**：内服煎汤，15 ~ 30 g。
蕨麻草：内服煎汤，15 ~ 30 g。

| 附　注 | 在甘肃、青海、西藏等高寒地区，本种的根部膨大，富含淀粉，市称"蕨麻"或"人参果"，用于治疗贫血和营养不良等。

薔薇科 Rosaceae 委陵菜属 Potentilla

莓叶委陵菜 *Potentilla fragarioides* L.

| 植物别名 | 毛猴子、雉子筵。

| 药 材 名 | 雉子筵（药用部位：全草。别名：菜瓢子、满山红）、雉子筵根（药用部位：根及根茎）。

| 形态特征 | 多年生草本。根极多，簇生。花茎多数，丛生，上升或铺散，长8 ~ 25 cm，被开展长柔毛。基生叶羽状复叶，有小叶 2 ~ 3 对，间隔 0.8 ~ 1.5 cm，稀 4 对，连叶柄长 5 ~ 22 cm，叶柄被开展疏柔毛，小叶有短柄或几无柄；小叶片倒卵形、椭圆形或长椭圆形，长 0.5 ~ 7 cm，宽 0.4 ~ 3 cm，先端圆钝或急尖，基部楔形或宽楔形，边缘有多数急尖或圆钝锯齿，近基部全缘，两面绿色，被平铺疏柔毛，下面沿脉较密，锯齿边缘有时密被缘毛；茎生叶，常有 3 小叶，小叶与基生叶小叶相似或长圆形，先端有锯齿而下半部全缘，叶柄

短或几无柄；基生叶托叶膜质，褐色，外面有稀疏开展长柔毛，茎生叶托叶草质，绿色，卵形，全缘，先端急尖，外被平铺疏柔毛。伞房状聚伞花序顶生，多花，松散，花梗纤细，长 1.5 ~ 2 cm，外被疏柔毛；花直径 1 ~ 1.7 cm；萼片三角状卵形，先端急尖至渐尖，副萼片长圆状披针形，先端急尖，与萼片近等长或稍短；花瓣黄色，倒卵形，先端圆钝或微凹；花柱近顶生，上部大，基部小。成熟瘦果近肾形，直径约 1 mm，表面有脉纹。花期 4 ~ 6 月，果期 6 ~ 8 月。

| 生境分布 | 生于海拔 350 ~ 2 400 m 的耕地边、沟边、草地、灌丛及疏林。分布于河北抚宁、阜平、涞源等。

| 资源情况 | 野生资源丰富。药材主要来源于野生。

| 采收加工 | **雉子筵**：夏季采收，洗净，晒干。
雉子筵根：夏季采挖，洗净，晒干。

| 药材性状 | **雉子筵**：本品长约 25 cm，密被毛绒。茎纤细。羽状复叶；基生叶有小叶 2 ~ 3 对，先端 3 小叶较大，小叶宽倒卵形、卵圆形或椭圆形，长 0.5 ~ 7 cm，宽 0.4 ~ 3 cm，先端尖或稍钝，基部楔形或圆形，边缘具粗锯齿；茎生叶为三出复叶。花多，黄色。瘦果小，微有皱纹。气微，味涩、微苦。
雉子筵根：本品根茎呈短圆柱状或块状，有的略弯曲。表面棕褐色，粗糙，周围着生多数须根或圆形根痕；质坚硬，断面皮部较薄，黄棕色至棕色，木部导管群黄色，中心有髓。根细长，弯曲，长 5 ~ 10 cm，直径 1 ~ 4 mm，表面具纵沟纹；质脆，易折断，断面略平坦，黄棕色至棕色。气微，味涩。

| 功能主治 | **雉子筵**：甘、辛，温。归肝经。活血化瘀，养阴清热。用于疝气，干血痨。
雉子筵根：微苦，平。归肺、脾经。补阴虚，止血。用于疝气，月经过多，功能失调性子宫出血，产后出血等。

| 用法用量 | **雉子筵**：内服煎汤，9 ~ 15 g。
雉子筵根：内服煎汤，3 ~ 6 g；或入丸、散剂。

蔷薇科 Rosaceae 委陵菜属 Potentilla

匍匐委陵菜 *Potentilla reptans* L.

| 药 材 名 |

匍匐委陵菜（药用部位：全草）。

| 形态特征 |

多年生匍匐草本。根多分枝，常具纺锤状块根。匍匐枝长 20 ~ 100 cm，节上生不定根，被稀疏柔毛或脱落几无毛。基生叶为鸟足状五出复叶，连叶柄长 7 ~ 12 cm，叶柄被疏柔毛或脱落几无毛，小叶有短柄或几无柄，小叶片倒卵形至倒卵圆形，先端圆钝，基部楔形，边缘有急尖或圆钝锯齿，两面绿色，上面几无毛，下面被疏柔毛；纤匍枝上叶与基生叶相似；基生叶托叶膜质，褐色，外面几无毛，匍匐枝上托叶草质，绿色，卵状长圆形或卵状披针形，全缘，稀有 1 ~ 2 齿，先端渐尖或急尖。单花自叶腋生或与叶对生；花梗长 6 ~ 9 cm，被疏柔毛；花直径 1.5 ~ 2.2 cm；萼片卵状披针形，先端急尖，副萼片长椭圆形或椭圆状披针形，先端急尖或圆钝，与萼片近等长，外面被疏柔毛，果时显著增大；花瓣黄色，宽倒卵形，先端显著下凹，比萼片稍长；花柱近顶生，基部细，柱头扩大。瘦果黄褐色，卵球形，外面被显著点纹。花果期 6 ~ 8 月。

| 生境分布 |

生于海拔 500 ~ 600 m 的田边潮湿处。分布于河北阜平、武安、赞皇等。

| 资源情况 |

野生资源丰富。药材主要来源于野生。

| 采收加工 |

夏季采收，洗净，晒干或鲜用。

| 功能主治 |

辛，平。发表，止咳，止血，解毒。用于外感风热，咳嗽，崩漏，疥疮。

| 用法用量 |

内服煎汤，9 ~ 15 g。外用适量，捣敷。

蔷薇科 Rosaceae 委陵菜属 Potentilla

三叶委陵菜 Potentilla freyniana Bornm.

| **植物别名** | 三张叶。

| **药材名** | 地蜂子（药用部位：带根全草）。

| **形态特征** | 多年生草本，有纤匍枝或不明显。根多分枝，簇生。花茎纤细，直立或上升，高 8 ~ 25 cm，被平铺或开展疏柔毛。基生叶掌状三出复叶，连叶柄长 4 ~ 30 cm，宽 1 ~ 4 cm；小叶片长圆形、卵形或椭圆形，先端急尖或圆钝，基部楔形或宽楔形，边缘有多数急尖锯齿，两面绿色，疏生平铺柔毛，下面沿脉较密，茎生叶 1 ~ 2，小叶与基生叶小叶相似，惟叶柄很短，叶边锯齿减少；基生叶托叶膜质，褐色，外面被稀疏长柔毛，茎生叶托叶草质，绿色，呈缺刻状锐裂，有稀疏长柔毛。伞房状聚伞花序顶生，多花，松散；花梗纤细，长 1 ~ 1.5 cm，外被疏柔毛；花直径 0.8 ~ 1 cm；萼片三角状

卵形，先端渐尖，副萼片披针形，先端渐尖，与萼片近等长，外面被平铺柔毛；花瓣淡黄色，长圆状倒卵形，先端微凹或圆钝；花柱近顶生，上部粗，基部细。成熟瘦果卵球形，直径 0.5 ~ 1 mm，表面有显著脉纹。花果期 3 ~ 6 月。

| 生境分布 | 生于海拔 300 ~ 2 100 m 的山坡草地、溪边及疏林下阴湿处。分布于河北涞源、涿鹿等。

| 资源情况 | 野生资源丰富。药材主要来源于野生。

| 采收加工 | 夏季采挖，洗净，晒干或鲜用。

| 药材性状 | 本品根茎呈纺锤形、圆柱形或哑铃形，微弯曲，有的形似蜂腹，长 1.5 ~ 4 cm，直径 0.5 ~ 1.2 cm。表面灰褐色或黄褐色，粗糙，有皱纹和凸起的根痕及须根，先端有叶柄残基，被柔毛。质坚硬，不易折断，断面颗粒状，深棕色或黑褐色，中央色深，在放大镜下可见白色细小结晶。气微，味微苦而涩，微具清凉感。

| 功能主治 | 苦、涩，寒。清热解毒，散瘀止血。用于痢疾，肠炎，烫伤，口舌生疮，月经过多，产后出血，外伤出血，骨结核，口腔炎，瘰疬，跌打损伤。

| 用法用量 | 内服煎汤，10 ~ 15 g；或研末，1 ~ 3 g；或浸酒。外用适量，捣敷；或煎汤洗；或研末撒。

蔷薇科 Rosaceae 委陵菜属 Potentilla

蛇含委陵菜 *Potentilla kleiniana* Wight et Arn.

| 植物别名 | 五皮草、五爪龙、蛇含。

| 药 材 名 | 蛇含（药用部位：全草。别名：蛇衔、紫背龙牙、蛇含草）。

| 形态特征 | 一年生、二年生或多年生宿根草本。多须根。花茎上升或匍匐，常
于节处生根并发育出新植株，长 10 ~ 50 cm，被疏柔毛或开展长柔
毛。基生叶为近鸟足状 5 小叶，连叶柄长 3 ~ 20 cm，叶柄被疏柔
毛或开展长柔毛，小叶几无柄，稀有短柄，小叶片倒卵形或长圆状
倒卵形，长 0.5 ~ 4 cm，宽 0.4 ~ 2 cm，先端圆钝，基部楔形，边
缘有多数急尖或圆钝锯齿，两面绿色，被疏柔毛，有时上面脱落几
无毛，或下面沿脉密被伏生长柔毛；下部茎生叶有 5 小叶，上部茎
生叶有 3 小叶，小叶与基生小叶相似，惟叶柄较短；基生叶托叶膜
质，淡褐色，外面被疏柔毛或脱落几无毛，茎生叶托叶草质，绿色，

卵形至卵状披针形，全缘，稀有 1 ~ 2 齿，先端急尖或渐尖，外面被稀疏长柔毛。聚伞花序密集于枝顶，如假伞形；花梗长 10 ~ 15 mm，密被开展长柔毛，下有苞片状茎生叶；花直径 8 ~ 10 mm；萼片三角状卵圆形，先端急尖或渐尖，副萼片披针形或椭圆状披针形，先端急尖或渐尖，花时比萼片短，果时略长或近等长，外面被稀疏长柔毛；花瓣黄色，倒卵形，先端微凹，长于萼片；花柱近顶生，圆锥形，基部膨大，柱头扩大。瘦果近圆形，一面稍平，直径约 0.5 mm，具皱纹。花果期 4 ~ 9 月。

| 生境分布 | 生于海拔 400 ~ 3 000 m 的田边、水旁、草甸及山坡草地。分布于河北石家庄、张家口、邢台等。

| 资源情况 | 野生资源丰富。药材主要来源于野生。

| 采收加工 | 5 月和 9 ~ 10 月采收，抖净泥沙，拣去杂质，晒干或鲜用。

| 药材性状 | 本品全体长约 40 cm。根茎粗短，根多数，须状。茎细长，多分枝，被疏毛。叶掌状复叶，基生叶有 5 小叶，小叶倒卵形或倒披针形，长 1 ~ 4 cm，宽 0.5 ~ 1.5 cm，边缘具粗锯齿，上下表面均被毛，茎生叶有 3 ~ 5 小叶。花多，黄色。果实表面微有皱纹。气微，味苦、微涩。

| 功能主治 | 苦，寒。归肝、肺经。清热定惊，截疟，止咳化痰，解毒活血。用于高热惊风，疟疾，肺热咳嗽，百日咳，痢疾，疮疖肿毒，咽喉肿痛，风火牙痛，带状疱疹，目赤肿痛，虫蛇咬伤，风湿麻木，跌打损伤，月经不调。

| 用法用量 | 内服煎汤，9 ~ 15 g，鲜品加倍。外用适量，煎汤洗；或含漱；或鲜品捣汁敷；或鲜品捣汁涂。

蔷薇科 Rosaceae 委陵菜属 Potentilla

委陵菜 *Potentilla chinensis* Ser.

| 植物别名 | 二歧委陵菜、萎陵菜、天青地白。

| 药 材 名 | 委陵菜（药用部位：全草。别名：翻白草、白头翁）。

| 形态特征 | 多年生草本。根粗壮，圆柱形，稍木质化。花茎直立或上升，高
20 ～ 70 cm，被稀疏短柔毛及白色绢状长柔毛。基生叶为羽状复
叶，有小叶 5 ～ 15 对，间隔 0.5 ～ 0.8 cm，连叶柄长 4 ～ 25 cm，
叶柄被短柔毛及绢状长柔毛，小叶片对生或互生，上部小叶较长，
向下逐渐减小，无柄，长圆形、倒卵形或长圆状披针形，长 1 ～ 5 cm，
宽 0.5 ～ 1.5 cm，边缘羽状中裂，裂片三角状卵形、三角状披针
形或长圆状披针形，先端急尖或圆钝，边缘向下反卷，上面绿色，
被短柔毛或脱落几无毛，中脉下陷，下面被白色绒毛，沿脉被白
色绢状长柔毛；茎生叶与基生叶相似，惟小叶对数较少；基生叶

托叶近膜质，褐色，外面被白色绢状长柔毛，茎生叶托叶草质，绿色，边缘锐裂。伞房状聚伞花序；花梗长 0.5 ～ 1.5 cm，基部有披针形苞片，外面密被短柔毛；花直径通常 0.8 ～ 1 cm，稀达 1.3 cm；萼片三角状卵形，先端急尖，副萼片带形或披针形，先端尖，比萼片短约 1 倍且狭窄，外面被短柔毛及少数绢状柔毛；花瓣黄色，宽倒卵形，先端微凹，比萼片稍长；花柱近顶生，基部微扩大，稍有乳头或不明显，柱头扩大。瘦果卵球形，深褐色，有明显皱纹。花果期 4 ～ 10 月。

| **生境分布** | 生于海拔 400 ～ 3 200 m 的山坡草地、沟谷、林缘、灌丛或疏林。分布于河北滦平等。

| **资源情况** | 野生资源丰富。药材主要来源于野生。

| **采收加工** | 春季未抽茎时采收，除去泥沙，晒干。

| **药材性状** | 本品根呈圆柱形或类圆锥形，略扭曲，有的有分枝，长 5 ～ 17 cm，直径 0.5 ～ 1 cm；表面暗棕色或暗紫红色，有纵纹，粗皮易呈片状剥落；根头部稍膨大；质硬，易折断，断面皮部薄，暗棕色，常与木部分离，射线呈放射状排列。叶基生，奇数羽状复叶，有柄；小叶狭长椭圆形。气微，味涩、微苦。

| **功能主治** | 苦，寒。归大肠、肺、肝经。清热解毒，凉血止痢。用于赤痢腹痛，久痢不止，痔疮出血，痈肿疮毒。

| **用法用量** | 内服煎汤，15 ～ 30 g；或研末；或浸酒。外用适量，煎汤洗；或捣敷；或研末敷。

蔷薇科 Rosaceae 委陵菜属 Potentilla

腺毛委陵菜 *Potentilla longifolia* Willd. ex Schlecht.

| 植物别名 | 粘萎陵菜。

| 药 材 名 | 粘委陵菜（药用部位：全草。别名：委陵菜）。

| 形态特征 | 多年生草本。根粗壮，圆柱形。花茎直立或微上升，高 30 ~ 90 cm，被短柔毛、长柔毛及腺体。基生叶羽状复叶，有小叶 4 ~ 5 对，连叶柄长 10 ~ 30 cm，叶柄被短柔毛、长柔毛及腺体，小叶对生，稀互生，无柄，最上面 1 ~ 3 对小叶基部下延与叶轴汇合，小叶片长圆状披针形至倒披针形，长 1.5 ~ 8 cm，宽 0.5 ~ 2.5 cm，先端圆钝或急尖，边缘有缺刻状锯齿，上面被疏柔毛或脱落无毛，下面被短柔毛及腺体，沿脉疏生长柔毛；茎生叶与基生叶相似；基生叶托叶膜质，褐色，外面被短柔毛及长柔毛，茎生叶托叶草质，绿色，全缘或分裂，外面被短柔毛及长柔毛。伞房花序集生于花茎先端，少

花；花梗短；花直径 1.5 ～ 1.8 cm；萼片三角状披针形，先端通常渐尖，副萼片长圆状披针形，先端渐尖或圆钝，与萼片近等长或较之稍短，外面密被短柔毛及腺体；花瓣宽倒卵形，先端微凹，与萼片近等长，果时直立增大；花柱近顶生，圆锥形，基部明显具乳头，膨大，柱头不扩大。瘦果近肾形或卵球形，直径约 1 mm，光滑。花果期 7 ～ 9 月。

| **生境分布** | 生于海拔 300 ～ 3 200 m 的山坡草地、高山灌丛、林缘及疏林。分布于河北平山、滦平、围场等。

| **资源情况** | 野生资源丰富。药材主要来源于野生。

| **采收加工** | 夏季尚未抽茎时采收，洗净，切段，晒干。

| **功能主治** | 涩、微苦，平。归大肠经。清热解毒，收敛固脱。用于肠炎，痢疾，肺炎，子宫脱垂。

| **用法用量** | 内服煎汤，9 ～ 15 g。

蔷薇科 Rosaceae 委陵菜属 Potentilla

银露梅 *Potentilla glabra* Lodd.

| **植物别名** | 白花棍儿茶、银老梅。

| **药 材 名** | 银露梅（药用部位：花、叶。别名：班琼土冈）。

| **形态特征** | 灌木，高 0.3 ～ 2 m，稀达 3 m；树皮纵向剥落。小枝灰褐色或紫褐
色，被稀疏柔毛。叶为羽状复叶，有小叶 2 对，稀 3 小叶，上面 1
对小叶基部下延与轴汇合，叶柄被疏柔毛；小叶片椭圆形、倒卵状
椭圆形或卵状椭圆形，长 0.5 ～ 1.2 cm，宽 0.4 ～ 0.8 cm，先端圆钝
或急尖，基部楔形或几圆形，边缘平坦或微向下反卷，全缘，两面
绿色，被疏柔毛或几无毛；托叶薄膜质，外面被疏柔毛或脱落几无
毛。顶生单花或数花；花梗细长，被疏柔毛；花直径 1.5 ～ 2.5 cm；
萼片卵形，先端急尖或短渐尖，副萼片披针形、倒卵状披针形或卵形，
比萼片短或与之近等长，外面被疏柔毛；花瓣白色，倒卵形，先端

圆钝；花柱近基生，棒状，基部较细，在柱头下缢缩，柱头扩大。瘦果表面被毛。花果期 6 ～ 11 月。

| 生境分布 | 生于海拔 1 400 ～ 4 200 m 的山坡草地、河谷岩石缝、灌丛及林中。分布于河北赤城、沽源、涞源等。

| 资源情况 | 野生资源丰富。药材主要来源于野生。

| 采收加工 | 8 月采摘，阴干备用。

| 药材性状 | 本品红褐色，被稀疏毛。叶多皱缩，完整叶为明显的复叶，先端 1 对小叶下延与叶轴合生，叶柄被疏柔毛；小叶片 3 ～ 4，椭圆形或卵状椭圆形，两面绿色，被疏柔毛或近无毛。花皱缩，淡黄色，花瓣倒卵形；副萼片披针形，外面被柔毛；花柱棒状，先端略膨大；雄蕊多数。气微，清香，味甘。

| 功能主治 | 涩，平。固齿，理气，敛黄水。用于牙病，肺病，胸胁胀满，黄水病。

| 用法用量 | 内服煎汤，3 ～ 6 g；或入丸、散剂。外用适量，捣搽或敷。

| 附　注 | 有人将本种列为金露梅 *Potentilla fruticosa* L. 的变种，但本种花白色，一般枝叶柔毛较少或几无毛，副萼片先端多圆钝，常短于萼片，可另立为一种。

蔷薇科 Rosaceae 绣线菊属 Spiraea

土庄绣线菊 *Spiraea pubescens* Turcz.

| 植物别名 | 柔毛绣线菊、蚂蚱腿、小叶石棒子。

| 药 材 名 | 土庄绣线菊（药用部位：茎髓。别名：土庄花、蚂蚱腿）。

| 形态特征 | 灌木，高 1 ~ 2 m。小枝开展，稍弯曲，嫩时被短柔毛，褐黄色，老时无毛，灰褐色；冬芽卵形或近球形，先端急尖或圆钝，具短柔毛，外面被数个鳞片。叶片菱状卵形至椭圆形，长 2 ~ 4.5 cm，宽 1.3 ~ 2.5 cm，先端急尖，基部宽楔形，边缘自中部以上有深刻锯齿，有时 3 裂，上面有稀疏柔毛，下面被灰色短柔毛；叶柄长 2 ~ 4 mm，被短柔毛。伞形花序具总花梗，有花 15 ~ 20；花梗长 7 ~ 12 mm，无毛；苞片线形，被短柔毛；花直径 5 ~ 7 mm；萼筒钟状，外面无毛，内面有灰白色短柔毛，萼片卵状三角形，先端急尖，内面疏生短柔毛；花瓣卵形、宽倒卵形或近圆形，先端圆钝或微凹，长与宽均为 2 ~

3 mm，白色；雄蕊 25 ~ 30，约与花瓣等长；花盘圆环形，具 10 裂片，裂片先端稍凹陷；子房无毛或仅在腹部及基部有短柔毛，花柱短于雄蕊。蓇葖果开张，仅腹缝线微被短柔毛，花柱顶生，稍倾斜开展或几直立，多数具直立萼片。花期 5 ~ 6 月，果期 7 ~ 8 月。

| 生境分布 |

生于海拔 200 ~ 2 500 m 的干燥岩石坡地、向阳或半阴处、杂木林。分布于河北赤城、青龙、涉县等。

| 资源情况 |

野生资源丰富。药材主要来源于野生。

| 采收加工 |

秋季割取地上茎，截成段，趁鲜取出茎髓，理直，晒干。

| 功能主治 |

利水消肿。用于水肿。

| 用法用量 |

内服煎汤，6 ~ 9 g。

蔷薇科 Rosaceae 绣线菊属 *Spiraea*

绣球绣线菊 *Spiraea blumei* G. Don

| 植物别名 | 碎米桠、珍珠梅、绣球。

| 药材名 | 麻叶绣球（药用部位：根或根皮。别名：碎米桠、山茴香）、麻叶绣球果（药用部位：果实）。

| 形态特征 | 灌木，高 1 ~ 2 m。小枝细，深红褐色或暗灰褐色，无毛；冬芽小，卵形，先端急尖或圆钝，有数个外露鳞片。叶片菱状卵形至倒卵形，长 2 ~ 3.5 cm，宽 1 ~ 1.8 cm，先端圆钝或微尖，基部楔形，边缘近中部以上有少数圆钝缺刻状锯齿或 3 ~ 5 浅裂，两面无毛，下面浅蓝绿色，基部具 3 脉或羽状脉不明显。伞形花序有总花梗，无毛，具花 10 ~ 25；花梗长 6 ~ 10 mm，无毛；花直径 5 ~ 8 mm；萼片三角形或卵状三角形，先端急尖或短渐尖，内面疏生短柔毛；花瓣白色，宽倒卵形，先端微凹，长、宽几相等，均为 2 ~ 3.5 mm；雄

蕊 18 ~ 20，较花瓣短。蓇葖果较直立，无毛，萼片直立。花期 4 ~ 6 月，果期 8 ~ 10 月。

| 生境分布 | 生于海拔 500 ~ 1 700 m 的向阳山坡或岩石上。分布于河北北戴河、兴隆、蔚县等。

| 资源情况 | 野生资源一般。栽培资源丰富。药材主要来源于栽培。

| 采收加工 | **麻叶绣球**：全年均可采挖根或剥取根皮，洗净，晒干。

麻叶绣球果：秋季果实成熟时采收，晒干。

| 功能主治 | **麻叶绣球**：辛，微温。归肺、心、肝经。活血止痛，解毒祛湿。用于跌打损伤，瘀滞疼痛，咽喉肿痛，带下，疮毒，湿疹。

麻叶绣球果：辛，微温。归脾、胃经。理气和中。用于脘腹胀痛。

| 用法用量 | **麻叶绣球**：内服煎汤，15 ~ 30 g；或浸酒。外用适量，研末浸油搽。

麻叶绣球果：内服研末，3 g。

蔷薇科 Rosaceae 绣线菊属 *Spiraea*

绣线菊 *Spiraea salicifolia* L.

| 植物别名 | 马尿溲、空心柳、柳叶绣线菊。

| 药材名 | 空心柳（药用部位：全草或根。别名：马尿溲）。

| 形态特征 | 直立灌木，高 1 ~ 2 m。小枝黄褐色，嫩枝被短柔毛，老时脱落；冬芽卵形或长圆状卵形，先端急尖，外面有数枚褐色鳞片，外面被稀疏细短柔毛。叶片长圆状披针形至披针形，长 4 ~ 8 cm，宽 1 ~ 2.5 cm，先端渐尖，基部楔形，边缘密生锐锯齿或重锯齿，上面绿色，下面淡绿色，两面光滑无毛；叶柄长 1 ~ 5 mm。圆锥花序为长圆形或金字塔形，长 5 ~ 13 cm，直径 3 ~ 5 cm，被细短柔毛，生于当年生枝端，花密集；花梗长 4 ~ 7 mm，被短柔毛；苞片披针形至线状披针形，全缘或有少数锯齿，微被细短柔毛；花直径 5 ~ 7 mm；萼筒钟状，萼片三角形，内面微被短柔毛；花瓣卵形，

先端通常圆钝，长 2 ~ 3 mm，宽 2 ~ 2.5 mm，粉红色；雄蕊多数，花丝长短不等，长者约长于花瓣 2 倍；花盘圆环形，裂片呈细圆锯齿状；子房腹缝线有稀疏短柔毛，花柱顶生，短于雄蕊。蓇葖果直立，无毛或沿腹缝线有短柔毛，花柱顶生，倾斜开展，萼片反折，宿存。花期 6 ~ 8 月，果期 8 ~ 9 月。

| 生境分布 |

生于海拔 200 ~ 900 m 的河流沿岸、湿草原、空旷地和山沟。分布于河北围场等。

| 资源情况 |

野生资源丰富。药材主要来源于野生。

| 采收加工 |

夏、秋季采收全株，洗净，切碎，晒干；秋季采挖根，洗净，晒干。

| 功能主治 |

苦，平。归肺、肝经。活血调经，利水通便，化痰止咳。用于跌打损伤，关节酸痛，闭经，痛经，小便不利，大便秘结，咳嗽痰多。

| 用法用量 |

内服煎汤，10 ~ 15 g。外用适量，捣敷。

蔷薇科 Rosaceae 悬钩子属 Rubus

覆盆子
Rubus idaeus L.

| 植物别名 | 绒毛悬钩子。

| 药 材 名 | 覆盆子（药用部位：果实。别名：覆盆、乌藨子、小托盘）。

| 形态特征 | 灌木，高1～2 m。枝褐色或红褐色，幼时被绒毛状短柔毛，疏生皮刺。小叶3～7，花枝上有时具3小叶，不孕枝上常5～7小叶，长卵形或椭圆形，顶生小叶常卵形，有时浅裂，长3～8 cm，宽1.5～4.5 cm，先端短渐尖，上面无毛或疏生柔毛，下面密被灰白色绒毛，边缘有不规则粗锯齿或重锯齿；叶柄长3～6 cm，顶生小叶叶柄长约1 cm，均被绒毛状短柔毛和稀疏小刺；托叶线形，具短柔毛。花生于侧枝先端成短总状花序或少花腋生，总花梗和花梗均被密生绒毛状短柔毛和疏密不等的针刺；花梗长1～2 cm；苞片线形，

具短柔毛；花直径 1 ～ 1.5 cm；花萼外面被密生绒毛状短柔毛和疏密不等的针刺，萼片卵状披针形，先端尾尖，外面边缘具灰白色绒毛，在花、果时均直立；花瓣匙形，被短柔毛或无毛，白色，基部有宽爪；花丝宽扁，长于花柱；花柱基部和子房密被灰白色绒毛。果实近球形，多汁液，直径 1 ～ 1.4 cm，红色或橙黄色，密被短绒毛；核具明显洼孔。花期 5 ～ 6 月，果期 8 ～ 9 月。

| 生境分布 | 生于海拔 500 ～ 2 000 m 的山地杂木林边、灌丛或荒野。分布于河北遵化、崇礼、涿鹿等。

| 资源情况 | 野生资源丰富。药材主要来源于野生。

| 采收加工 | 夏初果实由绿色变绿黄色时采收，除去柄、叶，置沸水中略烫或略蒸，取出，干燥。

| 药材性状 | 本品为聚合果，由多数小核果聚合而成，呈圆锥形或扁圆锥形，高 0.6 ～ 1.3 cm，直径 0.5 ～ 1.2 cm。表面黄绿色或淡棕色，先端钝圆，基部中心凹入。宿萼棕褐色，下有果柄痕。小果易剥落，每个小果呈半月形，背面密被灰白色茸毛，两侧有明显的网纹，腹部有凸起的棱线。体轻，质硬。气微，味微酸、涩。

| 功能主治 | 甘、微酸，温。归肝、肾、膀胱经。益肾固精缩尿，养肝明目。用于遗精滑精，遗尿尿频，阳痿早泄，目暗昏花。

| 用法用量 | 内服煎汤，5 ～ 10 g；或入丸、散剂；或浸酒；或熬膏。

蔷薇科 Rosaceae 悬钩子属 Rubus

库页悬钩子 *Rubus sachalinensis* Lévl.

| 植物别名 | 白肯悬钩子。

| 药 材 名 | 库页悬钩子（药用部位：茎叶。别名：野悬钩子）、库页悬钩子根
（药用部位：根）、库页悬钩子花（药用部位：花）、库页悬钩子
果实（药用部位：果实）。

| 形态特征 | 灌木或矮小灌木，高 0.6 ~ 2 m。枝紫褐色，小枝色较浅，具柔毛，
老时脱落，被较密的黄色、棕色或紫红色直立针刺，并混生腺毛。
小叶常 3，不孕枝上有时具 5 小叶，卵形、卵状披针形或长圆状卵形，
长 3 ~ 7 cm，宽 1.5 ~ 4（~ 5）cm，先端急尖，顶生小叶先端常
渐尖，上面无毛或稍具毛，下面密被灰白色绒毛，边缘有不规则粗
锯齿或缺刻状锯齿；叶柄长 2 ~ 5 cm，顶生小叶叶柄长 1 ~ 2 cm，
侧生小叶几无柄，均具柔毛、针刺或腺毛；托叶线形，有柔毛或疏

腺毛。花 5 ~ 9 组成伞房状花序，顶生或腋生，稀单花腋生；总花梗和花梗具柔毛，密被针刺和腺毛，花梗长 1 ~ 2 cm；苞片小，线形，有柔毛和腺毛；花直径约 1 cm；花萼外面密被短柔毛，具针刺和腺毛，萼片三角状披针形，长约 1 cm，先端长尾尖，外面边缘常具灰白色绒毛，在花、果时常直立开展；花瓣舌状或匙形，白色，短于萼片，基部具爪；花丝几与花柱等长；花柱基部和子房具绒毛。果实卵球形，较干燥，直径约 1 cm，红色，具绒毛；核有皱纹。花期 6 ~ 7 月，果期 8 ~ 9 月。

| 生境分布 | 生于海拔 1 000 ~ 2 500 m 的山坡潮湿地密林下、稀疏杂木林内、林缘、林间草地或干沟石缝、谷底石堆。分布于河北涞源等。

| 资源情况 | 野生资源丰富。药材主要来源于野生。

| 采收加工 | **库页悬钩子**：7 ~ 8 月采收，晒干。
库页悬钩子根：秋季采挖，洗净，鲜用或晒干。
库页悬钩子花：6 ~ 7 月采摘，鲜用或晒干。
库页悬钩子果实：8 ~ 9 月采摘，鲜用或晒干。

| 功能主治 | **库页悬钩子**：苦、涩，平。清肺止血，解毒止痢。用于吐血，鼻衄，痢疾，泄泻。
库页悬钩子根：苦、涩，平。收涩止血，祛风清热。用于久痢，久泻，吐血，带下，支气管哮喘，荨麻疹。
库页悬钩子花：苦，平。解毒，安神。用于蛇蝎咬伤，失眠。
库页悬钩子果实：酸、甘，平。清热解毒，祛痰止咳。用于感冒发热，咳嗽，咽喉炎，肺炎，面部粉刺，脓疱疮。

| 用法用量 | **库页悬钩子**：内服煎汤，15 ~ 30 g。
库页悬钩子根：内服煎汤，15 ~ 30 g。
库页悬钩子花：内服煎汤，3 ~ 10 g。外用适量，煎汤洗；或浸泡。
库页悬钩子果实：内服煎汤，3 ~ 9 g。外用适量，煎汤洗。

蔷薇科 Rosaceae 悬钩子属 Rubus

茅莓
Rubus parvifolius L.

| 植物别名 | 小叶悬钩子、红梅消、婆婆头。

| 药 材 名 | 茅莓根（药用部位：根。别名：红梅消、三月泡、虎波草）、茅莓（药用部位：地上部分）。

| 形态特征 | 灌木，高 1 ~ 2 m。枝呈弓形弯曲，被柔毛和稀疏钩状皮刺。小叶 3，在新枝上偶有 5，菱状圆形或倒卵形，长 2.5 ~ 6 cm，宽 2 ~ 6 cm，先端圆钝或急尖，基部圆形或宽楔形，上面伏生疏柔毛，下面密被灰白色绒毛，边缘有不整齐粗锯齿或缺刻状粗重锯齿，常具浅裂片；叶柄长 2.5 ~ 5 cm，顶生小叶柄长 1 ~ 2 cm，均被柔毛和稀疏小皮刺；托叶线形，长 5 ~ 7 mm，具柔毛。伞房花序顶生或腋生，稀顶生花序呈短总状，具花数朵至多朵，被柔毛和细刺；花梗长 0.5 ~ 1.5 cm，具柔毛和稀疏小皮刺；苞片线形，有柔毛；花直径约 1 cm；花萼外

面密被柔毛和疏密不等的针刺，萼片卵状披针形或披针形，先端渐尖，有时条裂，在花、果时均直立开展；花瓣卵圆形或长圆形，粉红色至紫红色，基部具爪；雄蕊花丝白色，稍短于花瓣；子房具柔毛。果实卵球形，直径 1 ~ 1.5 cm，红色，无毛或具稀疏柔毛；核有浅皱纹。花期 5 ~ 6 月，果期 7 ~ 8 月。

| 生境分布 | 生于海拔 400 ~ 2 600 m 的山坡杂木林下、向阳山谷、路旁或荒野。分布于河北山海关、北戴河等。

| 资源情况 | 野生资源丰富。药材主要来源于野生。

| 采收加工 | **茅莓根**：冬、春季采挖，除去杂质，晒干。
茅莓：春、夏季花开时采割，除去杂质，晒干。

| 药材性状 | **茅莓根**：本品呈圆柱形，多扭曲，长 10 ~ 30 cm，直径 0.3 ~ 1.2 cm。根头粗大，有残留茎基或茎痕，表面灰棕色或棕褐色，有纵皱纹。质硬，断面淡黄棕色，可见放射状纹理。气微，味微苦、涩。以条粗长、色灰棕者为佳。
茅莓：本品茎呈细长圆柱形，直径 1 ~ 4 mm；表面红棕色或暗绿色，散生短刺；质脆，易折断，断面黄白色，中部有髓。叶多卷缩、破碎，完整者为奇数羽状复叶，小叶 3 或 5，展平后呈宽卵形或椭圆形，上表面灰绿色，下表面灰白色，密被茸毛。聚伞状圆锥花序顶生或生于上部叶腋，小花棕黄色，花瓣 5。气微，味微苦、涩。以叶多、色绿者为佳。

| 功能主治 | **茅莓根**：苦、涩，微寒。活血消肿，祛风利湿。用于跌仆损伤，痈肿，风湿痹痛。
茅莓：苦、涩，微寒。活血消肿，清解热毒，祛风湿。用于跌仆损伤，风湿痹痛，疮疡肿毒。

| 用法用量 | **茅莓根**：内服煎汤，30 ~ 60 g。
茅莓：内服煎汤，15 ~ 30 g。外用适量，捣敷。

| 附　注 | 本种全株入药，有止痛、活血、祛风湿及解毒之效。

蔷薇科 Rosaceae 悬钩子属 Rubus

牛叠肚
Rubus crataegifolius Bge.

| 植物别名 | 马林果、托盘、山楂叶悬钩子。

| 药材名 | 牛迭肚根（药用部位：根。别名：托盘根）、牛迭肚果（药用部位：果实。别名：覆盆子、马林果、安门头）。

| 形态特征 | 直立灌木，高 1 ~ 2（~ 3）m。小枝红褐色，具沟棱，幼时被细柔毛，老时无毛，有微弯皮刺。单叶，互生，卵形至近圆形，长 5 ~ 15 cm，宽达 4 ~ 13 cm，3 ~ 5 掌状浅裂或中裂，基部心形或近截形，花枝上的叶稍小，常 3 裂，裂片卵形或长圆状卵形，先端渐尖，稀急尖，有不规则缺刻状锯齿，下面脉上有柔毛，中脉有小皮刺；叶柄长 2 ~ 5 cm，疏生柔毛和小皮刺；托叶线形，与叶柄连生。花数朵簇生或呈短总状花序，常顶生；花梗长 5 ~ 10 mm，有柔毛；花直径 1 ~ 1.5 cm；萼片卵状三角形或卵形，先端渐尖，反折；花瓣椭

圆形或长圆形，白色，几与萼片等长。聚合果近球形，直径约 1 cm，暗红色，无毛，有光泽；核具皱纹。花期 5 ~ 7 月，果期 7 ~ 9 月。

| **生境分布** | 生于海拔 300 ~ 2 500 m 的向阳山坡灌丛或林缘、山沟、路边。分布于河北青龙、迁西、围场等。

| **资源情况** | 野生资源丰富。药材主要来源于野生。

| **采收加工** | 牛迭肚根：秋季采挖，洗净，切片，晒干。
牛迭肚果：夏、秋季果实成熟时采摘，直接晒干或先在沸水中浸一下再晒至全干。

| **功能主治** | 牛迭肚根：苦、涩，平。归肝经。祛风利湿。用于风湿性关节炎，痛风，肝炎。
牛迭肚果：酸、甘，温。归肝、肾经。补肾固涩，止渴。用于肝肾不足，阳痿遗精，遗尿，尿频，须发早白，不孕症，口渴。

| **用法用量** | 牛迭肚根：内服煎汤，6 ~ 15 g。
牛迭肚果：内服煎汤，6 ~ 15 g。

蔷薇科 Rosaceae 悬钩子属 *Rubus*

石生悬钩子 *Rubus saxatilis* L.

| 植物别名 | 天山悬钩子。

| 药 材 名 | 石生悬钩子（药用部位：全草或果实）。

| 形态特征 | 草本，高 20 ~ 60 cm。根不发生萌蘖。茎细，圆柱形，不育茎有鞭状匍匐枝，具小针刺和稀疏柔毛，有时具腺毛。复叶常具 3 小叶，或稀单叶分裂，小叶片卵状菱形至长圆状菱形，顶生小叶长 5 ~ 7 cm，稍长于侧生小叶，先端急尖，基部近楔形，侧生小叶基部偏斜，两面有柔毛，下面沿叶脉毛较多，边缘常具粗重锯齿，稀为缺刻状锯齿，侧生小叶有时 2 裂；叶柄长，具稀疏柔毛和小针刺，侧生小叶近无柄，顶生小叶叶柄长 1 ~ 2 cm；托叶离生，花枝上的托叶卵形或椭圆形，匍匐枝上的托叶较狭，披针形或线状长圆形，

全缘。花常 2 ～ 10 成束或成伞房状花序；总花梗长短不一，短者长仅 0.5 cm，长者达 3 cm，和花梗均被小针刺和稀疏柔毛，常混生腺毛；花小，直径不足 1 cm；花萼陀螺形或在果期为盆形，外面有柔毛，萼片卵状披针形，几与花瓣等长；花瓣小，匙形或长圆形，白色，直立；雄蕊多数，花丝基部膨大，直立，先端钻状而内弯；雌蕊通常 5 ～ 6。果实球形，红色，直径 1 ～ 1.5 cm，小核果较大；核长圆形，具蜂巢状孔穴。花期 6 ～ 7 月，果期 7 ～ 8 月。

| **生境分布** | 生于海拔 3 000 m 以下的石砾地、灌丛或针阔叶混交林下。分布于河北蔚县、涞源、阜平等。

| **资源情况** | 野生资源丰富。药材主要来源于野生。

| **采收加工** | 全草，夏、秋季采收，晒干，切段备用。果实，秋季采收，放入沸水中微浸，捞出，晒干。

| **功能主治** | 全草，苦、微酸，平。补肝健胃，祛风止痛。用于急性肝炎，食欲不振，风湿性关节炎。果实，甘、酸，温。补肾固精。用于遗精。

| **用法用量** | 内服煎汤，6 ～ 9 g。

灰栒子

Cotoneaster acutifolius Turcz.

| 植物别名 | 北京栒子、河北栒子。

| 药 材 名 | 灰栒子（药用部位：枝叶、果实。别名：荀子）。

| 形态特征 | 落叶灌木，高2～4 m。枝条开展，小枝棕褐色或红褐色，幼时被长柔毛。叶片椭圆状卵形至长圆状卵形，长2.5～5 cm，宽1.2～2 cm，先端急尖，稀渐尖，基部宽楔形，全缘，幼时两面均被长柔毛，老时逐渐脱落，最后常近无毛；叶柄长2～5 mm，具短柔毛；托叶线状披针形，早落。花2～5成聚伞花序，总花梗和花梗被长柔毛；苞片线状披针形，微具柔毛；花梗长3～5 mm；花直径7～8 mm；萼筒钟状或短筒状，外面被短柔毛，萼片三角形，先端急尖或稍钝，外面具短柔毛，内面先端微具柔毛；花瓣直立，宽倒卵形或长圆形，长约4 mm，宽3 mm，先端圆钝，白色外带红晕；雄蕊10～15，

比花瓣短；花柱通常 2，离生。果实椭圆形，稀倒卵形，直径 7 ～ 8 mm，黑色，内有小核 2 ～ 3。花期 5 ～ 6 月，果期 9 ～ 10 月。

| 生境分布 | 生于海拔 1 400 ～ 3 700 m 的山坡、山麓、山沟及丛林。分布于河北遵化、张北、康保等。

| 资源情况 | 野生资源丰富。药材主要来源于野生。

| 采收加工 | 6 ～ 8 月采收枝叶，切段，晒干；9 ～ 10 月采摘果实，晒干。

| 功能主治 | 苦、涩，凉。凉血止血，解毒敛疮。用于鼻衄，牙龈出血，月经过多，烫火伤。

| 用法用量 | 内服煎汤，3 ～ 9 g。外用适量，火烤取油涂。

| 附　　注 | 本种的叶片形状和毛茸极似尖叶栒子 *Cotoneaster acuminatus* Lindl.，惟后者果实红色，叶片下面柔毛较多，可以以此区别。

蔷薇科 Rosaceae 珍珠梅属 Sorbaria

珍珠梅 *Sorbaria sorbifolia* (L.) A. Br.

| **植物别名** | 东北珍珠梅、华楸珍珠梅、八本条。

| **药 材 名** | 珍珠梅（药用部位：茎皮、果穗。别名：山高粱、八木条）。

| **形态特征** | 灌木，高达2 m，枝条开展。小枝圆柱形，稍屈曲，无毛或微被短柔毛，
初时绿色，老时暗红褐色或暗黄褐色；冬芽卵形，先端圆钝，无毛
或先端微被柔毛，紫褐色，具数枚互生外露的鳞片。羽状复叶，小
叶11 ~ 17，连叶柄长13 ~ 23 cm，宽10 ~ 13 cm，叶轴微被短柔毛；
小叶对生，相距2 ~ 2.5 cm，披针形至卵状披针形，长5 ~ 7 cm，
宽1.8 ~ 2.5 cm，先端渐尖，稀尾尖，基部近圆形或宽楔形，稀偏
斜，边缘有尖锐重锯齿，上下两面无毛或近无毛，羽状网脉，具侧
脉12 ~ 16 对，下面明显；小叶无柄或近无柄；托叶叶质，卵状披
针形至三角状披针形，先端渐尖至急尖，边缘有不规则锯齿或全缘，

长 8 ~ 13 mm，宽 5 ~ 8 mm，外面微被短柔毛。顶生大型密集圆锥花序，分枝近直立，长 10 ~ 20 cm，直径 5 ~ 12 cm；总花梗和花梗被星状毛或短柔毛，果期逐渐脱落，近无毛，花梗长 5 ~ 8 mm；苞片卵状披针形至线状披针形，长 5 ~ 10 mm，宽 3 ~ 5 mm，先端长渐尖，全缘或有浅齿，上下两面微被柔毛，果期逐渐脱落；花直径 10 ~ 12 mm；萼筒钟状，外面基部微被短柔毛，萼片三角状卵形，先端钝或急尖，萼片约与萼筒等长；花瓣长圆形或倒卵形，长 5 ~ 7 mm，宽 3 ~ 5 mm，白色；雄蕊 40 ~ 50，长于花瓣 1.5 ~ 2 倍，生于花盘边缘；心皮 5，无毛或稍具柔毛。蓇葖果长圆形，有顶生弯曲花柱，长约 3 mm，果柄直立；萼片宿存，反折，稀开展。花期 7 ~ 8 月，果期 9 月。

| **生境分布** | 生于海拔 250 ~ 1 500 m 的山坡疏林中。分布于河北滦平、平泉、涉县等。

| **资源情况** | 野生资源丰富。药材主要来源于野生。

| **采收加工** | 春、秋季采收茎枝，剥取外皮，晒干；9 ~ 10 月采收成熟果穗，晒干。

| **药材性状** | 本品茎皮呈条状或片状，长宽不一，厚约 3 mm，外表面棕褐色，有多数淡黄棕色疣状突起，内表面淡黄棕色。质脆，断面略平坦。气微，味苦。

| **功能主治** | 苦，寒；有毒。归肝、肾经。活血祛瘀，消肿止痛。用于跌打损伤，骨折，风湿痹痛。

| **用法用量** | 内服研末，0.6 ~ 1.2 g。外用适量，研末调敷。

豆科 Fabaceae 扁豆属 Lablab

扁豆 *Lablab purpureus* (L.) Sweet

| 植物别名 | 藕豆、火镰扁豆、膨皮豆。

| 药 材 名 | 白扁豆（药用部位：种子。别名：扁豆、南扁豆）、扁豆叶（药用部位：叶）、扁豆衣（药用部位：种皮。别名：扁豆皮）、扁豆花（药用部位：花。别名：南豆花）、扁豆根（药用部位：根）、扁豆藤（药用部位：藤茎）。

| 形态特征 | 多年生缠绕藤本，全株几无毛。茎长可达 6 m，常呈淡紫色。羽状复叶具 3 小叶；托叶基着，披针形；小托叶线形，长 3 ~ 4 mm；小叶宽三角状卵形，长 6 ~ 10 cm，宽约与长相等，侧生小叶两侧不等大，偏斜，先端急尖或渐尖，基部近平截。总状花序直立，长 15 ~ 25 cm；花序轴粗壮；总花梗长 8 ~ 14 cm；小苞片 2，近圆形，长 3 mm，脱落；花 2 至多朵簇生于节上；花萼钟状，长约 6 mm，

上方 2 裂齿几完全合生，下方的 3 近相等；花冠白色或紫色，旗瓣圆形，基部两侧具 2 长而直立的小附属体，附属体下有 2 耳，翼瓣宽倒卵形，具平截的耳，龙骨瓣呈直角弯曲，基部渐狭成瓣柄；子房线形，无毛，花柱比子房长，弯曲不逾 90°，一侧扁平，近顶部内缘被毛。荚果长圆状镰形，长 5 ～ 7 cm，近先端最阔，宽 1.4 ～ 1.8 cm，扁平，直或稍向背弯曲，先端有弯曲的尖喙，基部渐狭；种子 3 ～ 5，扁平，长椭圆形，在白花品种中为白色，在紫花品种中为紫黑色，种脐线形，长约占种子周长的 2/5。花期 4 ～ 12 月。

| 生境分布 | 生于砂壤土、富含腐殖质的耕地、园内地。分布于河北平泉、滦平、涉县等。

| 资源情况 | 野生资源丰富。药材来源于栽培。

| 采收加工 | 白扁豆：秋、冬季采收成熟果实，晒干，取出种子，再晒干。

扁豆叶：8 ～ 10 月采收，鲜用或晒干。

扁豆衣：8 ～ 10 月采收种子，剥取种皮，晒干。

扁豆花：7 ～ 8 月采收未完全开放的花，晒干或阴干。

扁豆根：9 ～ 10 月采挖，晒干。

扁豆藤：秋季采收，晒干。

| 药材性状 | 白扁豆：本品呈扁椭圆形或扁卵圆形，长 8 ～ 13 mm，宽 6 ～ 9 mm，厚约 7 mm。表面淡黄白色或淡黄色，平滑，略有光泽，一侧边缘有隆起的白色眉状

种阜。质坚硬，种皮薄而脆，子叶 2，肥厚，黄白色。气微，味淡，嚼之有豆腥气。以粒大、饱满、色白者为佳。

扁豆叶：本品为散落小叶或具长柄的三出复叶，多卷缩、破碎。完整顶生小叶呈宽三角状卵形，长 4.5 ～ 9 cm，宽约与长相等，先端渐尖，基部楔形；侧生小叶基部不对称，略呈斜卵形，较中央小叶稍大；两面疏被毛，暗绿色或枯绿色。质脆。气微。

扁豆衣：本品呈囊壳状、凹陷或卷缩成不规则瓢片状，长约 1 cm，厚不超过 1 mm，表面光滑，乳白色或淡黄白色，有的可见种阜，完整的种阜呈半月形，类白色。质硬韧，体轻。气微，味淡。

扁豆花：本品呈扁平不规则三角形，长、宽均约 1 cm。下部有绿褐色钟状花萼，萼齿 5，其中有 2 齿几合生，外面被白色短柔毛。花瓣 5，皱缩，黄白色、黄棕色或紫棕色，未开放的花外面为旗瓣包围，开放后，广卵圆形的旗瓣则向外反折；两侧为翼瓣，斜椭圆形，基部有小耳；龙骨瓣镰钩状，几弯成直角。雄蕊 10，其中 9 基部连合，内有 1 柱状雌蕊，弯曲。质软，体轻。气微香，味淡。

扁豆藤：本品呈细长圆柱形，直径 2 ～ 8 mm，常缠绕成团，黄绿色或淡紫棕色，质较脆。三出复叶，具长叶柄，基部稍膨大。小叶片三角状卵形，先端渐尖，基部楔形，两侧小叶基部不对称，全缘，暗绿色。质脆，易碎。气微，味淡。

| **功能主治** | **白扁豆**：甘，微温。归脾、胃经。健脾化湿，和中消暑。用于脾胃虚弱，食欲不振，便溏，带下，暑湿吐泻，胸闷腹胀。

扁豆叶：辛、甘，平；有小毒。消暑利湿，解毒消肿。用于暑湿吐泻，疮疖肿毒，蛇虫咬伤。

扁豆衣：甘，微温。归脾、胃经。消暑化湿，健脾和胃。用于暑湿内蕴，呕吐泄泻，胸闷纳呆，脚气浮肿，带下。

扁豆花：甘，平。解暑化湿，和中健脾。用于夏伤暑湿，发热，泄泻，痢疾，赤白带下，跌打伤肿。

扁豆根：微苦，平。消暑，化湿，止血。用于暑湿泄泻，痢疾，淋浊，带下，便血，痔疮，瘘管。

扁豆藤：微苦，平。化湿和中。用于暑湿吐泻不止。

| 用法用量 | 白扁豆：内服煎汤，9～15 g。

扁豆叶：内服煎汤，6～15 g；或捣汁。外用适量，捣敷；或烧存性研末调敷。

扁豆衣：内服煎汤，3～9 g。

扁豆花：内服煎汤，3～9 g；或研末；或捣汁。外用适量，捣敷。

扁豆根：内服煎汤，5～15 g。

扁豆藤：内服煎汤，9～15 g。

| 附　注 | 炒白扁豆健脾化湿，用于脾虚泄泻、带下。

豆科 Fabaceae 菜豆属 Phaseolus

菜豆 *Phaseolus vulgaris* L.

| 植物别名 | 香菇豆、芸豆、四季豆。

| 药 材 名 | 菜豆（药用部位：种子。别名：四季豆、龙爪豆）。

| 形态特征 | 一年生缠绕或近直立草本。茎被短柔毛或老时无毛。羽状复叶具 3 小叶；托叶披针形，长约 4 mm，基着。小叶宽卵形或卵状菱形，侧生小叶偏斜，长 4 ~ 16 cm，宽 2.5 ~ 11 cm，先端长渐尖，有细尖，基部圆形或宽楔形，全缘，被短柔毛。总状花序比叶短，有数朵生于花序顶部的花；花梗长 5 ~ 8 mm；小苞片卵形，有数条隆起的脉，约与花萼等长或稍较其为长，宿存；花萼杯状，长 3 ~ 4 mm，上方的 2 裂片连合成一微凹的裂片；花冠白色、黄色、紫堇色或红色，旗瓣近方形，宽 9 ~ 12 mm，翼瓣倒卵形，龙骨瓣长约 1 cm，先端旋卷；子房被短柔毛，花柱压扁。荚果带形，稍弯曲，长

10 ～ 15 cm，宽 1 ～ 1.5 cm，略肿胀，通常无毛，顶有喙；种子 4 ～ 6，长椭圆形或肾形，长 0.9 ～ 2 cm，宽 0.3 ～ 1.2 cm，白色、褐色、蓝色或有花斑，种脐通常白色。花期春、夏季。

| **生境分布** | 生于石灰岩山的灌丛或疏林。分布于河北滦平等。

| **资源情况** | 野生资源一般。栽培资源丰富。药材主要来源于栽培。

| **采收加工** | 秋季果实成熟后摘取荚，晒干，打下种子，除去杂质，再晒干。

| **药材性状** | 本品呈矩圆形、长圆形或肾形，两端略斜平截或钝圆，长 11 ～ 15 mm，宽 8 ～ 10 mm，厚 6 ～ 9 mm，稍扁，表面浅肉色或类白色者具不规则的紫红色斑点和条纹，表面紫红色者具稀疏而细小的白色斑纹或表面全部浅肉色或紫红色，无斑纹，平滑，有光泽。种脐白色，椭圆形，稍凸起，长 2 ～ 2.5 mm，宽 1 ～ 1.5 mm，位于种子腹面的中央，中间凹陷成纵沟，背面有一不明显的棱骨。质坚硬，不易破碎。种皮革质，子叶 2，淡黄白色，肥厚。气微，味淡，嚼之具豆腥气。

| **功能主治** | 甘、淡，平。滋补机体，利尿通经，催乳填精。用于机体虚弱，尿少浮肿，月经不调，乳少面暗，皮肤粗糙，阴茎弱小。

| **用法用量** | 内服煎汤，12 g。

| **附　注** | 本种为菜豆属栽培最广泛的一种作物，嫩荚供蔬食，品种逾 500 种，故植株的形态、花的颜色和大小、荚果及种子的形状和颜色均有较大的变异，风味也不同。广州常见栽培的龙牙豆 *Phaseolus vulgaris* L. var. *humilis* Alef. 即为本种的一个变种。新鲜的豆含水分 85.2%、蛋白质 6.1%、脂肪 0.2%、碳水化合物 6.3%、纤维 1.4%、灰分 0.8%。

豆科 Fabaceae 草木樨属 Melilotus

草木樨
Melilotus officinalis (Linn.) Pall.

| 植物别名 |

白香草木樨、黄香草木樨、辟汗草。

| 药 材 名 |

草木樨（药用部位：地上部分）。

| 形态特征 |

二年生草本，高 40 ~ 100（~ 250）cm。茎直立，粗壮，多分枝，具纵棱，微被柔毛。羽状三出复叶；托叶镰状线形，长 3 ~ 5（~ 7）mm，中央有 1 脉纹，全缘或基部有 1 尖齿；叶柄细长；小叶倒卵形、阔卵形、倒披针形至线形，长 15 ~ 25（~ 30）mm，宽 5 ~ 15 mm，先端钝圆或截形，基部阔楔形，边缘具不整齐疏浅齿，上面无毛，粗糙，下面散生短柔毛，侧脉 8 ~ 12 对，平行，直达齿尖，两面均不隆起，顶生小叶稍大，具较长的小叶柄，侧生小叶的小叶柄短。总状花序长 6 ~ 15（~ 20）cm，腋生，具花 30 ~ 70，初时稠密，花开后渐疏松；花序轴在花期显著伸展；苞片刺毛状，长约 1 mm；花长 3.5 ~ 7 mm；花梗与苞片等长或较之稍长；花萼钟形，长约 2 mm，脉纹 5，甚清晰，萼齿三角状披针形，稍不等长，

比萼筒短；花冠黄色，旗瓣倒卵形，与翼瓣近等长，龙骨瓣稍短或三者均近等长；雄蕊筒在花后常宿存包于果实外；子房卵状披针形，胚珠（4～）6（～8）粒，花柱长于子房。荚果卵形，长3～5 mm，宽约2 mm，先端具宿存花柱，表面具凹凸不平的横向细网纹，棕黑色，有种子1～2；种子卵形，长2.5 mm，黄褐色，平滑。花期5～9月，果期6～10月。

| 生境分布 | 生于山坡、河岸、路旁、砂质草地及林缘。分布于河北抚宁、阜平、沽源等。

| 资源情况 | 野生资源丰富。药材主要来源于野生。

| 采收加工 | 花期割取，除去杂质，阴干。

| 功能主治 | 苦，凉。清陈热，杀黏，解毒。用于虫蛇咬伤，食物中毒，咽喉肿痛，陈热症。

| 用法用量 | 内服煮散剂，3～5 g；或入丸、散剂。

豆科 Fabaceae 车轴草属 Trifolium

白车轴草 *Trifolium repens* L.

| 植物别名 | 荷兰翘摇、白三叶、三叶草。

| 药 材 名 | 三消草（药用部位：全草。别名：螃蟹花、金花草、白三叶）。

| 形态特征 | 短期多年生草本，生长期达 5 年，高 10 ~ 30 cm。主根短，侧根和须根发达。茎匍匐蔓生，上部稍上升，节上生根，全株无毛。掌状三出复叶；托叶卵状披针形，膜质，基部抱茎、呈鞘状，离生部分锐尖；叶柄较长，长 10 ~ 30 cm；小叶倒卵形至近圆形，长 8 ~ 20（~ 30）mm，宽 8 ~ 16（~ 25）mm，先端具凹头至钝圆，基部楔形渐窄至小叶柄，中脉在下面隆起，侧脉约 13 对，与中脉呈 50° 角展开，两面均隆起，近叶缘分叉并伸达锯齿齿尖；小叶柄长 1.5 mm，微被柔毛。花序球形，顶生，直径 15 ~ 40 mm；总花梗甚长，比叶柄长近 1 倍，具花 20 ~ 50（~ 80），密集；无总苞；苞片披

针形，膜质，锥尖；花长 7 ~ 12 mm；花梗比花萼稍长或与之等长，开花后立即下垂；花萼钟形，具脉纹 10，萼齿 5，披针形，稍不等长，短于萼筒，萼喉开张，无毛；花冠白色、乳黄色或淡红色，具香气，旗瓣椭圆形，比翼瓣和龙骨瓣长近 1 倍，龙骨瓣比翼瓣稍短；子房线状长圆形，花柱比子房略长，胚珠 3 ~ 4。荚果长圆形，种子通常 3；种子阔卵形。花果期 5 ~ 10 月。

| **生境分布** | 生于湿润草地、河岸、路边。分布于河北阜平、武安、永年等。

| **资源情况** | 野生资源丰富。栽培资源丰富。药材主要来源于野生或栽培。

| **采收加工** | 夏、秋季花盛期采收，晒干。

| **药材性状** | 本品皱缩、卷曲。茎呈圆柱形，多扭曲，直径 5 ~ 8 mm，表面有细皱纹，节间长 7 ~ 9 cm，节上有膜质托叶鞘。三出复叶，叶柄长达 10 cm；托叶椭圆形，抱茎；小叶 3，多卷折或脱落，完整者展平后呈圆卵形或倒心形，长 1.5 ~ 2 cm，宽 1 ~ 1.5 cm，边缘具细齿，近无柄。花序头状，直径 1.5 ~ 2 cm，类白色，有总花梗，长可达 20 cm。气微，味淡。

| **功能主治** | 微甘，平。归心、脾经。清热，凉血，宁心。用于癫痫，痔疮出血，硬结肿块。

| **用法用量** | 内服煎汤，15 ~ 30 g。外用适量，捣敷。

豆科 Fabaceae 车轴草属 *Trifolium*

野火球 *Trifolium lupinaster* L.

| 植物别名 | 野火荻、红五叶、白花野火球。

| 药 材 名 | 野火球（药用部位：全草。别名：野车轴草、豆参、也火球）。

| 形态特征 | 多年生草本，高 30 ~ 60 cm。根粗壮，发达，常多分叉。茎直立，单生，基部无叶，秃净，上部具分枝，被柔毛。掌状复叶，通常有小叶 5，稀 3 或 7（~ 9）；托叶膜质，大部分抱茎、呈鞘状，先端离生部分披针状三角形；叶柄几全部与托叶合生；小叶披针形至线状长圆形，长 25 ~ 50 mm，宽 5 ~ 16 mm，先端锐尖，基部狭楔形，中脉在下面隆起，被柔毛，侧脉多达 50 对以上，两面均隆起，分叉直伸出叶缘成细锯齿；小叶柄短，不足 1 mm。头状花序着生于先端和上部叶腋，具花 20 ~ 35；总花梗长 1.3（~ 5）cm，被柔毛；花序下端具一早落的膜质总苞；花长（10 ~）12 ~ 17 mm；花萼

钟形，长 6 ～ 10 mm，被长柔毛，脉纹 10，萼齿丝状锥尖，比萼筒长 2 倍；花冠淡红色至紫红色，旗瓣椭圆形，先端钝圆，基部稍窄，几无瓣柄，翼瓣长圆形，下方有 1 钩状耳，龙骨瓣长圆形，比翼瓣短，先端具小尖喙，基部具长瓣柄；子房狭椭圆形，无毛，具柄，花柱丝状，上部弯成钩状；胚珠 5 ～ 8。荚果长圆形，长 6 mm（不包括宿存花柱），宽 2.5 mm，膜质，棕灰色；有种子（2 ～）3 ～ 6；种子阔卵形，直径 1.5 mm，榄绿色，平滑。花果期 6 ～ 10 月。

| **生境分布** | 生于低湿草地、林缘和山坡。分布于河北赤城、丰宁、沽源等。

| **资源情况** | 野生资源丰富。药材主要来源于野生。

| **采收加工** | 秋季采收，除去杂质，晒干或鲜用。

| **药材性状** | 本品全长 30 ～ 60 cm。根多分枝。茎略呈四棱形，表面有细纵纹，质脆，易折断。掌状复叶，托叶膜质，鞘状抱茎；小叶 5，多皱缩、卷曲，完整者展平后呈披针形或狭椭圆形，长 2.5 ～ 4 cm，宽 0.5 ～ 1.2 cm，边缘具细锯齿，两面侧脉隆起，下面中脉有稀疏柔毛，近无柄。有时可见暗红紫色头状花序及线状长圆形荚果。气微，味淡。

| **功能主治** | 苦，平。止咳，镇痛，散结。用于咳喘，淋巴结结核，痔疮，体癣。

| **用法用量** | 内服煎汤，9 ～ 15 g；或浸酒。外用适量，煎汤洗；或鲜品取汁敷。

豆科 Fabaceae 刺槐属 Robinia

刺槐

Robinia pseudoacacia L.

| 植物别名 |

洋槐、伞形洋槐、塔形洋槐。

| 药 材 名 |

刺槐花（药用部位：花）、刺槐根（药用部位：根）。

| 形态特征 |

落叶乔木，高 10 ~ 25 m；树皮灰褐色至黑褐色，浅裂至深纵裂，稀光滑。小枝灰褐色，幼时有棱脊，微被毛，后无毛；具托叶刺，长达 2 cm；冬芽小，被毛。羽状复叶长 10 ~ 25（~ 40）cm；叶轴上面具沟槽；小叶 2 ~ 12 对，常对生，椭圆形、长椭圆形或卵形，长 2 ~ 5 cm，宽 1.5 ~ 2.2 cm，先端圆、微凹，具小尖头，基部圆至阔楔形，全缘，上面绿色，下面灰绿色，幼时被短柔毛，后变无毛；小叶柄长 1 ~ 3 mm；小托叶针芒状。总状花序腋生，长 10 ~ 20 cm，下垂，花多数，芳香；苞片早落；花梗长 7 ~ 8 mm；花萼斜钟状，长 7 ~ 9 mm，萼齿 5，三角形至卵状三角形，密被柔毛；花冠白色，各瓣均具瓣柄，旗瓣近圆形，长 16 mm，宽约 19 mm，先端凹缺，基部圆，反折，内有黄斑，翼瓣斜倒卵形，与旗瓣几等长，基部一侧具圆耳，龙骨瓣镰状三角形，与翼瓣等长或较之稍短，前缘合生，先端钝尖；雄蕊二体，对旗瓣的1雄蕊分离。荚果褐色，或具红褐色斑纹，线状长圆形，长5～12 cm，宽1～1.3（～1.7）cm，扁平，先端上弯，具尖头，果颈短，沿腹缝线具狭翅；花萼宿存，有种子2～15；种子褐色至黑褐色，微具光泽，有时具斑纹，近肾形，长5～6 mm，宽约3 mm，种脐圆形，偏于一端。花期4～6月，果期8～9月。

| 生境分布 | 生于公路旁及村舍附近。分布于河北昌黎、赤城、丰宁等。

| 资源情况 | 野生资源丰富。栽培资源丰富。药材主要来源于野生。

| 采收加工 | 刺槐花：初夏采收花序，摘下花，晾干。
刺槐根：秋季采挖，切片，晾干。

| 药材性状 | 刺槐花：本品略呈飞鸟状，长1.3～1.6 cm。下部为钟状花萼，棕色，被亮白色短柔毛，先端5齿裂，基部有花梗，其近上端有1关节，节上略粗，节下狭细。上部为花冠，花瓣5，皱缩，有时残破或脱落，其中旗瓣1，宽大，常反折，翼瓣2，两侧生，较狭，龙骨瓣2，上部合生，钩镰状；雄蕊10，其中9花丝合生，1花丝下部参与连合；子房线形，棕色，花柱弯生，先端有短柔毛。质软，体轻。气微，味微甘。

| 功能主治 | 刺槐花：甘，平。归肝经。止血。用于咯血，肠风下血，吐血，崩漏。
刺槐根：苦，微寒。凉血止血，舒筋活络。用于便血，咯血，吐血，崩漏，劳伤乏力，风湿骨痛，跌打损伤。

| 用法用量 | 刺槐花：内服煎汤，9～15 g；或泡茶饮。
刺槐根：内服煎汤，9～30 g。

大豆 *Glycine max* (L.) Merr.

| 植物别名 | 菽、黄豆。

| 药材名 | 黑大豆（药用部位：黑色种子。别名：大豆、乌豆、黑豆）、黑大豆叶（药用部位：叶。别名：大豆叶、黑豆叶）、黑大豆皮（药用部位：黑色种皮。别名：黑豆衣、黑豆皮、稆豆衣）、黑大豆花（药用部位：花）、黄大豆（药用部位：黄色种子。别名：黄豆）、大豆根（药用部位：根）、大豆黄卷（药材来源：成熟种子经发芽干燥的炮制加工品）。

| 形态特征 | 一年生草本，高 30 ~ 90 cm。茎粗壮，直立，或上部近缠绕状，上部多少具棱，密被褐色长硬毛。叶通常具 3 小叶；托叶宽卵形，渐尖，长 3 ~ 7 mm，具脉纹，被黄色柔毛；叶柄长 2 ~ 20 mm，幼嫩时散生疏柔毛或具棱并被长硬毛；小叶纸质，宽卵形、近圆形或椭圆状

披针形，顶生 1 较大，长 5 ~ 12 cm，宽 2.5 ~ 8 cm，先端渐尖或近圆形，稀钝形，具小尖凸，基部宽楔形或圆形，侧生小叶较小，斜卵形，通常两面散生糙毛或下面无毛；侧脉每边 5；小托叶披针形，长 1 ~ 2 mm；小叶柄长 1.5 ~ 4 mm，被黄褐色长硬毛。总状花序短的少花，长的多花；总花梗长 10 ~ 35 mm 或更长，通常有 5 ~ 8 无梗、紧挤的花，植株下部的花有时单生或成对生于叶腋间；苞片披针形，长 2 ~ 3 mm，被糙伏毛；小苞片披针形，长 2 ~ 3 mm，被伏贴的刚毛；花萼长 4 ~ 6 mm，密被长硬毛或糙伏毛，常深裂成二唇形，裂片 5，披针形，上部 2 裂片常合生至中部以上，下部 3 裂片分离，均密被白色长柔毛；花紫色、淡紫色或白色，长 4.5 ~ 8（~ 10）mm，旗瓣倒卵状近圆形，先端微凹并通常外反，基部具瓣柄，翼瓣篦状，基部狭，具瓣柄和耳，龙骨瓣斜倒卵形，具短瓣柄；雄蕊二体；子房基部有不发达的腺体，被毛。荚果肥大，长圆形，

稍弯，下垂，黄绿色，长 4 ~ 7.5 cm，宽 8 ~ 15 mm，密被褐黄色长毛；种子 2 ~ 5，椭圆形、近球形或卵圆形至长圆形，长约 1 cm，宽 5 ~ 8 mm，种皮光滑，淡绿色、黄色、褐色和黑色等，因品种而异，种脐明显，椭圆形。花期 6 ~ 7 月，果期 7 ~ 9 月。

| 生境分布 | 生于田间。分布于河北涉县、永年、赞皇等。

| 资源情况 | 野生资源丰富。栽培资源丰富。药材主要来源于栽培。

| 采收加工 | 黑大豆：8 ~ 10 月采收成熟果实，碾碎果壳，拣取黑色种子。

黑大豆叶：5 ~ 6 月采摘，鲜用或晒干。

黑大豆皮：将黑大豆用清水浸泡，待发芽后，搓下种皮，晒干；或取做豆腐时剥下的种皮，晒干，贮藏于干燥处。

黑大豆花：6 ~ 7 月花开时采收，晒干。

黄大豆：8 ~ 10 月采收成熟果实，取其种子晒干。

大豆根：9 ~ 10 月采挖，晒干。

大豆黄卷：取净大豆，用水浸泡至膨胀，放去水，用湿布覆盖，每日淋水 2 次，待芽长至 0.5 ~ 1 cm 时，取出，干燥。

| 药材性状 | 黑大豆：本品呈椭圆形而略扁，长 6 ~ 10 mm，直径 5 ~ 7 mm，厚 1 ~ 6 mm。表面黑色，略有光泽，有时具横向皱纹，一侧边缘具长圆形种脐。种皮薄，内表面呈灰黄色，除去种皮，可见 2 子叶，黄绿色，肥厚。质较坚硬。气微，具豆腥味。

黑大豆皮：本品为不规则卷曲的碎片，厚约 0.1 mm。外表面黑色，光滑，微具光泽，有的碎片可见色稍淡、椭圆形的种脐；内表面浅灰黄色至浅灰棕色，平滑。气微，味淡。

黄大豆：本品呈黄色、黄绿色。种皮薄，除去种皮，可见 2 子叶，子叶黄绿色，肥厚。质坚硬。气微，具豆腥味。

大豆黄卷：本品略呈肾形，长约 8 mm，宽约 6 mm。表面黄色或黄棕色，微皱缩，一侧有明显的脐点，一端有 1 弯曲胚根。外皮质脆，多破裂或脱落。子叶 2，黄色。气微，味淡，嚼之有豆腥味。

| **功能主治** | **黑大豆**：甘，平。归脾、肾经。活血利水，祛风解毒，健脾益肾。用于水肿，黄疸，脚气，行痹痉挛，产后风痉，肾虚腰痛，遗尿，痈肿疮毒，药物、食物中毒。

黑大豆叶：利尿通淋，凉血解毒。用于热淋，血淋，蛇咬伤。

黑大豆皮：甘，凉。归肝、肾经。养阴平肝，祛风解毒。用于眩晕，头痛，阴虚烦热，盗汗，行痹，湿毒，痈疮。

黑大豆花：明目去翳。用于翳膜遮睛。

黄大豆：甘，平。归脾、胃、大肠经。健脾消积，利水消肿。用于食积泻痢，腹胀纳呆，脾虚水肿，疮痈肿毒，外伤出血。

大豆根：甘，平。利水消肿。用于水肿。

大豆黄卷：甘，平。归脾、胃、肺经。解表祛暑，清热利湿。用于暑湿感冒，湿温初起，发热汗少，胸闷脘痞，肢体酸重，小便不利。

| **用法用量** | **黑大豆**：内服煎汤，9 ~ 30 g；或入丸、散剂。外用适量，研末掺；或煮汁涂。

黑大豆叶：内服煎汤，鲜品 15 ~ 30 g。外用适量，鲜品捣敷。

黑大豆皮：内服煎汤，6 ~ 15 g。外用适量，捣敷。

黑大豆花：内服煎汤，3 ~ 9 g。

黄大豆：内服煎汤，30 ~ 90 g；或研末。外用适量，捣敷；或炒焦研末调敷。

大豆根：内服煎汤，30 ~ 60 g。

大豆黄卷：内服煎汤，9 ~ 15 g。

| **附　注** | 大豆是我国重要的粮食作物之一，已有 5 000 年的栽培历史，通常被认为是由野大豆 *Glycine soja* Sieb. et Zucc. 驯化而来，现知约有 1 000 个栽培品种。本种药用有滋补养心、祛风明目、清热利水、活血解毒等功效。

豆科 Fabaceae　大豆属 Glycine

野大豆

Glycine soja Sieb. et Zucc.

| 植物别名 | 小落豆、小落豆秧、落豆秧。

| 药 材 名 | 穞豆（药用部位：种子。别名：稆豆、马料豆、零乌豆）、野大豆藤（药用部位：茎、叶、根）。

| 形态特征 | 一年生缠绕草本，长 1 ~ 4 m。茎、小枝纤细，全体疏被褐色长硬毛。叶具 3 小叶，长可达 14 cm；托叶卵状披针形，急尖，被黄色柔毛；顶生小叶卵圆形或卵状披针形，长 3.5 ~ 6 cm，宽 1.5 ~ 2.5 cm，先端锐尖至钝圆，基部近圆形，全缘，两面均被绢状糙伏毛，侧生小叶斜卵状披针形。总状花序通常短，稀长可达 13 cm；花小，长约 5 mm；花梗密生黄色长硬毛；苞片披针形；花萼钟状，密生长毛，裂片 5，三角状披针形，先端锐尖；花冠淡红紫色或白色，旗瓣近圆形，先端微凹，基部具短瓣柄，翼瓣斜倒卵形，有明显的耳，

龙骨瓣较旗瓣及翼瓣短小，密被长毛；花柱短而向一侧弯曲。荚果长圆形，稍弯，两侧稍扁，长 17 ~ 23 mm，宽 4 ~ 5 mm，密被长硬毛，种子间稍缢缩，干时易裂；种子 2 ~ 3，椭圆形，稍扁，长 2.5 ~ 4 mm，宽 1.8 ~ 2.5 mm，褐色至黑色。花期 7 ~ 8 月，果期 8 ~ 10 月。

| 生境分布 | 生于山野、河岸、沼泽地附近及湿草地和灌丛。分布于河北乐亭、蔚县、易县等。

| 资源情况 | 野生资源丰富。栽培资源丰富。药材主要来源于栽培。

| 采收加工 | **稆豆**：秋季果实成熟时割取全株，晒干，打开果荚，收集种子，再晒至足干。
野大豆藤：秋季采收，晒干。

| 功能主治 | **稆豆**：甘，凉。归肾、肝经。补益肝肾，祛风解毒。用于肾虚腰痛，行痹，筋骨疼痛，阴虚盗汗，内热消渴，目昏头晕，产后风痉，小儿疳积，痈肿。
野大豆藤：甘，凉。清热敛汗，舒筋止痛。用于盗汗，劳伤筋骨，胃痛，小儿食积。

| 用法用量 | **稆豆**：内服煎汤，9 ~ 15 g；或入丸、散剂。
野大豆藤：内服煎汤，30 ~ 120 g。外用适量，捣敷；或研末调敷。

豆科 Fabaceae 刀豆属 Canavalia

刀豆

Canavalia gladiata (Jacq.) DC.

| 植物别名 | 挟剑豆、尖萼刀豆。

| 药 材 名 | 刀豆（药用部位：种子。别名：刀豆子、大戈豆、白凤豆）、刀豆壳
（药用部位：果壳）、刀豆根（药用部位：根）。

| 形态特征 | 缠绕草本，长达数米，无毛或稍被毛。羽状复叶具 3 小叶；小叶卵
形，长 8 ~ 15 cm，宽（4 ~）8 ~ 12 cm，先端渐尖或具急尖的尖头，
基部宽楔形，两面薄被微柔毛或近无毛，侧生小叶偏斜，小叶柄长
约 7 mm，被毛；叶柄常较小叶片为短。总状花序具长总花梗，花数
朵生于总轴中部以上；花梗极短，生于花序轴隆起的节上；小苞片
卵形，长约 1 mm，早落；花萼长 15 ~ 16 mm，稍被毛，上唇长约
为萼管的 1/3，具 2 阔而圆的裂齿，下唇 3 裂，齿小，长 2 ~ 3 mm，
急尖；花冠白色或粉红色，长 3 ~ 3.5 cm，旗瓣宽椭圆形，先端凹入，

基部具不明显的耳及阔瓣柄,翼瓣和龙骨瓣均弯曲,具向下的耳; 子房线形,被毛。荚果带状,略弯曲,长 20 ~ 35 cm,宽 4 ~ 6 cm,距缝线约 5 mm 处有棱;种子椭圆形或长椭圆形,长约 3.5 cm,宽约 2 cm,厚约 1.5 cm,种皮红色或褐色,种脐长约为种子周长的 3/4。花期 7 ~ 9 月,果期 10 月。

| **生境分布** | 生于路边、草坡。分布于河北迁安等。

| **资源情况** | 野生资源稀少。药材主要来源于栽培。

| **采收加工** | 刀豆:秋季采收成熟果实,剥取种子,晒干。
刀豆壳:秋季采收成熟果实,晒干,剥去种子,将果壳晒至全干。
刀豆根:9 ~ 10 月采挖,晒干或鲜用。

| **药材性状** | 刀豆:本品呈扁卵形或扁肾形,长 2 ~ 3.5 cm,宽 1 ~ 2 cm,厚 0.5 ~ 1.2 cm。表面淡红色至红紫色,微皱缩,略有光泽,边缘具眉状黑色种脐,长约 2 cm,上有 3 白色细纹。质硬,难破碎。种皮革质,内表面棕绿色而光亮;子叶 2,黄白色,油润。气微,味淡,嚼之有豆腥味。

| **功能主治** | 刀豆:甘,温。归胃、肾经。温中,下气,止呃。用于虚寒呃逆,呕吐。
刀豆壳:甘,平。下气,活血。用于反胃,呃逆,久痢,闭经,喉痹,喉癣。
刀豆根:苦,温。祛风,活血,通经,止痛。用于头风,跌打损伤,风湿腰痛,心痛,牙痛,久痢,疝气,闭经。

| **用法用量** | 刀豆:内服煎汤,6 ~ 9 g。
刀豆壳:内服煎汤,9 ~ 15 g。
外用适量,烧存性研末敷。
刀豆根:内服煎汤,9 ~ 15 g。
外用适量,捣敷。

豆科 Fabaceae 甘草属 Glycyrrhiza

刺果甘草
Glycyrrhiza pallidiflora Maxim.

| 药 材 名 | 狗甘草（药用部位：果实。别名：胡苍耳、马狼秆、马狼柴）、狗甘草根（药用部位：根）。

| 形态特征 | 多年生草本。根和根茎无甜味。茎直立，多分枝，高 1 ~ 1.5 m，具条棱，密被黄褐色鳞片状腺点，几无毛。叶长 6 ~ 20 cm；托叶披针形，长约 5 mm；叶柄无毛，密生腺点；小叶 9 ~ 15，披针形或卵状披针形，长 2 ~ 6 cm，宽 1.5 ~ 2 cm，上面深绿色，下面淡绿色，两面均密被鳞片状腺体，无毛，先端渐尖，具短尖，基部楔形，边缘具微小的钩状细齿。总状花序腋生，花密集成球状；总花梗短于叶，密生短柔毛及黄色鳞片状腺点；苞片卵状披针形，长 6 ~ 8 mm，膜质，具腺点；花萼钟状，长 4 ~ 5 mm，密被腺点，基部常疏被短柔毛，萼齿 5，披针形，与萼筒近等长；花冠淡紫色、紫色或淡紫红色，

旗瓣卵圆形，长 6 ～ 8 mm，先端圆，基部具短瓣柄，翼瓣长 5 ～ 6 mm，龙骨瓣稍短于翼瓣。果序呈椭圆状，荚果卵圆形，长 10 ～ 17 mm，宽 6 ～ 8 mm，先端具突尖，外面被长约 5 mm 的硬刺；种子 2，黑色，圆肾形，长约 2 mm。花期 6 ～ 7 月，果期 7 ～ 9 月。

| **生境分布** | 生于田边、路边、河边草丛。分布于河北景县、冀州、故城等。

| **资源情况** | 野生资源丰富。栽培资源丰富。药材主要来源于栽培。

| **采收加工** | 狗甘草：8 ～ 9 月果实成熟时采收，鲜用或晒干。
狗甘草根：9 ～ 10 月采挖，切段，晒干。

| **药材性状** | 狗甘草根：本品呈圆柱形，头部有分枝，长 20 ～ 100 cm，直径 0.3 ～ 1.5 cm。表面灰黄色至灰褐色，有不规则扭曲的纵皱纹及横长皮孔。质坚硬，难折断，断面纤维状，有粉性，皮部灰白色，占断面的 1/5 ～ 1/4，木部淡黄色，有放射状纹理。气微，味苦、涩，嚼之微有豆腥气。根无芽、无髓。

| **功能主治** | 狗甘草：甘、辛，微温。催乳。用于乳汁不足。
狗甘草根：甘、辛，温。杀虫止痒，止咳。用于滴虫性阴道炎，百日咳。

| **用法用量** | 狗甘草：内服煎汤，6 ～ 9 g。
狗甘草根：内服煎汤，9 ～ 15 g。外用适量，煎汤熏洗。

甘草 *Glycyrrhiza uralensis* Fisch.

| 植物别名 | 国老、甜草、甜根子。

| 药 材 名 | 甘草（药用部位：根及根茎）、甘草节（药用部位：根及根茎内填充的棕黑色树脂状物质。别名：粉草节）、甘草头（药用部位：根茎上端的芦头。别名：疙瘩草）、甘草梢（药用部位：根的末梢或细根）。

| 形态特征 | 多年生草本。根与根茎粗壮，直径1～3 cm，外面褐色，里面淡黄色，具甜味。茎直立，多分枝，高30～120 cm，密被鳞片状腺点、刺毛状腺体及白色或褐色的绒毛。叶长5～20 cm；托叶三角状披针形，长约5 mm，宽约2 mm，两面密被白色短柔毛；叶柄密被褐色腺点和短柔毛；小叶5～17，卵形、长卵形或近圆形，长1.5～5 cm，宽0.8～3 cm，上面暗绿色，下面绿色，两面均密被黄褐色腺点及

短柔毛，先端钝，具短尖，基部圆，全缘或微呈波状，多少反卷。总状花序腋生，具多数花；总花梗短于叶，密生褐色的鳞片状腺点和短柔毛；苞片长圆状披针形，长 3 ~ 4 mm，褐色，膜质，外面被黄色腺点和短柔毛；花萼钟状，长 7 ~ 14 mm，密被黄色腺点及短柔毛，基部偏斜并膨大成囊状，萼齿 5，与萼筒近等长，上部 2 齿大部分联合；花冠紫色、白色或黄色，长 10 ~ 24 mm，旗瓣长圆形，先端微凹，基部具短瓣柄，翼瓣短于旗瓣，龙骨瓣短于翼瓣；子房密被刺毛状腺体。荚果弯曲成镰状或环状，密集成球，密生瘤状突起和刺毛状腺体；种子 3 ~ 11，暗绿色，圆形或肾形，长约 3 mm。花期 6 ~ 8 月，果期 7 ~ 10 月。

| **生境分布** | 生于干旱沙地、河岸砂质地、山坡草地及盐渍化土壤。分布于河北蠡县、平泉、蔚县等。

| **资源情况** | 野生资源丰富。栽培资源丰富。药材主要来源于栽培。

| **采收加工** | 甘草：春、秋季采挖，除去须根，晒干。
甘草节：采收甘草时，取出根或根茎中填充的树脂状物质，晾干。
甘草头：采收甘草时，切取芦头，晒干。
甘草梢：采收甘草时，切取支根，晒干。

| **药材性状** | **甘草**：本品根呈圆柱形，长 25 ～ 100 cm，直径 0.6 ～ 3.5 cm。外皮松紧不一。表面红棕色或灰棕色，具显著的纵皱纹、沟纹、皮孔及稀疏的细根痕。质坚实，断面略显纤维性，黄白色，粉性，形成层环明显，射线放射状，有的有裂隙。根茎呈圆柱形，表面有芽痕，断面中部有髓。气微，味甜而特殊。 |

| **功能主治** | **甘草**：甘，平。归心、肺、脾、胃经。补脾益气，清热解毒，祛痰止咳，缓急止痛，调和诸药。用于脾胃虚弱，倦怠乏力，心悸气短，咳嗽痰多，脘腹、四肢挛急疼痛，痈肿疮毒，缓解药物毒性、烈性。
甘草节：甘，生凉、炙温。归心、脾、胃经。解毒，利咽，和中。用于痈肿疮毒，咽喉肿痛。 |

甘草头：甘，微寒。归肝、胃经。活血解毒，缩尿止遗。用于上部痈肿，小儿遗尿。

甘草梢：甘，寒。归心、小肠、膀胱经。泻火解毒，利尿通淋。用于热淋，小便短少，阴茎疼痛，胸中积热。

| 用法用量 | 甘草：内服煎汤，2 ~ 10 g。

甘草节：内服煎汤，3 ~ 6 g；或研末。

甘草头：内服煎汤，3 ~ 6 g。

甘草梢：内服煎汤，1.5 ~ 4.5 g。

| 附　　注 | 本属其他植物的根及根茎也有作甘草药用者，如粗毛甘草、黄甘草、云南甘草及圆果甘草等。甘草不宜与海藻、京大戟、芫花、甘遂同用。甘草叶中含有多种黄酮类成分。大批药材最好放于冷藏仓库，少量时置于通风干燥处，蜜炙甘草应置密闭容器内，以防毒、防蛀。

豆科 Fabaceae 葛属 Pueraria

葛

Pueraria lobata (Willd.) Ohwi

| 植物别名 | 葛藤、野葛。

| 药 材 名 | 葛根（药用部位：块根。别名：鸡齐根、粉葛、葛条根）、葛花（药用部位：花。别名：葛条花）。

| 形态特征 | 粗壮藤本，长可达 8 m，全体被黄色长硬毛。茎基部木质，有粗厚的块状根。羽状复叶具 3 小叶；托叶背着，卵状长圆形，具线条；小托叶线状披针形，与小叶柄等长或较之长；小叶 3 裂，偶尔全缘，顶生小叶宽卵形或斜卵形，长 7 ~ 15（~ 19）cm，宽 5 ~ 12（~ 18）cm，先端长渐尖，侧生小叶斜卵形，稍小，上面被淡黄色、平伏的疏柔毛，下面毛较密；小叶柄被黄褐色绒毛。总状花序长 15 ~ 30 cm，中部以上有颇密集的花；苞片线状披针形至线形，远比小苞片长，早落；小苞片卵形，长不及 2 mm；花 2 ~ 3 聚生于

花序轴的节上；花萼钟形，长 8 ～ 10 mm，被黄褐色柔毛，裂片披针形，渐尖，比萼管略长；花冠长 10 ～ 12 mm，紫色，旗瓣倒卵形，基部有 2 耳及 1 黄色硬痂状附属体，具短瓣柄，翼瓣镰状，较龙骨瓣为狭，基部有线形、向下的耳，龙骨瓣镰状长圆形，基部有极小、急尖的耳；对旗瓣的 1 雄蕊仅上部离生；子房线形，被毛。荚果长椭圆形，长 5 ～ 9 cm，宽 8 ～ 11 mm，扁平，被褐色长硬毛。花期 9 ～ 10 月，果期 11 ～ 12 月。

| 生境分布 | 生于山地疏林或密林。分布于河北昌黎、沙河、赞皇等。

| 资源情况 | 野生资源丰富。药材主要来源于野生。

| 采收加工 | **葛根**：秋、冬季采挖，趁鲜切厚片或小块，干燥。
葛花：立秋后花未全开时采收，除去枝叶，晒干。

| 药材性状 | **葛根**：本品为纵切的长方形厚片或小方块，长 5 ～ 35 cm，厚 0.5 ～ 1 cm。外皮淡棕色至棕色，有纵皱纹，粗糙。切面黄白色至淡黄棕色，有的纹理明显。质韧，纤维性强。气微，味微甜。

葛花：本品花蕾呈扁长圆形。开放的花皱缩，花萼灰绿色至灰黄色，萼齿5，披针形，约与萼筒等长或较之稍长，上面2齿合生，长8～11 mm，下面裂片最长者可长达15 mm，其他2裂片长5～7 mm，内外均有灰白色毛。花冠蓝色至蓝紫色，久置则呈灰黄色，旗瓣近圆形或长圆形，长6～15 mm，宽6～12 mm，先端中央缺刻，深0.5～1 mm，翼瓣窄三角形，长6～12 mm，宽2～5 mm，基部附属体一侧甚小或无，弦侧附属体长明显大于宽，龙骨瓣长5～13 mm，宽3～5 mm，弦侧基部有三角形附属体。花药长0.6～0.9 mm，宽0.3～0.5 mm。无臭，味淡。

| 功能主治 | **葛根**：甘、辛，凉。归脾、胃、肺经。解肌退热，生津止渴，透疹，升阳止泻，通经活络，解酒毒。用于外感发热头痛，项背强痛，口渴，消渴，麻疹不透，热痢，泄泻，眩晕头痛，中风偏瘫，胸痹心痛，酒毒伤中。

葛花：甘，凉。归胃经。解酒醒脾，止血。用于伤酒所致的烦热口渴、头痛头晕、脘腹胀满、呕逆吐酸、不思饮食，吐血，肠风下血。

| 用法用量 | **葛根**：内服煎汤，10～15 g；或捣汁。外用适量，捣敷。

葛花：内服煎汤，3～9 g；或入丸、散剂。

豆科 Fabaceae 杭子梢属 Campylotropis

杭子梢
Campylotropis macrocarpa (Bge.) Rehd.

| 植物别名 |

多花杭子梢。

| 药 材 名 |

壮筋草（药用部位：根、枝叶）。

| 形态特征 |

灌木，高1~2（~3）m。小枝贴生或近贴生短柔毛或长柔毛，嫩枝毛密，少有绒毛，老枝常无毛。羽状复叶具3小叶；托叶狭三角形、披针形或披针状钻形，长（2~）3~6 mm；叶柄长（1~）1.5~3.5 cm，稍密生短柔毛或长柔毛，少为毛少或无毛，枝上部（或中部）的叶柄常较短，有时长不及1 cm；小叶椭圆形或宽椭圆形，有时过渡为长圆形，长（2~）3~7 cm，宽1.5~3.5（~4）cm，先端圆形、钝或微凹，具小凸尖，基部圆形，稀近楔形，上面通常无毛，脉明显，下面通常贴生或近贴生短柔毛或长柔毛，疏生至密生，中脉明显隆起，毛较密。总状花序单一，稀2，腋生并顶生，花序连总花梗长4~10 cm或有时更长；总花梗长1~4（~5）cm；花序轴密生开展的短柔毛或微柔毛，总花梗常斜生或贴生短柔毛，稀具绒毛；苞片卵状披针形，长1.5~3 mm，

早落或花后逐渐脱落；小苞片近线形或披针形，长 1 ~ 1.5 mm，早落；花梗长（4 ~）6 ~ 12 mm，具开展的微柔毛或短柔毛，极稀贴生毛；花萼钟形，长 3 ~ 4（~ 5）mm，稍浅裂或近中裂，稀稍深裂或深裂，通常贴生短柔毛，萼裂片狭三角形或三角形，渐尖，下方萼裂片较狭长，上方萼裂片几乎全部合生或少有分离；花冠紫红色或近粉红色，长 10 ~ 12（~ 13）mm，稀长不及 10 mm，旗瓣椭圆形、倒卵形或近长圆形等，近基部狭窄，瓣柄长 0.9 ~ 1.6 mm，翼瓣微短于旗瓣或与之等长，龙骨瓣呈直角或微钝角内弯，瓣片上部通常比瓣片下部（连瓣柄）短 1 ~ 3（~ 3.5）mm。荚果长圆形、近长圆形或椭圆形，长（9 ~）10 ~ 14（~ 16）mm，宽（3.5 ~）4.5 ~ 5.5（~ 6）mm，先端具短喙尖，果颈长 1 ~ 1.4（~ 1.8）mm，稀不及 1 mm，无毛，具网脉，边缘生纤毛。花果期（5 ~）6 ~ 10 月。

| **生境分布** | 生于海拔 150 ~ 1 900 m 的山坡、灌丛、林缘、山谷沟边及林中。分布于河北内丘、涉县、涿鹿等。

| **资源情况** | 野生资源丰富。药材主要来源于野生。

| **采收加工** | 夏、秋季采收，洗净，切片或段，晒干。

| **功能主治** | 微苦、微辛，温。祛风散寒，舒筋活血。用于肢体麻木，半身不遂，感冒，水肿。

| **用法用量** | 内服煎汤，10 ~ 15 g；或浸酒。

豆科 Fabaceae 合欢属 Albizia

合欢

Albizia julibrissin Durazz.

| 植物别名 | 绒花树、马缨花、乌绒树。

| 药 材 名 | 合欢花（药用部位：花序或花蕾。别名：夜合花、乌绒）、合欢皮（药用部位：树皮。别名：合昏皮、夜合皮、合欢木皮）。

| 形态特征 | 落叶乔木，高可达 16 m；树冠开展。小枝有棱角，嫩枝、花序和叶轴被绒毛或短柔毛。托叶线状披针形，较小叶小，早落；二回羽状复叶，总叶柄近基部及最顶 1 对羽片着生处各有 1 腺体；羽片 4 ~ 12 对，栽培的有时达 20 对；小叶 10 ~ 30 对，线形至长圆形，长 6 ~ 12 mm，宽 1 ~ 4 mm，向上偏斜，先端有小尖头，具缘毛，有时在下面或仅中脉上有短柔毛；中脉紧靠上边缘。头状花序于枝顶排成圆锥花序；花粉红色；花萼管状，长 3 mm；花冠长 8 mm，裂片三角形，长 1.5 mm，花萼、花冠外面均被短柔毛；花丝长 2.5 cm。

荚果带状，长 9 ～ 15 cm，宽 1.5 ～ 2.5 cm，嫩荚有柔毛，老荚无毛。花期 6 ～ 7 月，果期 8 ～ 10 月。

| 生境分布 | 生于海拔 200 ～ 600 m 的山坡。分布于河北宽城、乐亭、永年等。

| 资源情况 | 野生资源丰富。药材主要来源于野生。

| 采收加工 | 合欢花：夏季花开时择晴天采收或花蕾形成时采收，及时晒干。前者习称"合欢花"，后者习称"合欢米"。
合欢皮：夏、秋季剥取，晒干。

| 药材性状 | 合欢花：本品合欢花为头状花序，皱缩成团。总花梗长 3 ～ 4 cm，有时与花序脱离，黄绿色，有纵纹，被稀疏毛茸。花全体密被毛茸，细长而弯曲，长

0.7 ~ 1 cm，淡黄色或黄褐色，无花梗或几无花梗。花萼筒状，先端有 5 小齿；花冠筒长约为萼筒的 2 倍，先端 5 裂，裂片披针形；雄蕊多数，花丝细长，黄棕色至黄褐色，下部合生，上部分离，伸出花冠筒外。气微香，味淡。合欢米呈棒槌状，长 2 ~ 6 mm，膨大部分直径约 2 mm，淡黄色至黄褐色，全体被毛茸，花梗极短或无。花萼筒状，先端有 5 小齿；花冠未开放；雄蕊多数，细长并弯曲，基部连合，包于花冠内。气微香，味淡。

合欢皮：本品呈卷曲的筒状或半筒状，长 40 ~ 80 cm，厚 0.1 ~ 0.3 cm。外表面灰棕色至灰褐色，稍有纵皱纹，有的为浅裂纹，密生明显的椭圆形横向皮孔，棕色或棕红色，偶有凸起的横棱或较大的圆形枝痕，常附有地衣斑；内表面淡黄棕色或黄白色，平滑，有细密纵纹。质硬而脆，易折断，断面纤维性，淡黄棕色或黄白色。气微香，味淡、微涩，稍刺舌而后喉头有不适感。

| 功能主治 | 合欢花：甘，平。归心、肝经。解郁安神。用于心神不安，忧郁失眠。

合欢皮：甘，平。归心、肝、肺经。解郁安神，活血消肿。用于心神不安，忧郁失眠，肺痈，疮肿，跌仆伤痛。

| 用法用量 | 合欢花：内服煎汤，5 ~ 10 g。

合欢皮：内服煎汤，6 ~ 12 g。外用适量，研末调敷。

| 附 注 | 本种的树皮药用还有驱虫之效。花还有较好的强身、美容的作用，且具有清热解暑、解酒等功效。

豆科 Fabaceae 合欢属 *Albizia*

山槐

Albizia kalkora (Roxb.) Prain

| 植物别名 | 山合欢、白夜合、马缨花。

| 药 材 名 | 山合欢皮（药用部位：树皮）。

| 形态特征 | 落叶小乔木或灌木，通常高 3 ~ 8 m。枝条暗褐色，被短柔毛，有
显著的皮孔。二回羽状复叶；羽片 2 ~ 4 对；小叶 5 ~ 14 对，长圆
形或长圆状卵形，长 1.8 ~ 4.5 cm，宽 7 ~ 20 mm，先端圆钝而有
细尖头，基部不对称，两面均被短柔毛，中脉稍偏于上侧。头状花
序 2 ~ 7 生于叶腋，或于枝顶排成圆锥花序；花初白色，后变黄，
具明显的小花梗；花萼管状，长 2 ~ 3 mm，5 齿裂；花冠长 6 ~ 8 mm，
中部以下连合成管状，裂片披针形，花萼、花冠均密被长柔毛；雄
蕊长 2.5 ~ 3.5 cm，基部连合成管状。荚果带状，长 7 ~ 17 cm，宽
1.5 ~ 3 cm，深棕色，嫩荚密被短柔毛，老时无毛；种子 4 ~ 12，

倒卵形。花期 5 ~ 6 月，果期 8 ~ 10 月。

| 生境分布 | 生于山坡灌丛、疏林。分布于河北邢台及赞皇等。

| 资源情况 | 野生资源丰富。药材主要来源于野生。

| 采收加工 | 夏、秋季剥取，晒干。

| 药材性状 | 本品呈卷曲的筒状或半筒状，长短不等，厚 1 ~ 7 mm。外表面淡灰褐色、棕褐色或灰黑色相间，较薄的树皮上可见棕色或棕黑色的纵棱线，密生棕色或棕红色横向皮孔，老树皮粗糙，栓皮厚，常呈纵向开裂，无皮孔；内表面黄白色，有细密的纵纹。质硬而脆，易折断，断面纤维性，淡黄色或黄白色。气微，味淡、微涩，稍有刺舌感。

| 功能主治 | 甘，平。归心、肝、肺经。安神，活血，消肿。用于失眠，肺痈疮肿，跌仆伤痛。

| 用法用量 | 内服煎汤，6 ~ 12 g。外用适量，研末调敷。

| 附　　注 | 本种的根及茎皮可药用，具有补气活血、消肿止痛之功效；花具催眠的功效。

豆科 Fabaceae 合萌属 Aeschynomene

合萌 *Aeschynomene indica* L.

| 植物别名 | 田皂角、镰刀草。

| 药 材 名 | 合萌（药用部位：地上部分。别名：水茸角、合明草、水皂角）、合萌叶（药用部位：叶）、合萌根（药用部位：根）、梗通草（药用部位：茎中的木部。别名：白梗通、野通草、气通草）。

| 形态特征 | 一年生草本或亚灌木状。茎直立，高 0.3 ~ 1 m，多分枝，圆柱形，无毛，具小凸点而稍粗糙，小枝绿色。叶具 20 ~ 30 对小叶或更多；托叶膜质，卵形至披针形，长约 1 cm，基部下延成耳状，通常有缺刻或啮蚀状；叶柄长约 3 mm；小叶近无柄，薄纸质，线状长圆形，长 5 ~ 10（~ 15）mm，宽 2 ~ 2.5（~ 3.5）mm，上面密布腺点，下面稍带白粉，先端钝圆或微凹，具细刺尖头，基部歪斜，全缘；小托叶极小。总状花序比叶短，腋生，长 1.5 ~ 2 cm；总花梗长 8 ~ 12 mm，花

梗长约1 cm；小苞片卵状披针形，宿存；花萼膜质，具纵脉纹，长约4 mm，无毛；花冠淡黄色，具紫色的纵脉纹，易脱落，旗瓣大，近圆形，基部具极短的瓣柄，翼瓣篦状，龙骨瓣比旗瓣稍短，比翼瓣稍长或与之近等长；雄蕊二体；子房扁平，线形。荚果线状长圆形，直或弯曲，长3～4 cm，宽约3 mm，腹缝线直，背缝线多少呈波状；荚节4～8（～10），平滑或中央有小疣状突起，不开裂，成熟时逐节脱落；种子黑棕色，肾形，长3～3.5 mm，宽2.5～3 mm。花期7～8月，果期8～10月。

| **生境分布** | 生于除草原、荒漠外的林区及其边缘。分布于河北昌黎、抚宁、行唐等。

| **资源情况** | 野生资源丰富。药材主要来源于野生。

| 采收加工 | 合萌：9 ~ 10 月采割，鲜用或晒干。
合萌叶：5 ~ 9 月采集，鲜用或晒干。
合萌根：9 ~ 10 月采挖，鲜用或晒干。
梗通草：9 ~ 10 月拔起全株，除去根、枝叶、茎的先端部分，剥去茎皮，取木部，晒干。

| 药材性状 | 合萌根：本品呈圆柱形，上端渐细，直径 1 ~ 2 cm；表面乳白色，平滑，具细密的纵纹及残留的分枝痕，基部有时连有多数须根。质轻而松软，易折断，折断面白色，不平坦，中央有小孔洞。气微，味淡。
梗通草：本品呈圆柱状，上端较细，长达 40 cm，直径 1 ~ 3 cm；表面乳白色，平滑，具细密的纵纹，并有皮孔样凹点及枝痕。质轻脆，易折断，断面类白色，不平坦，隐约可见同心性环纹，中央有小孔。气微，味淡。

| 功能主治 | 合萌：甘、苦，微寒。清热利湿，祛风明目，通乳。用于热淋，血淋，水肿，泄泻，疖肿，疥疮，目赤肿痛，目生云翳，夜盲，关节疼痛，乳少。
合萌叶：用于创伤出血，疮疡久溃不敛。
合萌根：甘、苦，寒。清热利湿，消积，解毒。用于血淋，痢疾，黄疸，小儿疳积，目昏，牙痛，疮疖。
梗通草：淡、微苦，凉。清热，利尿，通乳，明目。用于热淋，小便不利，水肿，乳汁不通，夜盲。

用法用量	**合萌**：内服煎汤，15 ~ 30 g。外用适量，煎汤熏洗；或捣敷。
	合萌叶：内服捣汁，60 ~ 90 g。外用适量，研末调涂；或捣敷。
	合萌根：内服煎汤，9 ~ 15 g，鲜品 30 ~ 60 g。外用适量，捣敷。
	梗通草：内服煎汤，6 ~ 15 g。

豆科 Fabaceae 胡枝子属 *Lespedeza*

大叶胡枝子

Lespedeza davidii Franch.

| 药 材 名 | 和血丹（药用部位：带根全株。别名：胡枝子、大叶乌梢）。

| 形态特征 | 直立灌木，高 1 ~ 3 m。枝条较粗壮，稍曲折，有明显的条棱，密被长柔毛。托叶 2，卵状披针形，长 5 mm；叶柄长 1 ~ 4 cm，密被短硬毛；小叶宽卵圆形或宽倒卵形，长 3.5 ~ 7（~ 13）cm，宽 2.5 ~ 5（~ 8）cm，先端圆或微凹，基部圆形或宽楔形，全缘，两面密被黄白色绢毛。总状花序腋生或于枝顶形成圆锥花序，花稍密集，比叶长；总花梗长 4 ~ 7 cm，密被长柔毛；小苞片卵状披针形，长 2 mm，外面被柔毛；花萼阔钟形，5 深裂，长 6 mm，裂片披针形，被长柔毛；花冠红紫色，旗瓣倒卵状长圆形，长 10 ~ 11 mm，宽约 5 mm，先端圆或微凹，基部具耳和短柄，翼瓣狭长圆形，比旗瓣和龙骨瓣短，长 7 mm，基部具弯钩形耳和细长的瓣柄，龙骨瓣

略呈弯刀形，与旗瓣近等长，基部有明显的耳和柄；子房密被毛。荚果卵形，长 8 ~ 10 mm，稍歪斜，先端具短尖，基部圆，表面具网纹和稍密的绢毛。花期 7 ~ 9 月，果期 9 ~ 10 月。

| 生境分布 | 生于海拔 800 m 的干旱山坡、路旁或灌丛。分布于河北阜平、武安等。

| 资源情况 | 野生资源丰富。药材主要来源于野生。

| 采收加工 | 夏、秋季采收，切段，晒干。

| 药材性状 | 本品茎枝具棱及翅，密被白色绒毛。三出复叶，多皱缩，总叶柄长 2 ~ 4 cm；完整小叶呈广倒卵形、卵圆形，长 3.5 ~ 9 cm，宽 2.5 ~ 6.5 cm，侧生小叶较小；叶先端圆或微缺，基部圆形，全缘，上面黄绿色，下面灰绿色，两面及叶柄均密被黄白色绢毛。总状花序腋生，花枝密被柔毛，花萼阔钟状，花冠暗紫色。荚果倒卵形，长 8 mm，密生绢毛。气微，味淡。

| 功能主治 | 甘，平。清热解表，止咳止血，通经活络。用于外感头痛，发热，痧疹不透，痢疾，咳嗽咯血，尿血，便血，崩漏，腰痛。

| 用法用量 | 内服煎汤，15 ~ 30 g。

| 附　　注 | 1942 年 Ricker 曾发表产于浙江的 *Lespedeza merrilli* Rick.（Amer. Journ. Bot. 33: 258）与本种近似，但其植株不密被长柔毛，只疏生短柔毛，且花序较长，长达 25 cm。

豆科 Fabaceae 胡枝子属 *Lespedeza*

多花胡枝子
Lespedeza floribunda Bunge

| 植物别名 | 四川胡枝子。

| 药 材 名 | 铁鞭草（药用部位：全株或根。别名：米汤草、石告杯）。

| 形态特征 | 小灌木，高 30 ~ 60（~ 100）cm。根细长。茎常近基部分枝。枝有条棱，被灰白色绒毛。托叶线形，长 4 ~ 5 mm，先端刺芒状；羽状复叶具 3 小叶；小叶具柄，倒卵形、宽倒卵形或长圆形，长 1 ~ 1.5 cm，宽 6 ~ 9 mm，先端微凹、钝圆或近截形，具小刺尖，基部楔形，上面被疏伏毛，下面密被白色伏柔毛，侧生小叶较小。总状花序腋生；总花梗细长，显著超出叶；花多数；小苞片卵形，长约 1 mm，先端急尖；花萼长 4 ~ 5 mm，被柔毛，5 裂，上方 2 裂片下部合生，上部分离，裂片披针形或卵状披针形，长 2 ~ 3 mm，先端渐尖；花冠紫色、紫红色或蓝紫色，旗瓣椭圆形，长 8 mm，

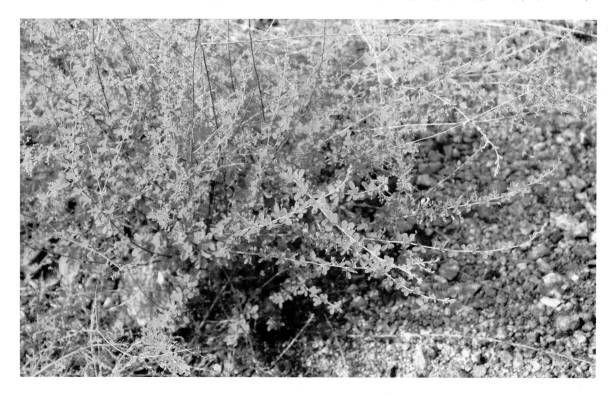

先端圆形，基部有柄，翼瓣稍短，龙骨瓣长于旗瓣，具钝头。荚果宽卵形，长约 7 mm，超出宿存萼，密被柔毛，有网状脉。花期 6 ~ 9 月，果期 9 ~ 10 月。

| **生境分布** | 生于海拔 1 300 m 以下的石质山坡。分布于河北磁县、怀安、内丘等。

| **资源情况** | 野生资源丰富。药材主要来源于野生。

| **采收加工** | 6 ~ 10 月采收，根洗净，切片，晒干，茎叶，切段，晒干。

| **药材性状** | 本品茎多基部分枝，枝条细长柔弱，具条纹。三出复叶，叶片多皱缩，完整小叶呈倒卵形或狭长倒卵形，长 6 ~ 15 mm，宽 3 ~ 9 mm，先端截形，具刺尖，嫩叶下表面密被白色绒毛。总状花序腋生，蝶形花冠暗紫红色。荚果卵状菱形，长约 5 mm，有柔毛。气微，味涩。

| **功能主治** | 涩，凉。消积，截疟。用于小儿疳积，疟疾。

| **用法用量** | 内服煎汤，9 ~ 15 g。

| **附　　注** | 从本种的干燥叶中分离得到的生物碱对大鼠离体子宫有强收缩作用。

豆科 Fabaceae 胡枝子属 Lespedeza

胡枝子 *Lespedeza bicolor* Turcz.

| 植物别名 | 萩、胡枝条、扫皮。

| 药 材 名 | 胡枝子（药用部位：枝叶。别名：随军茶、扫皮、胡枝条）、胡枝子花（药用部位：花。别名：胡枝花、鹿鸣花）、胡枝子根（药用部位：根。别名：野山豆根）。

| 形态特征 | 直立灌木，高 1 ～ 3 m，多分枝。小枝黄色或暗褐色，有条棱，被疏短毛；芽卵形，长 2 ～ 3 mm，具数枚黄褐色鳞片。羽状复叶具 3 小叶；托叶 2，线状披针形，长 3 ～ 4.5 mm；叶柄长 2 ～ 7（～ 9）cm；小叶质薄，卵形、倒卵形或卵状长圆形，长 1.5 ～ 6 cm，宽 1 ～ 3.5 cm，先端钝圆或微凹，稀稍尖，具短刺尖，基部近圆形或宽楔形，全缘，上面绿色，无毛，下面色淡，被疏柔毛，老时渐无毛。总状花序腋生，比叶长，常构成大型、较疏松的圆锥花序；

总花梗长 4 ~ 10 cm；小苞片 2，卵形，长不足 1 cm，先端钝圆或稍尖，黄褐色，被短柔毛；花梗短，长约 2 mm，密被毛；花萼长约 5 mm，5 浅裂，裂片通常短于萼筒，上方 2 裂片合生成 2 齿，裂片卵形或三角状卵形，先端尖，外面被白毛；花冠红紫色，极稀白色，长约 10 mm，旗瓣倒卵形，先端微凹，翼瓣较短，近长圆形，基部具耳和瓣柄，龙骨瓣与旗瓣近等长，先端钝，基部具较长的瓣柄；子房被毛。荚果斜倒卵形，稍扁，长约 10 mm，宽约 5 mm，表面具网纹，密被短柔毛。花期 7 ~ 9 月，果期 9 ~ 10 月。

| **生境分布** | 生于海拔 150 ~ 1 000 m 的山坡、林缘、路旁、灌丛及杂木林。分布于河北邢台及武安、涿鹿等。

| **资源情况** | 野生资源丰富。药材主要来源于野生。

| **采收加工** | 胡枝子：6 ~ 9 月采收，鲜用，或切段，晒干。
胡枝子花：7 ~ 8 月花开时采收，阴干。
胡枝子根：7 ~ 10 月采挖，切片，晒干或鲜用。

| **药材性状** | 胡枝子根：本品呈圆柱形，稍弯曲，长短不等，直径 0.8 ~ 1.4 cm。表面灰棕色，有支根痕、横向突起及纵皱纹。质坚硬，难折断，断面中央无髓，木部灰黄色，皮部棕褐色。气微弱，味微苦、涩。

| **功能主治** | 胡枝子：甘，平。润肺解热，利尿止血。用于感冒发热，咳嗽，眩晕头痛，小便不利，便血，尿血，吐血。
胡枝子花：甘，平。清热止血，润肺止咳。用于便血，肺热咳嗽。
胡枝子根：甘，平。祛风除湿，活血止痛，止血止带，清热解毒。用于感冒发热，风湿痹痛，跌打损伤，鼻衄，赤白带下，流注肿毒。

| **用法用量** | 胡枝子：内服煎汤，9 ~ 15 g，鲜品 30 ~ 60 g；或泡茶饮。
胡枝子花：内服煎汤，9 ~ 15 g。
胡枝子根：内服煎汤，9 ~ 15 g，鲜品 30 ~ 60 g；或炖肉；或浸酒。外用适量，研末调敷。

豆科 Fabaceae 胡枝子属 Lespedeza

尖叶铁扫帚
Lespedeza juncea (L. f.) Pers.

| 植物别名 |

尖叶胡枝子。

| 药 材 名 |

尖叶铁扫帚（药用部位：全株）。

| 形态特征 |

小灌木，高可达 1 m，全株被伏毛，分枝或上部分枝呈扫帚状。托叶线形，长约 2 mm；叶柄长 0.5 ~ 1 cm；羽状复叶具 3 小叶；小叶倒披针形、线状长圆形或狭长圆形，先端稍尖或钝圆，长 1.5 ~ 3.5 cm，宽（2 ~）3 ~ 7 mm，先端稍尖或钝圆，有小刺尖，基部渐狭，边缘稍反卷，上面近无毛，下面密被伏毛。总状花序腋生，稍超出叶，有 3 ~ 7 排列较密集的花，近似伞形花序；总花梗长；苞片及小苞片卵状披针形或狭披针形，长约 1 mm；花萼狭钟状，长 3 ~ 4 mm，5深裂，裂片披针形，先端锐尖，外面被白色伏毛，花开后具明显 3 脉；花冠白色或淡黄色，旗瓣基部带紫斑，花期不反卷或稀反卷，龙骨瓣先端带紫色，翼瓣、旗瓣与龙骨瓣近等长，有时旗瓣较短；闭锁花簇生于叶腋，近无梗。荚果宽卵形，两面被白色伏毛，稍超出宿存萼。花期 7 ~ 9 月，果期 9 ~ 10 月。

| **生境分布** | 生于海拔 1 500 m 以下的山坡灌丛。分布于河北行唐、怀安、赞皇等。

| **资源情况** | 野生资源一般。药材主要来源于野生。

| **功能主治** | 苦、涩，微寒。止泻痢，止血，补肾固涩。用于痢疾，遗精，吐血，子宫脱垂。

| **用法用量** | 内服煎汤，45 ~ 75 g。

豆科 Fabaceae 胡枝子属 *Lespedeza*

截叶铁扫帚

Lespedeza cuneata (Dum.-Cours.) G. Don

| 植物别名 | 夜关门。

| 药 材 名 | 铁扫帚（药用部位：全株或根。别名：夜门关、苍蝇翼、铁马鞭）。

| 形态特征 | 小灌木，高达 1 m。茎直立或斜升，被毛，上部分枝。分枝斜上举。叶密集，柄短；小叶楔形或线状楔形，长 1 ~ 3 cm，宽 2 ~ 5（~ 7）mm，先端截形或近截形，具小刺尖，基部楔形，上面近无毛，下面密被伏毛。总状花序腋生，具 2 ~ 4 花；总花梗极短；小苞片卵形或狭卵形，长 1 ~ 1.5 mm，先端渐尖，背面被白色伏毛，边缘具缘毛；花萼狭钟形，密被伏毛，5 深裂，裂片披针形；花冠淡黄色或白色，旗瓣基部有紫斑，有时龙骨瓣先端带紫色，翼瓣与旗瓣近等长，龙骨瓣稍长；闭锁花簇生于叶腋。荚果宽卵形或近球形，被伏毛，长 2.5 ~ 3.5 mm，宽约 2.5 mm。花期 7 ~ 8 月，果期 9 ~ 10 月。

| 生境分布 | 生于海拔 2 500 m 以下的山坡路旁。分布于河北阜平、滦平、平泉等。

| 资源情况 | 野生资源较丰富。药材主要来源于野生。

| 采收加工 | 夏、秋季采收，洗净，切碎，晒干或鲜用。

| 药材性状 | 本品茎细长，被毛。三出羽状复叶，密集，多卷曲、皱缩，小叶楔形或线状楔形，长 1 ~ 3 cm，宽 2 ~ 5（~ 7）mm，先端截形或近截形，具小刺尖，基部楔形，上面近无毛，下面密被伏毛。短总状花序腋生；花萼钟状；花冠淡黄色或白色。荚果宽卵形或近球形，长 2.5 ~ 3.5 mm，宽约 2.5 mm，棕色，先端有喙。气微，味苦。

| 功能主治 | 甘、微苦，平。清热利湿，消食除积，祛痰止咳。用于小儿疳积，消化不良，胃肠炎，细菌性痢疾，胃痛，黄疸性肝炎，肾炎性水肿，带下，口腔炎，咳嗽，支气管炎；外用于带状疱疹，毒蛇咬伤。

| 用法用量 | 内服煎汤，15 ~ 30 g。

| 附　　注 | 现代研究证实本种具有止咳平喘、兴奋子宫、抑制金黄色葡萄球菌和肺炎链球菌的作用。

豆科 Fabaceae 胡枝子属 *Lespedeza*

美丽胡枝子

Lespedeza thunbergii subsp. *formosa* (Vogel) H. Ohashi

| 植物别名 | 柔毛胡枝子。

| 药 材 名 | 马扫帚（药用部位：茎叶。别名：三妹木、假蓝根、碎蓝木）、马扫帚花（药用部位：花。别名：把天门花）、马扫帚根（药用部位：根。别名：马胡须、苗长根）。

| 形态特征 | 单一或丛生小灌木，高 1 ~ 2 m，多分枝。枝伸展，被疏柔毛。托叶披针形至线状披针形，长 4 ~ 9 mm，褐色，被疏柔毛；叶柄长 1 ~ 5 cm，被短柔毛；小叶椭圆形、长圆状椭圆形或卵形，稀倒卵形，两端稍尖或稍钝，长 2.5 ~ 6 cm，宽 1 ~ 3 cm，上面绿色，稍被短柔毛，下面淡绿色，贴生短柔毛。总状花序单一，腋生，比叶长，或构成顶生的圆锥花序；总花梗长可达 10 cm，被短柔毛；苞片卵状，渐尖，长 1.5 ~ 2 mm，密被绒毛；花梗短，被毛；花萼钟状，

长 5 ~ 7 mm，5 深裂，裂片长圆状披针形，长为萼筒的 2 ~ 4 倍，外面密被短柔毛；花冠红紫色，长 10 ~ 15 mm，旗瓣近圆形或稍长，先端圆，基部具明显的耳和瓣柄，翼瓣倒卵状长圆形，短于旗瓣和龙骨瓣，长 7 ~ 8 mm，基部有耳和细长瓣柄，龙骨瓣比旗瓣稍长，在花盛开时明显长于旗瓣，基部有耳和细长瓣柄。荚果倒卵形或倒卵状长圆形，长 8 mm，宽 4 mm，表面具网纹且被疏柔毛。花期 7 ~ 9 月，果期 9 ~ 10 月。

| **生境分布** | 生于海拔 2 800 m 以下的山坡、路旁及林缘灌丛。分布于河北磁县、行唐、平山等。

| **资源情况** | 野生资源一般。药材主要来源于野生。

| 采收加工 | 马扫帚：5 ~ 6 月采收，鲜用，或切段，晒干。
马扫帚花：8 ~ 9 月花盛开时采摘，鲜用或晒干。
马扫帚根：8 ~ 9 月采挖，除去须根，鲜用，或切片，晒干。

| 药材性状 | 马扫帚：本品茎呈圆柱形，棕色至棕褐色，小枝常有纵沟，幼枝密被短柔毛。
复叶 3 小叶，多皱缩，小叶展平后呈卵形、卵状椭圆形或椭圆状披针形，先端
急尖、圆钝或微凹，有小尖，基部楔形，上面绿色至棕绿色，下面灰绿色，密
生短柔毛。气微清香，味淡。
马扫帚花：本品花呈蝶状，花萼钟状，生短柔毛。花瓣紫红色或白色，花梗短，
有毛。质地脆，易碎。气微，味微苦、涩。
马扫帚根：本品为不规则的类圆形片状，断面浅红棕色，纤维性，周边棕红色。
粗糙，质坚韧。气微，味苦。

| **功能主治** | **马扫帚**：苦，平。清热凉血，利尿通淋。用于便血，尿血，小便不利，中暑发痧，蛇咬伤。

马扫帚花：甘，平。清肺，凉血。用于肺热咳嗽，便血，尿血。

马扫帚根：苦、微辛，平。清热解毒，活血止痛。用于肺痈，乳痈，疖肿，腹泻，风湿痹痛，跌打损伤。

| **用法用量** | **马扫帚**：内服煎汤，30 ~ 60 g。

马扫帚花：内服煎汤，30 ~ 60 g。

马扫帚根：内服煎汤，15 ~ 30 g。外用适量，鲜品捣敷。

豆科 Fabaceae 胡枝子属 Lespedeza

绒毛胡枝子

Lespedeza tomentosa (Thunb.) Sieb. ex Maxim.

| 植物别名 |

山豆花。

| 药 材 名 |

小雪人参（药用部位：根。别名：鲜白土子、山豆花根、小毛香）。

| 形态特征 |

灌木，高达 1 m，全株密被黄褐色绒毛。茎直立，单一或上部少分枝。托叶线形，长约 4 mm；羽状复叶具 3 小叶；小叶质厚，椭圆形或卵状长圆形，长 3 ~ 6 cm，宽 1.5 ~ 3 cm，先端钝或微心形，边缘稍反卷，上面被短伏毛，下面密被黄褐色绒毛或柔毛，沿脉上尤多；叶柄长 2 ~ 3 cm。总状花序顶生或于茎上部腋生；总花梗粗壮，长 4 ~ 8（~ 12）cm；苞片线状披针形，长 2 mm，有毛；花具短梗，密被黄褐色绒毛；花萼密被毛，长约 6 mm，5 深裂，裂片狭披针形，长约 4 mm，先端长渐尖；花冠黄色或黄白色，旗瓣椭圆形，长约 1 cm，龙骨瓣与旗瓣近等长，翼瓣较短，长圆形；闭锁花生于茎上部叶腋，簇生成球状。荚果倒卵形，长 3 ~ 4 mm，宽 2 ~ 3 mm，先端有短尖，表面密被毛。

| 生境分布 | 生于海拔 1 000 m 以下的干山坡草地及灌丛。分布于河北井陉、灵寿、平泉等。

| 资源情况 | 野生资源丰富。药材主要来源于野生。

| 采收加工 | 9 ~ 10 月采挖，切片，晒干。

| 功能主治 | 甘、淡，平。补虚，利水，活血。用于虚劳，血虚头晕，水肿，腹水，痢疾，闭经，痛经。

| 用法用量 | 内服煎汤，15 ~ 30 g。

豆科 Fabaceae 胡枝子属 Lespedeza

细梗胡枝子

Lespedeza virgata (Thunb.) DC.

| 药 材 名 | 细梗胡枝子（药用部位：全株）。

| 形态特征 | 小灌木，高 25 ～ 50 cm，有时可达 1 m，基部分枝。枝细，带紫色，被白色伏毛。托叶线形，长 5 mm；羽状复叶具 3 小叶；小叶椭圆形、长圆形或卵状长圆形，稀近圆形，长（0.6 ～）1 ～ 2（～ 3）cm，宽 4 ～ 10（～ 15）mm，先端钝圆，有时微凹，有小刺尖，基部圆形，边缘稍反卷，上面无毛，下面密被伏毛，侧生小叶较小；叶柄长 1 ～ 2 cm，被白色伏柔毛。总状花序腋生，通常具 3 稀疏的花；总花梗纤细，毛发状，被白色伏柔毛，显著超出叶；苞片及小苞片披针形，长约 1 mm，被伏毛；花梗短；花萼狭钟形，长 4 ～ 6 mm；旗瓣长约 6 mm，基部有紫斑，翼瓣较短，龙骨瓣长于旗瓣或近等长；闭锁花簇生于叶腋，无梗，结实。荚果近圆形，通常不超出萼。花

期 7 ~ 9 月，果期 9 ~ 10 月。

| **生境分布** | 生于海拔 800 m 以下的石山山坡。分布于河北阜平、武安等。

| **资源情况** | 野生资源一般。药材主要来源于野生。

| **采收加工** | 夏秋茎叶茂盛时采收，除去杂质，洗净，切碎，晒干。

| **药材性状** | 本品根呈长圆柱形，具分枝，表面淡黄棕色，具细纵皱纹，皮孔呈点状或横向延长成疤状。茎圆柱形，较细，表面灰黄色至灰褐色。叶为三出复叶，小叶片狭卵形、倒卵形或椭圆形，长 1 ~ 2.5 cm，宽 0.5 ~ 1.5 cm，先端圆钝，稍具短尖，全缘，绿色或绿褐色，上面近无毛或被平伏短毛，下面毛较密集。有时可见腋生的总状花序，花梗无关节，花萼杯状，长 4.5 mm，被疏毛，花冠蝶形。荚果斜倒卵形。气微，味淡，具豆腥气。

| **功能主治** | 甘，平。清热解毒，利水消肿，通淋。用于肾炎性水肿，中暑发热，小便涩痛。

| **用法用量** | 内服煎汤，25 ~ 50 g。

豆科 Fabaceae 胡枝子属 Lespedeza

兴安胡枝子
Lespedeza daurica (Laxm.) Schindl.

| 植物别名 | 毛果胡枝子、达呼尔胡枝子、达呼里胡枝子。

| 药 材 名 | 枝儿条（药用部位：全株或根。别名：牤牛毛、牛枝子、牛筋子）。

| 形态特征 | 草本状灌木，高达 30 ~ 100 cm。茎通常稍斜升，单一或数个簇生；老枝黄褐色或赤褐色，有短柔毛，幼枝绿褐色，有细棱和白色短柔毛。羽状三出复叶；托叶 2，刺芒状，长 2 ~ 6 mm；叶柄长 0.5 ~ 2 cm；小叶披针状矩形，长 1.5 ~ 3 cm，宽 5 ~ 10 mm，先端圆形或微凹，有小刺尖，基部圆形，全缘，上面无毛，下面被贴伏的短柔毛，侧生小叶较小。总状花序腋生，比叶短；总花梗密生短柔毛；小苞片披针状线形，长 2 ~ 5 mm，先端长渐尖，有毛；花萼 5 深裂，萼筒杯状，外面被白毛，萼裂片披针形，先端刺芒状，几与花冠近等长；花冠白色或黄白色，旗瓣长圆形，长约 1 cm，中央稍带紫色，

翼瓣长圆形，先端钝，较短，龙骨瓣比翼瓣长，先端圆形，均具长爪；闭锁花生于叶腋。荚果小，包裹于花萼内，倒卵形或长倒卵形，长 3 ~ 4 mm，宽 2 ~ 3 mm，先端有宿存花柱，两面凸出，有毛。花期 7 ~ 8 月，果期 9 ~ 10 月。

| 生境分布 |

生于森林草原山坡、丘陵、沙地。分布于河北昌黎、磁县、沽源等。

| 资源情况 |

野生资源丰富。药材主要来源于野生。

| 采收加工 |

夏秋季采收，切段，晒干。

| 功能主治 |

辛，温。解表散寒。用于感冒发热，咳嗽。

| 用法用量 |

内服煎汤，9 ~ 15 g。

豆科 Fabaceae 苦参属 Sophora

白刺花

Sophora davidii (Franch.) Skeels

| 植物别名 | 苦刺花、白刻针、马鞭采。

| 药材名 | 白刺花根（药用部位：根）、白刺花（药用部位：花）、白刺花果（药用部位：果实）、白刺花叶（药用部位：叶）。

| 形态特征 | 灌木或小乔木，高 1 ~ 2 m，有时 3 ~ 4 m。枝多开展，小枝初被毛，旋即脱净，不育枝末端明显变成刺，有时分叉。羽状复叶；托叶钻状，部分变成刺，疏被短柔毛，宿存；小叶 5 ~ 9 对，形态多变，一般为椭圆状卵形或倒卵状长圆形，长 10 ~ 15 mm，先端圆或微缺，常具芒尖，基部钝圆，上面几无毛，下面中脉隆起，疏被长柔毛或近无毛。总状花序着生于小枝先端；花小，长约 15 mm，较少；花萼钟状，稍歪斜，蓝紫色，萼齿 5，不等大，圆三角形，无毛；花冠白色或淡黄色，有时旗瓣稍带红紫色，旗瓣倒卵状长圆形，长

14 mm，宽 6 mm，先端圆形，基部具细长柄，柄与瓣片近等长，反折，翼瓣与旗瓣等长，单侧生，倒卵状长圆形，宽约 3 mm，具 1 锐尖耳，明显具海绵状折皱，龙骨瓣比翼瓣稍短，镰状倒卵形，具锐三角形耳；雄蕊 10，等长，基部连合不足 1/3；子房比花丝长，密被黄褐色柔毛，花柱变曲，无毛，胚珠多数。荚果非典型串珠状，稍压扁，长 6 ~ 8 cm，宽 6 ~ 7 mm，开裂方式同砂生槐，表面散生毛或近无毛，有种子 3 ~ 5；种子卵球形，长约 4 mm，直径约 3 mm，深褐色。花期 3 ~ 8 月，果期 6 ~ 10 月。

| 生境分布 | 生于海拔 2 500 m 以下的河谷沙丘和山坡路边的灌丛。分布于河北井陉、涉县、赞皇等。

| 资源情况 | 野生资源一般。栽培资源一般。药材主要来源于栽培。

| 采收加工 | **白刺花根**：夏、秋季采挖，洗净泥土，切片，晒干。
白刺花：3 ~ 5 月花未完全展开时采收，鲜用或晒干。
白刺花果：6 ~ 8 月果实成熟时采收，晒干。
白刺花叶：夏、秋季采集嫩叶，鲜用或晒干。

| 功能主治 | **白刺花根**：苦，寒。归肺、大肠经。清热利湿，消积通便，杀虫止痒。用于腹痛腹胀，食积虫积，痢疾，带下阴痒，疥癞疮癣。

白刺花：苦，凉。归肝、膀胱经。清热解暑。用于暑热烦渴。

白刺花果：苦，凉。清热化湿，消积止痛。用于食积，胃痛，腹痛。

白刺花叶：苦，凉。凉血，解毒，杀虫。用于衄血，便血，疔疮肿毒，疥癣，烫伤，滴虫性阴道炎。

| 用法用量 | **白刺花根**：内服煎汤，9 ~ 15 g。外用适量，捣敷。
白刺花：内服泡茶，1 ~ 3 g。
白刺花果：内服煎汤，3 ~ 6 g；或研末。
白刺花叶：内服煎汤，9 ~ 15 g。外用适量，捣敷。

豆科 Fabaceae 苦参属 Sophora

苦参
Sophora flavescens Alt.

| 植物别名 | 野槐、山槐、白茎地骨。

| 药 材 名 | 苦参（药用部位：根。别名：苦骨、川参、牛参）。

| 形态特征 | 草本或亚灌木，稀呈灌木状，通常高 1 m 左右，稀达 2 m。茎具纹
棱，幼时疏被柔毛，后无毛。羽状复叶长达 25 cm；托叶披针状线形，
渐尖，长 6 ~ 8 mm；小叶 6 ~ 12 对，互生或近对生，纸质，形状
多变，椭圆形、卵形、披针形至披针状线形，长 3 ~ 4（~ 6）cm，
宽（0.5 ~）1.2 ~ 2 cm，先端钝或急尖，基部宽楔形或浅心形，
上面无毛，下面疏被灰白色短柔毛或近无毛，中脉在下面隆起。总
状花序顶生，长 15 ~ 25 cm；花多数，疏或稍密；花梗纤细，长约
7 mm；苞片线形，长约 2.5 mm；花萼钟状，明显歪斜，具不明显
波状齿，完全发育后近平截，长约 5 mm，宽约 6 mm，疏被短柔毛；

花冠比花萼长 1 倍，白色或淡黄白色，旗瓣倒卵状匙形，长 14 ~ 15 mm，宽 6 ~ 7 mm，先端圆形或微缺，基部渐狭成柄，柄宽 3 mm，翼瓣单侧生，强烈折皱几达瓣片的顶部，柄与瓣片近等长，长约 13 mm，龙骨瓣与翼瓣相似，稍宽，宽约 4 mm；雄蕊 10，分离或近基部稍连合；子房近无柄，被淡黄白色柔毛，花柱稍弯曲，胚珠多数。荚果长 5 ~ 10 cm，种子间稍缢缩，呈不明显串珠状，稍四棱形，疏被短柔毛或近无毛，成熟后开裂成 4 瓣，有种子 1 ~ 5；种子长卵形，稍压扁，深红褐色或紫褐色。花期 6 ~ 8 月，果期 7 ~ 10 月。

| **生境分布** | 生于海拔 1 500 m 以下的山坡、沙地草坡、灌木林中或田野附近。分布于河北磁县、宽城、灵寿等。

| **资源情况** | 野生资源丰富。栽培资源丰富。药材主要来源于栽培。

| **采收加工** | 春、秋季采挖，除去根头和小支根，洗净，干燥，或趁鲜切片，干燥。

| **药材性状** | 本品呈长圆柱形，下部常有分枝，长 10 ~ 30 cm，直径 1 ~ 6.5 cm。表面灰棕色或棕黄色，具纵皱纹和横长皮孔样突起，外皮薄，多破裂反卷，易剥落，剥落处显黄色，光滑。质硬，不易折断，断面纤维性，切片厚 3 ~ 6 mm，切面黄白色，具放射状纹理和裂隙，有的具呈同心性环列或不规则散在的异型维管束。气微，味极苦。

| **功能主治** | 苦，寒。归心、肺、肾、大肠经。清热燥湿，杀虫，利尿。用于热痢，便血，黄疸尿闭，赤白带下，阴肿阴痒，湿疮，皮肤瘙痒，疥癣麻风；外用于滴虫性阴道炎。

| **用法用量** | 内服煎汤，3 ~ 10 g；或入丸、散剂。外用适量，煎汤熏洗；或研末敷；或浸酒搽。

豆科 Fabaceae 槐属 Styphnolobium

槐

Styphnolobium japonicum (L.) Schott

| 植物别名 | 国槐、金药树、豆槐。

| 药材名 | 槐花（药用部位：花）、槐角（药用部位：果实）、槐米（药用部位：花蕾）。

| 形态特征 | 乔木，高达 25 m；树皮灰褐色，具纵裂纹。当年生枝绿色，无毛。羽状复叶长达 25 cm；叶轴初被疏柔毛，旋即脱净；叶柄基部膨大，包裹着芽；托叶形状多变，有时呈卵形，叶状，有时呈线形或钻状，早落；小叶 4 ~ 7 对，对生或近互生，纸质，卵状披针形或卵状长圆形，长 2.5 ~ 6 cm，宽 1.5 ~ 3 cm，先端渐尖，具小尖头，基部宽楔形或近圆形，稍偏斜，下面灰白色，初被疏短柔毛，旋变无毛；小托叶 2，钻状。圆锥花序顶生，常呈金字塔形，长达 30 cm；花梗比花萼短；小苞片 2，形似小托叶；花萼浅钟状，长约 4 mm，萼齿 5，

近等大，圆形或钝三角形，被灰白色短柔毛，萼管近无毛；花冠白色或淡黄色，旗瓣近圆形，长、宽均约 11 mm，具短柄，有紫色脉纹，先端微缺，基部浅心形，翼瓣卵状长圆形，长 10 mm，宽 4 mm，先端浑圆，基部斜戟形，无折皱，龙骨瓣阔卵状长圆形，与翼瓣等长，宽达 6 mm；雄蕊近分离，宿存；子房近无毛。荚果串珠状，长 2.5 ~ 5 cm 或稍长，直径约 10 mm，种子间缢缩不明显，种子排列较紧密，具肉质果皮，成熟后不开裂，具种子 1 ~ 6；种子卵球形，淡黄绿色，干后黑褐色。花期 7 ~ 8 月，果期 8 ~ 10 月。

| 生境分布 | 河北多地有栽培。分布于河北乐亭、灵寿、永年等。

| 资源情况 | 栽培资源丰富。药材主要来源于栽培。

| 采收加工 | **槐花：**夏季花初开时采收，及时干燥，除去枝、梗及杂质。
槐角：冬季采收，除去杂质，干燥。
槐米：夏季花未开时采收，除去杂质，当日晒干。

| 药材性状 | **槐花：**本品皱缩而卷曲，花瓣多散落。完整者花萼呈钟状，黄绿色，先端 5 浅裂，花瓣 5，黄色或黄白色，其中 1 片较大，近圆形，先端微凹，其余 4 片长圆形。雄蕊 10，其中 9 个基部连合，花丝细长。雌蕊圆柱形，弯曲。体轻。气微，味微苦。

槐角：本品呈连珠状，长 1 ~ 5 cm，直径 0.6 ~ 1 cm。表面黄绿色或黄褐色，皱缩而粗糙，背缝线一侧呈黄色。质柔润，干燥皱缩，易在收缩处折断，断面黄绿色，有黏性。种子 1 ~ 6，肾形，长约 8 mm，表面光滑，棕黑色；一侧有灰白色圆形种脐，质坚硬；子叶 2，黄绿色。果肉气微，味苦，种子嚼之有豆腥气。

槐米：本品呈卵形或椭圆形，长 2 ~ 6 mm，直径约 2 mm。花萼下部有数条纵纹，萼的上方为黄白色未开放的花瓣，花梗细小。体轻，手捻即碎。气微，味微苦。

| 功能主治 | **槐花**：苦，微寒。归肝、大肠经。凉血止血，清肝泻火。用于便血，痔血，血痢，崩漏，吐血，衄血，肝热目赤，头痛眩晕。

槐角：苦，寒。归肝、大肠经。清热泻火，凉血止血。用于肠热便血，痔肿出血，肝热头痛，眩晕目赤。

槐米：苦，微寒。凉血，止血，清热。用于吐血，衄血，便血，痔疮出血，崩漏，风热目赤。

| 用法用量 | **槐花**：内服煎汤，5 ~ 10 g；或入丸、散剂。外用适量，煎汤熏洗；或研末撒。止血宜炒用，清热降火宜生用。

槐角：内服煎汤，5 ~ 15 g；或入丸、散剂；或嫩角捣汁。外用适量，煎汤洗；或研末掺；或油调敷。

槐米：内服煎汤，4.5 ~ 9 g。

1cm

| 附　　注 | 本种因生境不同或人工选育而形态多变，产生许多变种和变型。

豆科 Fabaceae 蔓黄芪属 Phyllolobium

背扁黄耆

Phyllolobium chinense Fisch. ex DC.

| 植物别名 | 蔓黄耆、潼蒺藜。

| 药 材 名 | 沙苑子（药用部位：种子。别名：潼蒺藜、蔓黄芪、夏黄草）。

| 形态特征 | 主根圆柱状，长达 1 m。茎平卧，单一至多数，长 20 ~ 100 cm，有棱和分枝。奇数羽状复叶具 9 ~ 25 小叶，小叶椭圆形或倒卵状长圆形，长 5 ~ 18 mm，宽 3 ~ 7 mm，先端钝或微缺，基部圆形，上面无毛，下面疏被粗伏毛，小叶柄短。总状花序生 3 ~ 7 花；总花梗长 1.5 ~ 6 cm，疏被粗伏毛；苞片钻形，长 1 ~ 2 mm；花梗短；花萼钟状，被灰白色或白色短毛，萼筒长 2.5 ~ 3 mm；花冠蝶形，乳白色或带紫红色，旗瓣长 10 ~ 11 mm，宽 8 ~ 9 mm，瓣片近圆形，翼瓣长 8 ~ 9 mm，先端圆形，龙骨瓣长 9.5 ~ 10 mm，瓣片近倒卵形，长 7 ~ 7.5 mm，宽 2.8 ~ 3 mm；子房有柄，密被白色粗伏毛，柄

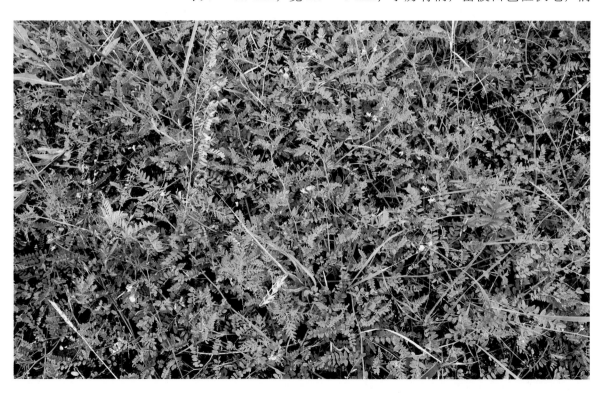

长 1.2 ~ 1.5 mm，柱头被簇毛。荚果略膨胀，狭长圆形，长达 35 mm，宽 5 ~ 7 mm，两端尖，背腹压扁，微被褐色短粗伏毛；种子淡棕色，肾形，长 1.5 ~ 2 mm，宽 2.8 ~ 3 mm，平滑。花期 7 ~ 9 月，果期 8 ~ 10 月。

| **生境分布** | 生于海拔 1 000 ~ 1 700 m 的路边、沟岸、草坡及干草场。分布于河北阜平、涞源、武安等。

| **资源情况** | 野生资源丰富。栽培资源丰富。药材主要来源于栽培。

| **采收加工** | 秋末冬初果实成熟但尚未开裂时采割植株，晒干，打下种子。

| **药材性状** | 本品略呈扁肾形，长约 2 mm，宽 1.5 ~ 2 mm，厚约 1 mm。表面光滑，褐绿色或灰褐色，边缘一侧凹处具圆形种脐。质坚硬，不易破碎。子叶 2，淡黄色，胚根弯曲，长约 1 mm。无臭，味淡，嚼之有豆腥味。

| **功能主治** | 甘，温。补肾固精，清肝明目。用于肾虚腰痛，遗精早泄，白浊带下，小便余沥，眩晕目昏。

| **用法用量** | 内服煎汤，6 ~ 9 g。

豆科 Fabaceae 黄芪属 Astragalus

草木樨状黄耆 *Astragalus melilotoides* Pall.

药材名

秦头（药用部位：全草。别名：苦豆根、紫云英、扫帚苗）。

形态特征

多年生草本。主根粗壮。茎直立或斜生，高30 ~ 50 cm，多分枝，具条棱，被白色短柔毛或近无毛。奇数羽状复叶，有5 ~ 7小叶，长1 ~ 3 cm；叶柄与叶轴近等长；托叶离生，三角形或披针形，长1 ~ 1.5 mm；小叶长圆状楔形或线状长圆形，长7 ~ 23 mm，宽1.5 ~ 4 mm，先端截形或微凹，基部渐狭，具极短的柄，两面均被白色细伏贴柔毛。总状花序腋生；花小，长约5 mm，多数；总花梗远较叶长；花梗长1 ~ 2 mm，连同花序轴均被白色短伏贴柔毛；花萼短钟状，长约1.5 mm，被白色短伏贴柔毛，萼齿三角形，较萼筒短；花冠白色或带粉红色，旗瓣近圆形或宽椭圆形，长约5 mm，先端微凹，基部具瓣柄，翼瓣较旗瓣稍短，先端2裂或微凹，基部具短耳，瓣柄长约1 mm，龙骨瓣较翼瓣短，瓣片半月形，先端带紫色；子房近无柄，无毛。荚果宽倒卵状球形或椭圆形，先端微凹，具短喙，长2.5 ~ 3.5 mm，假2室，背部具稍深的沟，有横纹；种子4 ~ 5，肾形，暗褐色，长约 1 mm。花期 7 ~ 8 月，果期 8 ~ 9 月。

| **生境分布** | 生于向阳山坡、路旁草地或草甸草地。分布于河北丰宁、沽源、行唐等。

| **资源情况** | 野生资源丰富。栽培资源丰富。药材主要来源于栽培。

| **采收加工** | 夏、秋季采收，洗净，晒干。

| **功能主治** | 苦，平。祛风除湿，止咳。用于风湿性关节疼痛，四肢麻木，咳嗽。

| **用法用量** | 内服煎汤，10 ~ 15 g。

| **附　　注** | 据记载（植物分类学报 18：368，1980），产于西藏东部和四川西部的洛隆黄者 *Astragalus lhorongensis* P. C. Li & C. C. Ni 与本种相似，它与本种的不同之处在于小叶数目较多、荚果长圆形等。

豆科 Fabaceae 黄芪属 Astragalus

蒙古黄耆 Astragalus mongholicus Bunge

| 植物别名 | 荚膜黄耆、黄耆。

| 药 材 名 | 黄芪（药用部位：根及根茎）。

| 形态特征 | 多年生草本，高 50 ~ 100 cm。主根肥厚，木质，常分枝，灰白色。茎直立，上部多分枝，有细棱，被白色柔毛。羽状复叶有 13 ~ 27 小叶，长 5 ~ 10 cm；叶柄长 0.5 ~ 1 cm；托叶离生，卵形、披针形或线状披针形，长 4 ~ 10 mm，下面被白色柔毛或近无毛；小叶椭圆形或长圆状卵形，长 7 ~ 30 mm，宽 3 ~ 12 mm，先端钝圆或微凹，具小尖头或不明显，基部圆形，上面绿色，近无毛，下面被伏贴白色柔毛。总状花序稍密，有 10 ~ 20 花；总花梗与叶近等长或较之长，至果期显著伸长；苞片线状披针形，长 2 ~ 5 mm，背面被白色柔毛；花梗长 3 ~ 4 mm，连同花序轴稍密被棕色或黑色柔毛；小苞片 2；

花萼钟状，长 5 ~ 7 mm，外面被白色或黑色柔毛，有时萼筒近无毛，仅萼齿有毛，萼齿短，三角形至钻形，长仅为萼筒的 1/5 ~ 1/4；花冠黄色或淡黄色，旗瓣倒卵形，长 12 ~ 20 mm，先端微凹，基部具短瓣柄，翼瓣较旗瓣稍短，瓣片长圆形，基部具短耳，瓣柄较瓣片长约 1.5 倍，龙骨瓣与翼瓣近等长，瓣片半卵形，瓣柄较瓣片稍长；子房有柄，被细柔毛。荚果薄膜质，稍膨胀，半椭圆形，长 20 ~ 30 mm，宽 8 ~ 12 mm，先端具刺尖，两面被白色或黑色细短柔毛，果颈超出萼外；种子 3 ~ 8。花期 6 ~ 8 月，果期 7 ~ 9 月。

| **生境分布** | 生于林缘、灌丛、疏林下、山坡草地或草甸中。分布于河北蔚县、武安、围场等。

| **资源情况** | 野生资源丰富。药材主要来源于栽培。

| 采收加工 | 春、秋季采挖，除去须根和根头，晒干。

| 药材性状 | 本品呈圆柱形，有的有分枝，上端较粗，长 30 ~ 90 cm，直径 1 ~ 3.5 cm。表面淡棕黄色或淡棕褐色，有不整齐的纵皱纹或纵沟。质硬而韧，不易折断，断面纤维性强，并显粉性，皮部黄白色，木部淡黄色，有放射状纹理和裂隙，老根中心偶呈枯朽状，黑褐色或呈空洞状。气微，味微甜，嚼之微有豆腥味。

| 功能主治 | 甘，微温。归肺、脾经。补气固表，利尿托毒，排脓，敛疮生肌。用于气虚乏力，食少便溏，中气下陷，久泻脱肛，便血崩漏，表虚自汗，气虚水肿，内热消渴，血虚萎黄，半身不遂，痹痛麻木，痈疽难溃，久溃不敛。

| 用法用量 | 内服煎汤，9 ~ 30 g。

| 附　注 | 本种其他同属植物的根，有的地区也作黄芪药用。金翼黄者 *Astragalus chrysopterus* Bunge 产于河北、青海、甘肃、山西等地，药材名为"小黄芪"，其根呈圆柱形，上部有细密环纹。多花黄者 *Astragalus floridus* Benth. ex Bunge 主产于四川、西藏等地，其根淡棕色或灰棕色，横切面皮部淡黄色，木部淡棕黄色，形成层处呈棕色环，味淡、微涩。梭果黄者 *Astragalus ernestii* Comb. 主产于四川，其根呈圆柱形，少分枝，表面淡棕色或灰棕色，横切面皮部乳白色或淡黄白色，木部淡棕黄色，味淡。东俄洛黄者 *Astragalus tongolensis* Ulbr. 产于甘肃、青海，药材名为"白大芪""马芪"或"土黄芪"，其根圆柱形，表面灰棕色至灰褐色，有纵皱纹，常有栓皮剥落后留下的棕褐色疤痕，折断面粗纤维状。同科岩黄者属多种植物药材的商品名为红芪，药材有时作黄芪入药。

个别地区既往常有将豆科苜蓿属植物紫苜蓿 *Medicago sativa* L.（安徽）、草木樨属植物草木樨 *Melilotus officinalis* (Linn.) Pall.（东北地区）和白花草木樨 *Melilotus albus* Medic. ex Desr.（山西）、锦鸡儿属植物锦鸡儿 *Caragana sinica* (Buc'hoz) Rehd.（华东地区）、棘豆属植物蓝花棘豆 *Oxytropis coerulea* (Pall.) DC.（河北、山西）和小花棘豆 *Oxytropis glabra* (Lam.) DC.（青海）、野扁豆属植物野扁豆 *Dunbaria villosa* (Thunb.) Makino（河南）及锦葵科锦葵属植物圆叶锦葵 *Malva rotundifolia* L.（江苏）、蜀葵属植物药蜀葵 *Althaea officinalis* L.（新疆）等的根称"土黄芪"或直接混称"黄芪"的情况，应注意鉴别，不要误作黄芪使用。 |

豆科 Fabaceae 鸡眼草属 Kummerowia

长萼鸡眼草

Kummerowia stipulacea (Maxim.) Makino

| 植物别名 | 圆叶鸡眼草、掐不齐、野苜蓿草。

| 药 材 名 | 鸡眼草（药用部位：全草。别名：人字草、小蓄片、妹子草）。

| 形态特征 | 一年生草本，高 7 ～ 15 cm。茎平伏，上升或直立，多分枝，茎和枝上被疏生向上的白毛，有时仅节处有毛。叶为三出羽状复叶；托叶卵形，长 3 ～ 8 mm，比叶柄长或有时与之近等长，边缘通常无毛；叶柄短；小叶纸质，倒卵形、宽倒卵形或倒卵状楔形，长 5 ～ 18 mm，宽 3 ～ 12 mm，先端微凹或近截形，基部楔形，全缘，下面中脉及边缘有毛，侧脉多而密。花常 1 ～ 2 腋生；小苞片 4，较萼筒稍短、稍长或与之近等长，生于萼下，其中 1 枚很小，生于花梗关节之下，常具 1 ～ 3 脉；花梗有毛；花萼膜质，阔钟形，5 裂，裂片宽卵形，有缘毛；花冠上部暗紫色，长 5.5 ～ 7 mm，旗瓣椭圆形，先端微凹，

下部渐狭成瓣柄，较龙骨瓣短，翼瓣狭披针形，与旗瓣近等长，龙骨瓣钝，上面有暗紫色斑点；雄蕊二体。荚果椭圆形或卵形，稍侧扁，长约 3 mm，常较萼长 1.5 ~ 3 倍。花期 7 ~ 8 月，果期 8 ~ 10 月。

| 生境分布 | 生于海拔 100 ~ 1 200 m 的路旁、草地、山坡、固定或半固定沙丘等。分布于河北邢台及涉县、易县等。

| 资源情况 | 野生资源一般。栽培资源一般。药材主要来源于栽培。

| 采收加工 | 7 ~ 8 月采收，鲜用或晒干。

| 药材性状 | 本品茎多分枝，较粗壮，长 10 ~ 25 cm，疏被向上生长的硬毛。羽状复叶具 3 小叶，完整小叶呈倒卵形或椭圆形，先端圆或微凹，具短尖，基部楔形，上面无毛，下面中脉及叶缘有白色长硬毛。花簇生于叶腋，花梗有白色硬毛，花萼钟状，花冠暗紫色。荚果卵形，长约 3 mm。种子黑色，平滑。气微，味淡。

| 功能主治 | 甘、辛、微苦，平。清热利湿，解毒消肿。用于感冒，暑湿吐泻，黄疸，痢疾，疳积，痈疖疔疮，血淋，咯血，衄血，跌打损伤，赤白带下。

| 用法用量 | 内服煎汤，9 ~ 30 g，鲜品 30 ~ 60 g；或捣汁；或研末。外用适量，捣敷。

| 附 注 | 鸡眼草药材除来源于本种外，还来源于鸡眼草 *Kummerowia striata* (Thunb.) Schindl.。

豆科 Fabaceae 鸡眼草属 *Kummerowia*

鸡眼草
Kummerowia striata (Thunb.) Schindl.

| 植物别名 | 牛黄黄、公母草。

| 药 材 名 | 鸡眼草（药用部位：全草。别名：人字草、小蓄片、妹子草）。

| 形态特征 | 一年生草本，披散或平卧，多分枝，高（5 ~ ）10 ~ 45 cm。茎和枝上被倒生的白色细毛。叶为三出羽状复叶；托叶大，膜质，卵状长圆形，比叶柄长，长 3 ~ 4 mm，具条纹，有缘毛；叶柄极短；小叶纸质，倒卵形、长倒卵形或长圆形，较小，长 6 ~ 22 mm，宽 3 ~ 8 mm，先端圆形，稀微缺，基部近圆形或宽楔形，全缘，两面沿中脉及边缘有白色粗毛，但上面毛较稀少，侧脉多而密。花小，单生或 2 ~ 3 簇生于叶腋；花梗下端具 2 大小不等的苞片，萼基部具 4 小苞片，其中 1 枚极小，位于花梗关节处，小苞片常具 5 ~ 7 纵脉；花萼钟状，带紫色，5 裂，裂片宽卵形，具网状脉，外面及

边缘具白毛；花冠粉红色或紫色，长 5 ~ 6 mm，约较萼长 1 倍，旗瓣椭圆形，下部渐狭成瓣柄，具耳，龙骨瓣比旗瓣稍长或与之近等长，翼瓣比龙骨瓣稍短。荚果圆形或倒卵形，稍侧扁，长 3.5 ~ 5 mm，较萼稍长或长达 1 倍，先端短尖，被小柔毛。花期 7 ~ 9 月，果期 8 ~ 10 月。

| **生境分布** | 生于海拔 500 m 以下的路旁、田边、溪旁、砂质地或缓山坡草地。分布于河北磁县、行唐、兴隆等。

| **资源情况** | 野生资源一般。栽培资源一般。药材主要来源于栽培。

| **采收加工** | 7 ~ 8 月采收，鲜用或晒干。

| **药材性状** | 本品茎多分枝，较粗壮，长 10 ~ 25 cm，疏被向上生长的硬毛。羽状复叶具 3 小叶，完整小叶呈倒卵形或椭圆形，先端圆或微凹，具短尖，基部楔形，上面无毛，下面中脉及叶缘有白色长硬毛。花簇生于叶腋，花梗有白色硬毛，花萼钟状，花冠暗紫色。荚果卵形，长约 3 mm。种子黑色，平滑。气微，味淡。

| **功能主治** | 甘、辛、微苦，平。清热利湿，解毒消肿。用于感冒，暑湿吐泻，黄疸，痢疾，疳积，痈疖疔疮，血淋，咯血，衄血，跌打损伤，赤白带下。

| **用法用量** | 内服煎汤，9 ~ 30 g，鲜品 30 ~ 60 g；或捣汁；或研末。外用适量，捣敷。

| **附　注** | 民间通常用鸡眼草配合茵陈、金钱草、田基黄等药同用，以治疗湿热黄疸等。对于腹泻、痢疾则常配合马齿苋、车前草、辣蓼等药同用。

豆科 Fabaceae 棘豆属 Oxytropis

多叶棘豆

Oxytropis myriophylla (Pall.) DC.

| 植物别名 | 狐尾藻棘豆。

| 药 材 名 | 鸡翎草（药用部位：全草）。

| 形态特征 | 多年生草本，高 20 ～ 30 cm，全株被白色或黄色长柔毛。根褐色，粗壮，深长。茎缩短，丛生。轮生羽状复叶长 10 ～ 30 cm；托叶膜质，卵状披针形，基部与叶柄贴生，先端分离，密被黄色长柔毛；叶柄与叶轴密被长柔毛；小叶 25 ～ 32 轮，每轮 4 ～ 8 或有时对生，线形、长圆形或披针形，长 3 ～ 15 mm，宽 1 ～ 3 mm，先端渐尖，基部圆形，两面密被长柔毛。多花组成紧密或较疏松的总状花序；总花梗与叶近等长或长于叶，疏被长柔毛；苞片披针形，长 8 ～ 15 mm，被长柔毛；花长 20 ～ 25 mm；花梗极短或近无梗；花萼筒状，长 11 mm，被长柔毛，萼齿披针形，长约 4 mm，两面被长

柔毛；花冠淡红紫色，旗瓣长椭圆形，长 18.5 mm，宽 6.5 mm，先端圆形或微凹，基部下延成瓣柄，翼瓣长 15 mm，先端急尖，耳长 2 mm，瓣柄长 8 mm，龙骨瓣长 12 mm，喙长 2 mm，耳长约 15.2 mm；子房线形，被毛，花柱无毛，无柄。荚果披针状椭圆形，膨胀，长约 15 mm，宽约 5 mm，先端喙长 5 ~ 7 mm，密被长柔毛，隔膜稍宽，不完全 2 室。花期 5 ~ 6 月，果期 7 ~ 8 月。

| **生境分布** | 生于沙地、平坦草原、干河沟、丘陵地、轻度盐渍化沙地、石质山坡或海拔 1 200 ~ 1 700 m 的低山坡。分布于河北沽源、围场、张北等。

| **资源情况** | 野生资源一般。药材主要来源于野生。

| **采收加工** | 夏、秋季采收，晒干。

| **药材性状** | 本品皱缩成团，全株密被长柔毛。主根粗壮，长 6 ~ 10 cm。有分枝。湿润展开后，羽状复叶丛生在根茎上，长 10 ~ 20 cm，小叶对生或数片轮生，25 ~ 32 轮，小叶片线形或披针形，长 3 ~ 10 mm，宽 0.5 ~ 1 mm。总状花序，花排列紧密，淡紫色，总花梗长于叶。荚果椭圆形，长约 15 mm，宽约 5 mm，被长柔毛，先端具长 5 ~ 7 mm 的喙。气微，味微苦、甘。

| **功能主治** | 甘，寒。清热解毒，消肿，祛风湿，止血。用于流行性感冒，咽喉肿痛，痈疡肿毒，创伤，瘀血肿胀，各种出血。

| **用法用量** | 内服研末为散，2.4 ~ 3 g；或煎汤，6 ~ 9 g。外用适量，研末敷；或煎汤洗。

豆科 Fabaceae 棘豆属 Oxytropis

蓝花棘豆
Oxytropis coerulea (Pall.) DC.

| 植物别名 | 紫花棘豆、白花棘豆。

| 药材名 | 蓝花棘豆（药用部位：根）。

| 形态特征 | 多年生草本，高 10 ~ 20 cm。主根粗壮而直伸。茎缩短，基部分枝呈丛生状。羽状复叶长 5 ~ 15 cm；托叶披针形，被绢状毛，于中部与叶柄贴生，彼此分离；叶柄与叶轴疏被贴伏柔毛；小叶 25 ~ 41，长圆状披针形，长 7 ~ 15 mm，宽（1.5 ~ ）2 ~ 4 mm，先端渐尖或急尖，基部圆形，上面无毛或几无毛，下面疏被贴伏柔毛。12 ~ 20 花组成稀疏总状花序；花葶长于叶 1 倍，稀近等长，无毛或疏被贴伏白色短柔毛；苞片较花梗长，长 2 ~ 5 mm；花长 8 mm；花萼钟状，长 4 ~ 5 mm，疏被黑色和白色短柔毛，萼齿三角状披针形，比萼筒短 1 倍；花冠天蓝色或蓝紫色，旗瓣长（8 ~）

12 ～ 15 mm，瓣片长椭圆状圆形，先端微凹、圆形、钝或具小尖，瓣柄长约 3 mm，翼瓣长 7 mm，瓣柄线形，龙骨瓣长约 7 mm，喙长 2 ～ 3 mm；子房几无柄，无毛，含 10 ～ 12 胚珠。荚果长圆状卵形，膨胀，长（8 ～）10 ～ 25 mm，宽（3 ～）5 ～ 6 mm，喙长 7 ～ 9 mm，疏被白色和黑色短柔毛，稀无毛，1 室；果柄极短。花期 6 ～ 7 月，果期 7 ～ 8 月。

| 生境分布 | 生于海拔约 1 200 m 的山坡、山地、林下、路旁和牧草地。分布于河北行唐、内丘、涿鹿等。

| 资源情况 | 野生资源丰富。栽培资源丰富。药材主要来源于栽培。

| 采收加工 | 秋季采挖，洗净，晒干。

| 药材性状 | 本品根呈圆柱形，根头粗大，具 5 ～ 20 二次分枝的地上残茎，长 10 ～ 30 cm。表面棕黄色，具纵皱纹，栓皮易剥落。质轻而绵韧，难折断，断面皮部白色，纤维性极强，木部黄色。气微，味淡。

| 功能主治 | 苦，凉。归脾、肺经。利尿逐水。用于水肿，腹水。

| 用法用量 | 内服煎汤，6 ～ 15 g。

| 附　　注 | 本种因生境不同，形态变异较大，一般较紫花棘豆 *Oxytropis subfalcata* Hance 低矮。

豆科 Fabaceae 棘豆属 Oxytropis

砂珍棘豆
Oxytropis racemosa Turcz.

| **植物别名** | 东北棘豆、砂棘豆、白花砂珍棘豆。

| **药材名** | 沙棘豆（药用部位：全草。别名：泡泡草）。

| **形态特征** | 多年生草本，高 5 ~ 15 cm。根长圆柱形，黄褐色。茎短缩或几无地上茎。叶丛生，多数，叶为轮生小叶的复叶，叶轴密被长柔毛，每叶有 6 ~ 12 轮，每轮有 4 ~ 6 小叶，均密被长柔毛；托叶卵形，先端尖，密被长柔毛；小叶片线形、披针形或线状长圆形，长 3 ~ 10 mm，宽 1 ~ 2 mm，先端锐尖，基部楔形，边缘常内卷。总花梗多较叶长，总状花序缩短成近头状，生于花梗先端；苞片线形；花萼钟状，长 3 ~ 4 mm，密被长柔毛，萼齿线形，与萼筒近等长或为萼筒长的 1/3，密被长柔毛；花较小，长 8 ~ 10 mm，粉红色或带紫色，旗瓣倒卵形，先端圆或微凹，基部有短爪，翼瓣和龙骨瓣较

旗瓣短；雄蕊 10，二体；子房有短柔毛，花柱先端稍内弯。荚果宽卵形，膨胀，长约 1 cm，先端具短喙，表面密被短柔毛。花期 5 ～ 7 月，果期 7 ～ 9 月。

| **生境分布** | 生于海拔 600 ～ 1 900 m 的沙滩、沙荒地、沙丘、砂质坡地及丘陵地区阳坡。分布于河北丰宁等。

| **资源情况** | 野生资源一般。栽培资源丰富。药材主要来源于栽培。

| **采收加工** | 夏、秋季采收，晒干。

| **药材性状** | 本品皱缩成团，被灰白色长柔毛。根长圆柱形，直径 0.2 ～ 0.5 cm，黄褐色。湿润展平后，羽状复叶丛生在根茎上，小叶线形或倒披针形，对生或 4 ～ 6 轮生，长 3 ～ 10 mm，宽 1 ～ 2 mm，枯绿色。总状花序近头状，花梗细长，花淡棕红色或棕紫色。荚果长约 10 mm，宽约 6 mm，很膨胀，呈桃状，先端尖有微弯曲的短喙，被短柔毛，1 室。气微，味微苦、甘。

| **功能主治** | 淡，平。归脾、胃经。消食健脾。用于小儿消化不良。

| **用法用量** | 内服煎汤，10 ～ 30 g。

豆科 Fabaceae 棘豆属 Oxytropis

小花棘豆 *Oxytropis glabra* (Lam.) DC.

| 植物别名 | 苦马豆、绊肠草、醉马草。

| 药 材 名 | 醉马草（药用部位：全草。别名：马绊肠、断肠草、醉马豆）。

| 形态特征 | 多年生草本，高（20 ～）35 ～ 80 cm。根细而直伸。茎分枝多，直立或铺散，长 30 ～ 70 cm，无毛或疏被短柔毛，绿色。羽状复叶长 5 ～ 15 cm；托叶草质，卵形或披针状卵形，彼此分离或于基部合生，长 5 ～ 10 mm，无毛或微被柔毛；叶轴疏被开展或贴伏短柔毛；小叶 11 ～ 19（～ 27），披针形或卵状披针形，长（5 ～）10 ～ 25 mm，宽 3 ～ 7 mm，先端尖或钝，基部宽楔形或圆形，上面无毛，下面微被贴伏柔毛。多花组成稀疏总状花序，长 4 ～ 7 cm；总花梗长 5 ～ 12 cm，通常比叶长，被开展的白色短柔毛；苞片膜质，狭披针形，长约 2 mm，先端尖，疏被柔毛；花长 6 ～ 8 mm；花梗

长 1 mm；花萼钟形，长 42 mm，被贴伏白色短柔毛，有时混生少量的黑色短柔毛，萼齿披针状锥形，长 1.5 ~ 2 mm；花冠淡紫色或蓝紫色，旗瓣长 7 ~ 8 mm，瓣片圆形，先端微缺，翼瓣长 6 ~ 7 mm，先端全缘，龙骨瓣长 5 ~ 6 mm，喙长 0.25 ~ 0.5 mm；子房疏被长柔毛。荚果膜质，长圆形，膨胀，下垂，长 10 ~ 20 mm，宽 3 ~ 5 mm，喙长 1 ~ 1.5 mm，腹缝具深沟，背部圆形，疏被贴伏白色短柔毛或混生黑、白柔毛，后期无毛，1 室；果柄长 1 ~ 2.5 mm。花期 6 ~ 9 月，果期 7 ~ 9 月。

| **生境分布** | 生于海拔 440 ~ 3 400 m 的石质山坡、河谷阶地、冲积川地、草地、荒地、田边、渠旁、沼泽草甸、盐土草滩。分布于河北怀安、灵寿等。

| **资源情况** | 野生资源一般。栽培资源一般。药材主要来源于栽培。

| **采收加工** | 夏季花开前采收，晒干或鲜用。

| **药材性状** | 本品根呈长圆锥形，有分枝。羽状复叶；托叶三角形，先端渐尖，基部与叶柄合生，有刚毛；小叶椭圆形，长 10 ~ 20 mm，宽 2.5 ~ 6 mm，先端钝，基部圆形，全缘，表面绿色或枯绿色，皱缩，质脆，易断。有的可见总状花序或矩形荚果，荚果长 15 mm，宽 4 mm，先端有弯曲的小喙。气微，味微苦。

| **功能主治** | 苦，凉；有毒。麻醉，镇静，止痛。用于关节痛，牙痛，神经衰弱，皮肤痛痒。

| **用法用量** | 内服煎汤，1.5 ~ 3 g，鲜品 3 ~ 6 g。外用适量，煎汤洗；或揉烂塞患牙；或煎汤含漱。

豆科 Fabaceae 豇豆属 *Vigna*

赤豆

Vigna angularis (Willd.) Ohwi et Ohashi

| **植物别名** | 红小豆、红豆、小豆。

| **药 材 名** | 赤小豆（药用部位：种子。别名：小豆、红豆、赤豆）。

| **形态特征** | 一年生直立或缠绕草本，高 30 ~ 90 cm，植株被疏长毛。羽状复叶具 3 小叶；托叶盾状着生，箭头形，长 0.9 ~ 1.7 cm；小叶卵形至菱状卵形，长 5 ~ 10 cm，宽 5 ~ 8 cm，先端宽三角形或近圆形，侧生者偏斜，全缘或浅 3 裂，两面均稍被疏长毛。花黄色，约 5 或 6 生于短总花梗先端；花梗极短；小苞片披针形，长 6 ~ 8 mm；花萼钟状，长 3 ~ 4 mm；花冠长约 9 mm，旗瓣扁圆形或近肾形，常稍歪斜，先端凹，翼瓣比龙骨瓣宽，具短瓣柄及耳，龙骨瓣先端弯曲近半圈，其中 1 片的中下部有 1 角状突起，基部有瓣柄；子房线形，花柱弯曲，近先端有毛。荚果圆柱状，长 5 ~ 8 cm，宽 5 ~ 6 mm，

平展或下弯，无毛；种子通常暗红色或其他颜色，长圆形，长 5～6 mm，宽 4～5 mm，两端平截或近钝圆，种脐不凹陷。花期夏季，果期 9～10 月。

| 生境分布 | 河北多地有栽培。分布于河北磁县、滦平、易县等。

| 资源情况 | 栽培资源丰富。药材主要来源于栽培。

| 采收加工 | 秋季果实成熟而未开裂时拔取全株，晒干，打下种子，除去杂质，再晒干。

| 药材性状 | 本品呈短圆柱形，两端较平截或钝圆，直径 4～6 mm。表面暗棕红色，有光泽，种脐不凸起。

| 功能主治 | 甘、酸，微寒。归心、小肠经。利水消肿，解毒排脓。用于水肿胀满，脚气浮肿，黄疸尿赤，风湿热痹，痈肿疮毒，肠痈腹痛。

| 用法用量 | 内服煎汤，9～30 g。外用适量，研末调敷。

| 附　　注 | 据记载，我国东北地区亦栽培有本种的变种日本赤豆 *Vigna angularis* (Willd.) Ohwi et Ohashi var. *nipponensis* (Ohwi) Ohwi et Ohashi，其特征为茎蔓生，稍纤细，顶生小叶狭卵形，花序常有毛，荚果带黑色，长 4～5 cm，果瓣质地稍薄。

豆科 Fabaceae 豇豆属 Vigna

赤小豆
Vigna umbellate (Thunb.) Ohwi et Ohashi

| 植物别名 | 饭豆、米豆、小红豆。

| 药 材 名 | 赤小豆（药用部位：种子。别名：小豆、红豆、赤豆）。

| 形态特征 | 一年生草本。茎纤细，长达 1 m 或更长，幼时被黄色长柔毛，老时无毛。羽状复叶具 3 小叶；托叶盾状着生，披针形或卵状披针形，长 10 ~ 15 mm，两端渐尖；小托叶钻形，小叶纸质，卵形或披针形，长 10 ~ 13 cm，宽（2 ~）5 ~ 7.5 cm，先端急尖，基部宽楔形或钝，全缘或微 3 裂，沿两面脉上薄被疏毛，有基出脉 3。总状花序腋生，短，有花 2 ~ 3；苞片披针形；花梗短，着生处有腺体；花黄色，长约 1.8 cm，宽约 1.2 cm；龙骨瓣右侧具长角状附属体。荚果线状圆柱形，下垂，长 6 ~ 10 cm，宽约 5 mm，无毛；种子 6 ~ 10，长椭圆形，通常暗红色，有时为褐色、黑色或草黄色，直径 3 ~ 3.5 mm，

种脐凹陷。花期 5 ~ 8 月。

| 生境分布 |　河北多地有栽培。分布于河北阜平、隆化、武安等。

| 资源情况 |　栽培资源丰富。药材主要来源于栽培。

| 采收加工 |　秋季果实成熟而未开裂时拔取全株，晒干，打下种子，除去杂质，再晒干。

| 药材性状 |　本品呈长圆形而稍扁，长 5 ~ 8 mm，直径 3 ~ 3.5 mm。表面紫红色，无光泽或微有光泽；一侧有线形凸起的种脐，偏向一端，白色，约为全长的2/3，中间凹陷成纵沟；另一侧有一不明显的棱脊。质硬，不易破碎。子叶 2，乳白色。气微，味微甘。

| 功能主治 |　甘、酸，微寒。归心、小肠经。利水消肿，解毒排脓。用于水肿胀满，脚气浮肿，黄疸尿赤，风湿热痹，痈肿疮毒，肠痈腹痛。

| 用法用量 |　内服煎汤，9 ~ 30 g。外用适量，研末调敷。

豆科 Fabaceae 豇豆属 Vigna

豇豆
Vigna unguiculata (L.) Walp.

| **植物别名** | 红豆、饭豆。 |

| **药材名** | 豇豆（药用部位：种子。别名：羊豆、豆角、饭豆）、豇豆壳（药用部位：荚壳）、豇豆根（药用部位：根）、豇豆叶（药用部位：叶）。 |

| **形态特征** | 一年生缠绕草质藤本或近直立草本，有时先端呈缠绕状。茎近无毛。羽状复叶具3小叶；托叶披针形，长约1 cm，着生处下延成1短距，有线纹；小叶卵状菱形，长5～15 cm，宽4～6 cm，先端急尖，全缘或近全缘，有时淡紫色，无毛。总状花序腋生，具长梗；花2～6聚生于花序的先端，花梗间常有肉质蜜腺；花萼浅绿色，钟状，长6～10 mm，裂齿披针形；花冠黄白色而略带青紫色，长约2 cm，各瓣均具瓣柄，旗瓣扁圆形，宽约2 cm，先端微凹，基部稍有耳，翼瓣略呈三角形，龙骨瓣稍弯；子房线形，被毛。荚果下垂，直立 |

或斜展,线形,长 7.5 ~ 70(~ 90)cm,宽 6 ~ 10 mm,稍肉质而膨胀或坚实,有种子多颗;种子长椭圆形、圆柱形或稍肾形,长 6 ~ 12 mm,黄白色、暗红色或其他颜色。花期 5 ~ 8 月。

| 生境分布 | 生于土层深厚、疏松,保肥、保水性强的肥沃土壤。分布于河北滦平、平泉、平山等。

| 资源情况 | 野生资源一般。栽培资源丰富。药材主要来源于栽培。

| 采收加工 | **豇豆:**秋季采收成熟果实,晒干,不打种子。

豇豆壳:秋季采收果实,除去种子,鲜用或晒干。

豇豆根：秋季采挖，除去泥土，洗净，鲜用或晒干。

豇豆叶：夏、秋季采收，鲜用或晒干。

| 功能主治 | 豇豆：甘、咸，平。归脾、肾经。健脾利湿，补肾涩精。用于脾胃虚弱，泻痢，肾虚腰痛，消渴，遗精，带下，白浊，小便频数。

豇豆壳：甘，平。归胃经。补肾健脾，利水消肿，镇痛，解毒。用于腰痛，肾炎，胆囊炎，带状疱疹，乳痈。

豇豆根：甘，平。归脾、胃经。健脾益气，消积，解毒。用于脾胃虚弱，食积，带下，淋浊，痔血，疔疮。

豇豆叶：甘、淡，平。归膀胱经。利小便，解毒。用于淋证，小便不利，蛇咬伤。

| **用法用量** | **豇豆**：内服煎汤，30 ～ 60 g；或煮食；或研末，6 ～ 9 g。外用适量，捣敷。
豇豆壳：内服煎汤，30 ～ 60 g，鲜品 90 ～ 150 g。外用适量，烧灰研末调敷。
豇豆根：内服煎汤，鲜品 60 ～ 90 g。外用适量，捣敷；或烧存性研末调敷。
豇豆叶：内服煎汤，鲜品 60 ～ 90 g。外用适量，捣敷。

豆科 Fabaceae 豇豆属 *Vigna*

绿豆
Vigna radiata (L.) Wilczek

| 药 材 名 | 绿豆（药用部位：种子。别名：青小豆）、绿豆皮（药用部位：种皮）。

| 形态特征 | 一年生直立草本，高 20 ~ 60 cm。茎被褐色长硬毛。羽状复叶具 3 小叶；托叶盾状着生，卵形，长 0.8 ~ 1.2 cm，具缘毛；小托叶显著，披针形；小叶卵形，长 5 ~ 16 cm，宽 3 ~ 12 cm，侧生的多少偏斜，全缘，先端渐尖，基部阔楔形或钝圆，两面多少被疏长毛，基部 3 脉明显；叶柄长 5 ~ 21 cm；叶轴长 1.5 ~ 4 cm；小叶柄长 3 ~ 6 mm。总状花序腋生，有花 4 至数朵，最多可达 25；总花梗长 2.5 ~ 9.5 cm；花梗长 2 ~ 3 mm；小苞片线状披针形或长圆形，长 4 ~ 7 mm，有线条，近宿存；萼管无毛，长 3 ~ 4 mm，裂片狭三角形，长 1.5 ~ 4 mm，具缘毛，上方的 1 对合生成一先端 2 裂的裂片；旗瓣近方形，长 1.2 cm，宽 1.6 cm，外面黄绿色，里面有时

粉红色，先端微凹，内弯，无毛，翼瓣卵形，黄色，龙骨瓣镰状，绿色而染粉红色，右侧有显著的囊。荚果线状圆柱形，平展，长 4 ~ 9 cm，宽 5 ~ 6 mm，被淡褐色、散生的长硬毛，种子间多少收缩；种子 8 ~ 14，淡绿色或黄褐色，短圆柱形，长 2.5 ~ 4 mm，宽 2.5 ~ 3 mm，种脐白色而不凹陷。花期初夏，果期 6 ~ 8 月。

| **生境分布** | 河北多地有栽培。分布于河北巨鹿、邱县、沙河等。

| **资源情况** | 栽培资源丰富。药材主要来源于栽培。

| **采收加工** | 绿豆：秋后种子成熟时拔取全株，晒干，将种子打落，簸净杂质。
绿豆皮：将绿豆用水浸泡，揉搓取种皮。

| **药材性状** | 绿豆：本品呈矩圆形，长 2.5 ~ 4 mm，表面绿黄色或暗绿色，光泽。种脐位于一侧上端，长约为种子的 1/3，呈白色纵向线形。种皮薄而韧，剥离后露出淡黄绿色或黄白色的种仁。子叶 2，肥厚。质坚硬。
绿豆皮：本品多向内卷成梭形或不规则形，长 4 ~ 7 mm，直径约 2 mm。外表面黄绿色至暗绿色，微有光泽，种脐呈长圆形槽状，其上常有残留黄白色种柄；内表面色较淡。质较脆，易捻碎。气微，味淡。以身干、色绿、不变红、无霉者为佳。

| **功能主治** | 绿豆：甘，凉。归心、肝、胃经。清热，消暑，利水，解毒。用于暑热烦渴，感冒发热，霍乱吐泻，痰热哮喘，头痛目赤，口舌生疮，水肿尿少，痈肿疮疡，风疹丹毒，药物及食物中毒。
绿豆皮：甘，寒。归肺、肝经。清暑止渴，利尿解毒，退目翳。用于暑热烦渴，泄泻，痢疾，水肿，丹毒，目翳。

| **用法用量** | 绿豆：内服煎汤，15 ~ 30 g，大剂量可用至 120 g；或研末；或生研绞汁。外用适量，研末调敷。
绿豆皮：内服煎汤，9 ~ 30 g；或研末。外用适量，研末和水洗。

豆科 Fabaceae 锦鸡儿属 *Caragana*

红花锦鸡儿 *Caragana rosea* Turcz. ex Maxim.

| 植物别名 | 金雀花、黄枝条。

| 药 材 名 | 红花锦鸡儿（药用部位：根）。

| 形态特征 | 灌木，高 0.4 ~ 1 m；树皮绿褐色或灰褐色。小枝细长，具条棱，托叶在长枝者宿存成细针刺，长 3 ~ 4 mm，在短枝者脱落；叶柄长 5 ~ 10 mm，脱落或宿存成针刺；叶假掌状；小叶 4，楔状倒卵形，长 1 ~ 2.5 cm，宽 4 ~ 12 mm，先端圆钝或微凹，具刺尖，基部楔形，近革质，上面深绿色，下面淡绿色，无毛，有时小叶边缘、小叶柄、小叶下面沿脉被疏柔毛。花梗单生，长 8 ~ 18 mm，关节在中部以上，无毛；花萼管状，不扩大或仅下部稍扩大，长 7 ~ 9 mm，宽约 4 mm，常紫红色，萼齿三角形，渐尖，内侧密被短柔毛；花冠黄色，常紫红色或全部淡红色，凋时变为红色，长 20 ~ 22 mm，旗瓣长圆

状倒卵形，先端凹入，基部渐狭成宽瓣柄，翼瓣长圆状线形，瓣柄较瓣片稍短，耳短齿状，龙骨瓣的瓣柄与瓣片近等长，耳不明显；子房无毛。荚果圆筒形，长 3 ~ 6 cm，具渐尖头。花期 4 ~ 6 月，果期 6 ~ 7 月。

| 生境分布 |

生于山坡灌丛及山地沟谷灌丛。分布于河北张家口、保定及承德等。

| 资源情况 |

野生资源一般。药材主要来源于野生。

| 采收加工 |

秋季采挖，洗净，切片，晒干。

| 功能主治 |

甘、微辛，平。健脾，益肾，通经，利尿。用于虚损劳热，咳喘，淋浊，阳痿，血崩，带下，乳少，子宫脱垂。

| 用法用量 |

内服煎汤，6 ~ 24 g。

豆科 Fabaceae 锦鸡儿属 Caragana

黄刺条

Caragana frutex (L.) C. Koch

植物别名

金雀锦鸡儿。

药材名

木锦鸡儿（药用部位：花。别名：金雀花）。

形态特征

灌木，高 0.5 ~ 2 m。枝条细长，褐色、黄灰色或暗灰绿色，有条棱，无毛。假掌状复叶有 4 小叶；托叶三角形，先端钻形，脱落或硬化成针刺，长 1 ~ 3 mm；叶柄长 2 ~ 10 mm，短枝者脱落，长枝者硬化成针刺，宿存；小叶倒卵状倒披针形，长 6 ~ 10 mm，宽 3 ~ 5 mm，先端圆形或微凹，具刺尖，基部楔形，两面绿色，无毛或稀被毛。花梗单生或并生，长 9 ~ 21 mm，上部有关节，无毛；花萼管状钟形，长 6 ~ 8 mm，基部偏斜，萼齿很短，具刺尖；花冠黄色，长 20 ~ 22 mm，旗瓣近圆形，宽约 16 mm，瓣柄长约 5 mm，翼瓣长圆形，先端稍凹入，瓣柄长为瓣片的 1/2，耳长为瓣柄的 1/4 ~ 1/3，龙骨瓣长约 22 mm，瓣柄较瓣片稍短，耳不明显；子房无毛。荚果筒状，长 2 ~ 3 cm，宽 3 ~ 4 mm。花期 5 ~ 6 月，果期 7 月。

| 生境分布 | 生于干山坡、林间。分布于河北井陉等。

| 资源情况 | 野生资源一般。药材主要来源于野生。

| 采收加工 | 春末夏初花开时采收，晒干。

| 功能主治 | 甘，平。活血补血。用于跌打损伤，劳伤，痘疹透发不畅。

| 用法用量 | 内服煎汤，10 ~ 15 g。

| 附　注 | 本种与红花锦鸡儿 *Caragana rosea* Turcz. ex Maxim. 的区别在于本种的旗瓣近圆形，花冠黄色，花梗关节在上部。

锦鸡儿 *Caragana sinica* (Buc'hoz) Rehd.

| 植物别名 | 娘娘袜、金雀花、洋袜脚子。

| 药 材 名 | 锦鸡儿（药用部位：花。别名：金雀花、斧头花、阳鹊花）、锦鸡儿根（药用部位：根或根皮。别名：阳雀花根皮、白心皮、金雀花根）。

| 形态特征 | 灌木，高 1 ~ 2 m；树皮深褐色。小枝有棱，无毛。托叶三角形，硬化成针刺，长 5 ~ 7 mm；叶轴脱落或硬化成针刺，针刺长 7 ~ 15（~ 25）mm；小叶 2 对，羽状，有时假掌状，上部 1 对常较下部的为大，厚革质或硬纸质，倒卵形或长圆状倒卵形，长 1 ~ 3.5 cm，宽 5 ~ 15 mm，先端圆形或微缺，具刺尖或无，基部楔形或宽楔形，上面深绿色，下面淡绿色。花单生；花梗长约 1 cm，中部有关节；花萼钟状，长 12 ~ 14 mm，宽 6 ~ 9 mm，基部偏斜；花

冠黄色，常带红色，长 2.8 ~ 3 cm，旗瓣狭倒卵形，具短瓣柄，翼瓣稍长于旗瓣，瓣柄与瓣片近等长，耳短小，龙骨瓣宽钝；子房无毛。荚果圆筒状，长 3 ~ 3.5 cm，宽约 5 mm。花期 4 ~ 5 月，果期 7 月。

| 生境分布 | 生于山坡灌丛。分布于河北武安、永年、涿鹿等。

| 资源情况 | 野生资源丰富。药材主要来源于野生。

| 采收加工 | 锦鸡儿：4 ~ 5 月花盛开时采摘，晒干或炕干。

锦鸡儿根：8 ~ 9 月采挖，剪成单枝，除去细根和尾须，刮去表面黑褐色粗皮，用木棒轻轻把根皮敲破，抽去木心，切成长为 15 ~ 16 cm 的短节，晒干。

| 药材性状 | 锦鸡儿：本品为蝶形花，花冠黄色或赭黄色；花萼钟状，基部具囊状突起，萼片 5 裂；花冠旗瓣狭倒卵形，基部粉红色，翼瓣先端圆钝，基部伸长成短耳状，具长爪，龙骨瓣宽而钝，直立；雄蕊 10，二体。气微，味淡。

锦鸡儿根：本品呈圆柱形，未去栓皮者呈褐色，有纵皱纹，并有稀疏而不规则的凸出横纹；除去栓皮者多为淡黄色，间有横裂痕。质坚韧，横断面皮部淡黄色，木部淡黄棕色。折断面纤维性。气微，味微苦，嚼之有豆腥味。根皮多呈卷筒状，多折断或呈块片状，长 5 ~ 20 cm，直径 1 ~ 2 cm，厚 3 ~ 6 mm，

外表面栓皮多已除净，呈黄棕色，残存棕色横长皮孔，稀疏而明显；内表面呈浅棕色，有细纹。质较硬，折断面淡黄白色，带粉性，呈纤维状。气微，味微苦。

| 功能主治 | 锦鸡儿：甘，微温。归脾、肝经。健脾益肾，活血祛风。用于虚劳咳嗽，头晕耳鸣，腰膝酸软，气虚，带下，小儿疳积，痘疹透发不畅，乳痈，痛风，跌仆损伤。

锦鸡儿根：甘、辛、微苦，平。归肺、脾经。补肺健脾，活血祛风。用于虚劳倦怠，头痛，头晕，耳鸣眼花，肺虚久咳，胃下垂，带下，乳少，风湿骨痛，痛风，半身不遂，高血压，跌打损伤，痈肿疮疡。

| 用法用量 | 锦鸡儿：内服煎汤，3～15 g；或研末。

锦鸡儿根：内服煎汤，15～30 g。外用适量，捣敷。

豆科 Fabaceae 锦鸡儿属 Caragana

树锦鸡儿 Caragana arborescens Lam.

| 植物别名 | 蒙古锦鸡儿、陶日格－哈日嘎纳。

| 药 材 名 | 树锦鸡儿（药用部位：根或根皮、花。别名：锦鸡儿根、柠条）。

| 形态特征 | 小乔木或大灌木，高 2 ~ 6 m。老枝深灰色，平滑，稍有光泽，小枝有棱，幼时被柔毛，绿色或黄褐色。羽状复叶有 4 ~ 8 对小叶；托叶针刺状，长 5 ~ 10 mm，长枝者脱落，极少宿存；叶轴细瘦，长 3 ~ 7 cm，幼时被柔毛；小叶长圆状倒卵形、狭倒卵形或椭圆形，长 1 ~ 2（~ 2.5）cm，宽 5 ~ 10（~ 13）mm，先端圆钝，具刺尖，基部宽楔形，幼时被柔毛，或仅下面被柔毛。花梗 2 ~ 5 簇生，每梗具 1 花，长 2 ~ 5 cm，关节在上部；苞片小，刚毛状；花萼钟状，长 6 ~ 8 mm，宽 7 ~ 8 mm，萼齿短宽；花冠黄色，长 16 ~ 20 mm，旗瓣菱状宽卵形，长、宽近相等，先端圆钝，具短瓣柄，

翼瓣长圆形，较旗瓣稍长，瓣柄长为瓣片的3/4，耳矩状，长不及瓣柄的1/3，龙骨瓣较旗瓣稍短，瓣柄较瓣片略短，耳钝或略呈三角形；子房无毛或被短柔毛。荚果圆筒形，长3.5～6 cm，直径3～6.5 mm，先端渐尖，无毛。花期5～6月，果期8～9月。

| 生境分布 |

生于平原、沙丘。分布于河北武安、怀安、阜平等。

| 资源情况 |

野生资源一般。药材主要来源于野生。

| 采收加工 |

9～11月采挖根部，切片或剥取根皮，鲜用或晒干；5～6月采摘花，晒干。

| 功能主治 |

甘、微辛，平。健脾益肾，祛风利湿。用于肾虚耳鸣，头晕眼花，食少羸瘦，脚气浮肿，淋浊，带下，血崩，乳汁不畅，风湿关节疼痛。

| 用法用量 |

内服煎汤，15～30 g。

豆科 Fabaceae 决明属 Cassia

豆茶决明

Cassia nomame (Sieb.) Kitagawa

| 植物别名 | 关门草、江芒决明、山扁豆。

| 药 材 名 | 关门草（药用部位：全草。别名：水皂荚、山梅豆、水通）。

| 形态特征 | 一年生草本，株高 30 ~ 60 cm，稍有毛，分枝或不分枝。叶长 4 ~ 8 cm，有小叶 8 ~ 28 对，在叶柄的上端有 1 黑褐色、盘状、无柄腺体；小叶长 5 ~ 9 mm，带状披针形，稍不对称。花生于叶腋，有柄，单生或 2 至数朵组成短总状花序；萼片 5，分离，外面疏被柔毛；花瓣 5，黄色；雄蕊 4，有时 5；子房密被短柔毛。荚果扁平，有毛，开裂，长 3 ~ 8 cm，宽约 5 mm，有种子 6 ~ 12；种子扁，近菱形，平滑。

| 生境分布 |

生于向阳山坡、路旁或草丛。分布于河北兴隆、易县、赞皇等。

| 资源情况 |

野生资源丰富。药材主要来源于野生。

| 采收加工 |

播种当年 7 ~ 8 月花盛开时采收，晒干。

| 药材性状 |

本品长 30 ~ 60 cm。茎枝圆柱形，呈棕黄色，基部灰黑色，表面有纵纹及疣状皮孔；质硬，易折断，断面白色，松泡中空。叶多卷缩，或脱落，棕绿色或黑绿色；质脆，易碎。残存荚果呈棕褐色。气微，味淡。

| 功能主治 |

甘、苦，平。清热利尿，通便。用于水肿，脚气，黄疸，咳嗽，习惯性便秘。

| 用法用量 |

内服煎汤，6 ~ 15 g；或泡水代茶饮。

豆科 Fabaceae 决明属 *Cassia*

决明

Cassia tora Linn.

| **植物别名** | 草决明、假花生、假绿豆。

| **药 材 名** | 决明子（药用部位：种子。别名：草决明、羊明、羊角）。

| **形态特征** | 直立、粗壮、一年生亚灌木状草本，高 1 ~ 2 m。叶长 4 ~ 8 cm；叶柄上无腺体；叶轴上每对小叶间有棒状的腺体 1；小叶 3 对，膜质，倒卵形或倒卵状长椭圆形，长 2 ~ 6 cm，宽 1.5 ~ 2.5 cm，先端圆钝而有小尖头，基部渐狭，偏斜，上面被稀疏柔毛，下面被柔毛；小叶柄长 1.5 ~ 2 mm；托叶线状，被柔毛，早落。花腋生，通常 2 聚生；总花梗长 6 ~ 10 mm；花梗长 1 ~ 1.5 cm，丝状；萼片稍不等大，卵形或卵状长圆形，膜质，外面被柔毛，长约 8 mm；花瓣黄色，下面 2 片略长，长 12 ~ 15 mm，宽 5 ~ 7 mm；能育雄蕊 7，花药四方形，顶孔开裂，长约 4 mm，花丝短于花药；子房无柄，被

白色柔毛。荚果纤细，近四棱形，两端渐尖，长达 15 cm，宽 3 ~ 4 mm，膜质；种子约 25，菱形，光亮。花果期 8 ~ 11 月。

| 生境分布 | 生于山坡、旷野及河滩沙地。分布于河北井陉、迁西、涉县等。

| 资源情况 | 野生资源丰富。栽培资源丰富。药材主要来源于栽培。

| 采收加工 | 秋季采收成熟果实，晒干，打下种子，除去杂质。

| 药材性状 | 本品略呈棱方形或短圆柱形，两端平行倾斜，长 3 ~ 7 mm，宽 2 ~ 4 mm。表面绿棕色或暗棕色，平滑有光泽，一端较平坦，另一端斜尖，背腹面各有一凸起的棱线，棱线两侧各有一斜向对称而色较浅的线形凹纹。质坚硬，不易破碎。种皮薄，子叶 2，黄色，呈 "S" 形折曲并重叠。气微，味微苦。

| 功能主治 | 甘、苦、咸，微寒。归肝、大肠经。清热明目，润肠通便。用于目赤涩痛，羞明多泪，头痛眩晕，目暗不明，大便秘结。

| 用法用量 | 内服煎汤，9 ~ 15 g。

豆科 Fabaceae 决明属 *Cassia*

望江南

Cassia occidentalis Linn.

| 植物别名 | 野扁豆、狗屎豆、羊角豆。

| 药 材 名 | 望江南（药用部位：茎叶。别名：金豆子、羊角豆、野扁豆）、望
江南子（药用部位：种子。别名：槐豆、金花豹子、金豆子）。

| 形态特征 | 直立、少分枝的亚灌木或灌木，无毛，高 0.8 ~ 1.5 m。枝带草质，
有棱。根黑色。叶长约 20 cm；叶柄近基部有大而带褐色、圆锥形
的腺体 1；小叶 4 ~ 5 对，膜质，卵形至卵状披针形，长 4 ~ 9 cm，
宽 2 ~ 3.5 cm，先端渐尖，有小缘毛；小叶柄长 1 ~ 1.5 mm，揉
之有腐败气味；托叶膜质，卵状披针形，早落。数花组成伞房状
总状花序，腋生和顶生，长约 5 cm；苞片线状披针形或长卵形，
长渐尖，早脱；花长约 2 cm；萼片不等大，外生的近圆形，长
6 mm，内生的卵形，长 8 ~ 9 mm；花瓣黄色，外生的卵形，长约

15 mm，宽 9 ~ 10 mm，其余长可达 20 mm，宽 15 mm，先端圆形，均有短狭的瓣柄；发育雄蕊 7，不育雄蕊 3，无花药。荚果带状镰形，褐色，压扁，长 10 ~ 13 cm，宽 8 ~ 9 mm，稍弯曲，边缘色较淡，加厚，有尖头；果柄长 1 ~ 1.5 cm；种子 30 ~ 40，种子间有薄隔膜。花期 4 ~ 8 月，果期 6 ~ 10 月。

| 生境分布 | 生于河边滩地、旷野或丘陵的灌木林或疏林，也是村边荒地习见植物。分布于河北邯郸等。

| 资源情况 | 野生资源稀少。药材主要来源于野生。

| 采收加工 | **望江南**：8 月采收，晒干或鲜用。
望江南子：10 月果实成熟变黄时割取全株，晒干后脱粒，取种子再晒干。

| 药材性状 | **望江南子**：本品呈卵形而扁，一端稍尖，长径 3 ~ 4 mm，短径 2 ~ 3 mm，暗绿色，中央有淡褐色椭圆形斑点，微凹，有的四周有白色细网纹，但贮藏后渐脱落而平滑，先端具斜生黑色条状的种脐。质地坚硬。气香，有豆腥味，富黏液。

| 功能主治 | **望江南**：苦，寒；有小毒。肃肺，清肝，通便，解毒。用于咳嗽气喘，头痛目赤，血淋，大便秘结，痈肿疮毒，蛇虫咬伤。

望江南子：甘，苦，凉；有毒。归肝、胃、大肠经。清肝，健胃，通便，解毒。用于目赤肿痛，头晕头涨，消化不良，胃痛，痢疾，便秘，痈肿疔毒。

| 用法用量 | **望江南**：内服煎汤，6 ~ 9 g，鲜品 15 ~ 30 g；或捣汁。外用适量，鲜品捣敷。

望江南子：内服煎汤，6 ~ 9 g；或研末，1.5 ~ 3 g。外用适量，研末调敷。

| 附　注 | 本植物有微毒，牲畜过量误食可致死。

豆科 Fabaceae 苦马豆属 Sphaerophysa

苦马豆

Sphaerophysa salsula (Pall.) DC.

| 植物别名 | 泡泡豆、鸦食花、羊尿泡。

| 药 材 名 | 苦马豆（药用部位：果实、枝叶。别名：羊尿泡、马尿泡、草尿泡）、苦马豆根（药用部位：根）。

| 形态特征 | 半灌木或多年生草本。茎直立或下部匍匐，高 0.3 ~ 0.6 m，稀达 1.3 m。枝开展，具纵棱脊，被疏至密的灰白色"丁"字毛。托叶线状披针形、三角形至钻形，自茎下部至上部渐变小；叶轴长 5 ~ 8.5 cm，上面具沟槽；小叶 11 ~ 21，倒卵形至倒卵状长圆形，长 5 ~ 15（~ 25）mm，宽 3 ~ 6（~ 10）mm，先端微凹至圆，具短尖头，基部圆形至宽楔形，上面疏被毛至无毛，侧脉不明显，下面被细小、白色"丁"字毛；小叶柄短，被白色细柔毛。总状花序常较叶长，长 6.5 ~ 13

（~ 17）cm，生 6 ~ 16 花；苞片卵状披针形；花梗长 4 ~ 5 mm，密被白色柔毛；小苞片线形至钻形；花萼钟状，萼齿三角形，上边 2 齿较宽短，其余较窄长，外面被白色柔毛；花冠初呈鲜红色，后变紫红色，旗瓣瓣片近圆形，向外反折，长 12 ~ 13 mm，宽 12 ~ 16 mm，先端微凹，基部具短柄，翼瓣较龙骨瓣短，连柄长 12 mm，先端圆，基部具长 3 mm、微弯的瓣柄及长 2 mm、先端圆的耳状裂片，龙骨瓣长 13 mm，宽 4 ~ 5 mm，瓣柄长约 4.5 mm，裂片近呈直角，先端钝；子房近线形，密被白色柔毛，花柱弯曲，仅内侧疏被纵列髯毛，柱头近球形。荚果椭圆形至卵圆形，膨胀，长 1.7 ~ 3.5 cm，直径 1.7 ~ 1.8 cm，先端圆，果颈长约 10 mm，果瓣膜质，外面疏被白色柔毛，缝线上较密；种子肾形至近半圆形，长约 2.5 mm，褐色，珠柄长 1 ~ 3 mm，种脐圆形凹陷。花期 5 ~ 8 月，果期 6 ~ 9 月。

| 生境分布 | 生于海拔 960 ~ 3 180 m 的山坡、草原、荒地、沙滩、戈壁绿洲、沟渠旁及盐池周围。分布于河北永清、宣化、蔚县等。

| 资源情况 | 野生资源丰富。药材主要来源于野生。

| 采收加工 | 苦马豆：秋季采收，晒干。
苦马豆根：秋季采挖，洗去泥沙，切段，晒干。

| 药材性状 | 苦马豆：本品果实呈卵球形或长圆球形，长 15 ~ 30 mm，直径 15 ~ 18 mm，果柄较长。表面黄白色，较光滑。果皮膜质，脆，内有多数种子。种子肾状圆形，表面棕褐色，长 1.5 mm。 |

苦马豆根：本品根细长，直径约 0.2 cm，表面黄褐色，平滑或有微细的纵皱纹。质坚硬，不易折断，断面黄白色。

| 功能主治 | 苦马豆：微苦，平；有小毒。利水，消肿。用于湿疹，黄水疮，肝硬化腹水，血管神经性水肿，慢性肝炎浮肿。 |

苦马豆根：苦，平；有小毒。补肾固精，止血。用于尿崩症，遗精，各种出血症。

| 用法用量 | 苦马豆：内服煎汤，9 ~ 12 g。
苦马豆根：内服煎汤，9 ~ 15 g。

| 附　注 | 本种较耐干旱，习见于盐化草甸、强度钙质性灰钙土上。青海西宁西郊民间煎汤服，用于催产。

豆科 Fabaceae 两型豆属 Amphicarpaea

两型豆
Amphicarpaea edgeworthii Benth.

| 植物别名 | 野毛扁豆、山巴豆、三籽两型豆。

| 药 材 名 | 阴阳豆（药用部位：全草或根。别名：野扁豆、野黄豆、小山豆根）。

| 形态特征 | 一年生缠绕草本。茎纤细，长 0.3 ~ 1.3 m，被淡褐色柔毛。叶具羽状 3 小叶；托叶小，披针形或卵状披针形，长 3 ~ 4 mm，具明显线纹；叶柄长 2 ~ 5.5 cm；小叶薄纸质或近膜质，顶生小叶菱状卵形或扁卵形，长 2.5 ~ 5.5 cm，宽 2 ~ 5 cm，稀更大或更宽，先端钝或有时短尖，常具细尖头，基部圆形、宽楔形或近平截，上面绿色，下面淡绿色，两面常被贴伏的柔毛，基出脉 3，纤细；小叶柄短；小托叶极小，常早落，侧生小叶稍小，常偏斜。花二型。生于茎上部的为正常花，排成腋生的短总状花序，有花 2 ~ 7，各部分被淡褐色长柔毛；苞片近膜质，卵形至椭圆形，长 3 ~ 5 mm，具线纹多条，

腋内通常具 1 花；花梗纤细，长 1 ~ 2 mm；花萼管状，5 裂，裂片不等；花冠淡紫色或白色，长 1 ~ 1.7 cm，各瓣近等长，旗瓣倒卵形，具瓣柄，两侧具内弯的耳，翼瓣长圆形，亦具瓣柄和耳，龙骨瓣与翼瓣近似，先端钝，具长瓣柄；雄蕊二体；子房被毛。生于茎下部的为闭锁花，无花瓣，柱头弯至与花药接触，子房伸入地下结实。荚果二型。生于茎上部的完全花结的荚果为长圆形或倒卵状长圆形，长 2 ~ 3.5 cm，宽约 6 mm，扁平，微弯，被淡褐色柔毛，以背、腹缝线上的毛较密；种子 2 ~ 3，肾状圆形，黑褐色，种脐小。闭锁花伸入地下结的荚果呈椭圆形或近球形，不开裂，内含种子 1。花果期 8 ~ 11 月。

| **生境分布** | 生于海拔 300 ~ 1 800 m 的山坡路旁及旷野草地。分布于河北灵寿、赞皇、涿鹿等。

| **资源情况** | 野生资源丰富。药材主要来源于野生。

| **采收加工** | 夏、秋季采收，洗净，晒干。

| **功能主治** | 苦、淡，平。消食，解毒，止痛。用于消化不良，体虚自汗，盗汗，各种疼痛，疮疖。

| **用法用量** | 内服煎汤，10 ~ 30 g。

豆科 Fabaceae 落花生属 Arachis

落花生 *Arachis hypogaea* L.

| 植物别名 | 花生、地豆、番果。

| 药 材 名 | 落花生（药用部位：种子。别名：花生、落花参、长生果）、落花生根（药用部位：根。别名：花生根）、落花生枝叶（药用部位：茎叶。别名：花生茎叶）。

| 形态特征 | 一年生草本。根部有丰富的根瘤。茎直立或匍匐，长 30 ~ 80 cm，茎和分枝均有棱，被黄色长柔毛，后变无毛。叶通常具小叶 2 对；托叶长 2 ~ 4 cm，具纵脉纹，被毛；叶柄基部抱茎，长 5 ~ 10 cm，被毛；小叶纸质，卵状长圆形至倒卵形，长 2 ~ 4 cm，宽 0.5 ~ 2 cm，先端钝圆形，有时微凹，具小刺尖头，基部近圆形，全缘，两面被毛，边缘具睫毛，侧脉每边约 10，叶脉边缘互相联结成网状；小叶柄长 2 ~ 5 mm，被黄棕色长毛。花长约 8 mm；苞片 2，披针形；小苞

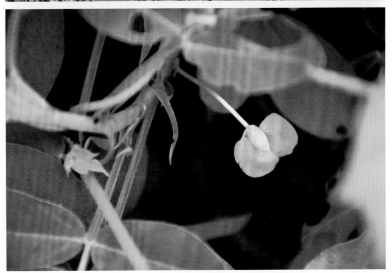

片披针形，长约 5 mm，具纵脉纹，被柔毛；萼管细，长 4 ~ 6 cm；花冠黄色或金黄色，旗瓣直径 1.7 cm，开展，先端凹入，翼瓣与龙骨瓣分离，翼瓣长圆形或斜卵形，细长，龙骨瓣长卵圆形，内弯，先端渐狭成喙状，较翼瓣短；花柱延伸于萼管咽部之外，柱头顶生，小，疏被柔毛。荚果长 2 ~ 5 cm，宽 1 ~ 1.3 cm，膨胀，荚厚；种子横径 0.5 ~ 1 cm。花果期 6 ~ 8 月。

| 生境分布 | 生于山坡、田地。分布于河北滦平、迁安、迁西等。

| 资源情况 | 野生资源丰富。栽培资源丰富。药材主要来源于栽培。

| 采收加工 | 落花生：10 月采挖果实，剥去果壳，取出种子，晒干。
落花生根：秋季采挖，洗净，鲜用或切碎晒干。

落花生枝叶：7 ~ 9 月采收，鲜用或切碎晒干。

| **药材性状** | 落花生：本品呈短圆柱形或一端较平截，长 0.5 ~ 1.5 cm，直径 0.5 ~ 0.8 cm。种皮棕色或淡棕红色，不易剥离，子叶 2，类白色，油润，中间有胚芽。气微，味淡，嚼之有豆腥味。

落花生枝叶：本品下部茎呈圆柱形，表面有纵纹；上部茎及枝呈类方形，长 30 ~ 70 cm，直径 0.3 ~ 0.5 cm。表面黄绿色至黄棕色，有棱及长毛。质较脆，断面有髓或中空。偶数羽状复叶，互生；小叶片长圆形至卵圆形，长 2.5 ~ 4 cm，宽 1.5 ~ 2 cm，先端钝或有小突尖，基部渐窄，全缘；表面黄绿色至棕褐色，侧脉明显；小叶柄长 2 ~ 5 cm，被毛。气微，味淡。

| 功能主治 | 落花生：甘，平。归脾、肺经。健脾养胃，润肺化痰。用于脾虚反胃，乳少，脚气，肺燥咳嗽，大便燥结。

落花生根：淡，平。祛风除湿，通络。用于风湿关节痛。

落花生枝叶：甘、淡，平。清热宁神。用于跌打损伤，痈肿疮毒，失眠。

| 用法用量 | 落花生：内服煎汤，30～100 g；或生研冲汤，10～15 g；或炒熟食，30～60 g；或煮熟食，30～60 g。

落花生根：内服煎汤，15～30 g。

落花生枝叶：内服煎汤，30～60 g。外用适量，鲜品捣敷。

豆科 Fabaceae 米口袋属 *Gueldenstaedtia*

米口袋
Gueldenstaedtia verna (Georgi) Boriss.

| **植物别名** | 米布袋。

| **药材名** | 甜地丁（药用部位：全草。别名：米布袋、地丁、小丁黄）。

| **形态特征** | 多年生草本。主根圆锥状。分茎极短缩，叶及总花梗于分茎上丛生。托叶宿存，下面的阔三角形，上面的狭三角形，基部合生，外面密被白色长柔毛；叶在早春时长仅 2 ～ 5 cm，夏、秋季可长达 15 cm，个别甚至可达 23 cm，早生叶被长柔毛，后生叶毛稀疏，甚几至无毛；叶柄具沟；小叶 7 ～ 21，椭圆形至长圆形或卵形至长卵形，有时披针形，先端小叶有时为倒卵形，长（4.5 ～）10 ～ 14（～ 25）mm，宽（1.5 ～）5 ～ 8（～ 10）mm，基部圆，先端具细尖，急尖、钝、微缺或下凹成弧形。伞形花序有 2 ～ 6 花；总花梗具沟，被长柔毛，花期较叶稍长，花后约与叶等长或短于叶；苞片三角状

线形，长 2 ~ 4 mm；花梗长 1 ~ 3.5 mm；花萼钟状，长 7 ~ 8 mm，被贴伏长柔毛，上 2 萼齿最大，与萼筒等长，下 3 萼齿较小，最下 1 片最小；花冠紫堇色，旗瓣长 13 mm，宽 8 mm，倒卵形，全缘，先端微缺，基部渐狭成瓣柄，翼瓣长 10 mm，宽 3 mm，斜长倒卵形，具短耳，瓣柄长 3 mm，龙骨瓣长 6 mm，宽 2 mm，倒卵形，瓣柄长 2.5 mm；子房椭圆状，密被贴伏长柔毛，花柱无毛，内卷，先端膨大成圆形柱头。荚果圆筒状，长 17 ~ 22 mm，直径 3 ~ 4 mm，被长柔毛；种子三角状肾形，直径约 1.8 mm，具凹点。花期 4 月，果期 5 ~ 6 月。

| **生境分布** | 生于海拔 200 ~ 1 300 m 以下的山坡、路旁、田边等。分布于河北磁县、沽源、灵寿等。

| **资源情况** | 野生资源丰富。药材主要来源于野生。

| **采收加工** | 7 ~ 10 月采收，鲜用或扎把晒干。

| **药材性状** | 本品根呈长圆锥形，有的略扭曲；表面红棕色或灰黄色，有纵皱纹、横向皮孔及细长侧根；质硬，断面黄白色，边缘绵毛状，中央浅黄色，颗粒状。茎短而细，灰绿色，有茸毛。奇数羽状复叶，丛生，具托叶，叶多皱缩、破碎，完整小叶片展平后呈椭圆形，灰绿色，有白色茸毛。有时可见伞形花序，蝶形花冠紫色或黄棕色。荚果圆柱形，棕色，有白色茸毛。种子黑色，细小。气微，味淡、微甜，嚼之有豆腥味。

| **功能主治** | 甘、苦，寒。归心、肝经。清热，解毒，消肿。用于痈肿疔疮，丹毒，肠痈，黄疸，肠炎，痢疾，毒虫咬伤。

| **用法用量** | 内服煎汤，6 ~ 30 g。外用适量，鲜品捣敷；或煎汤洗。

豆科 Fabaceae 米口袋属 Gueldenstaedtia

狭叶米口袋
Gueldenstaedtia stenophylla Bunge

| 植物别名 | 地丁、细叶米口袋。

| 药材名 | 甜地丁（药用部位：全草。别名：米布袋、地丁、小丁黄）。

| 形态特征 | 多年生草本。主根细长。分茎较短缩，具宿存托叶。叶长 1.5 ~ 15 cm，被疏柔毛；叶柄长约为叶的 2/5；托叶宽三角形至三角形，被稀疏长柔毛，基部合生；小叶 7 ~ 19，早春生的小叶卵形，夏、秋季的线形，长 0.2 ~ 3.5 cm，宽 1 ~ 6 mm，先端急尖、钝或截形，具细尖头，两面被疏柔毛。伞形花序具 2 ~ 3 花，有时 4；总花梗纤细，被白色疏柔毛，在花期较叶为长；花梗极短或近无梗；苞片及小苞片披针形，密被长柔毛；萼筒钟状，长 4 ~ 5 mm，上 2 萼齿最大，长 1.5 ~ 2.3 mm，下 3 萼齿较狭小；花冠粉红色，旗瓣近圆形，长 6 ~ 8 mm，先端微缺，基部渐狭成瓣柄，翼瓣狭楔形，具斜截头，

长 7 mm，瓣柄长 2 mm，龙骨瓣长 4.5 mm，被疏柔毛。种子肾形，直径 1.5 mm，具凹点。花期 4 月，果期 5 ~ 6 月。

| 生境分布 | 生于向阳的山坡、路旁、草地等。分布于河北邯郸及永清等。

| 资源情况 | 野生资源丰富。药材主要来源于野生。

| 采收加工 | 7 ~ 10 月采收，鲜用或扎把晒干。

| 药材性状 | 本品根呈长圆锥形，有的略扭曲；表面红棕色或灰黄色，有纵皱纹、横向皮孔及细长侧根；质硬，断面黄白色，边缘绵毛状，中央浅黄色，颗粒状。茎短而细，灰绿色，有茸毛。奇数羽状复叶，丛生，具托叶，叶多皱缩、破碎，完整小叶片展平后呈椭圆形，灰绿色，有白色茸毛。有时可见伞形花序，蝶形花冠紫色或黄棕色。荚果圆柱形，棕色，有白色茸毛；种子黑色，细小。气微，味淡、微甜，嚼之有豆腥味。

| 功能主治 | 甘、苦，寒。归心、肝经。清热，解毒，消肿。用于痈肿疔疮，丹毒，肠痈，黄疸，肠炎，痢疾，毒虫咬伤。

| 用法用量 | 内服煎汤，6 ~ 30 g。外用适量，鲜品捣敷；或煎汤洗。

豆科 Fabaceae 木蓝属 Indigofera

多花木蓝
Indigofera amblyantha Craib

| 植物别名 |

野蓝枝、马黄消、景粟子。

| 药 材 名 |

木蓝山豆根（药用部位：根。别名：山豆根）。

| 形态特征 |

直立灌木，高 0.8 ~ 2 m，少分枝。茎褐色或淡褐色，圆柱形，幼枝禾秆色，具棱，密被白色平贴"丁"字毛，后变无毛。羽状复叶长达 18 cm；叶柄长 2 ~ 5 cm，叶轴上面具浅槽，与叶柄均被平贴"丁"字毛；托叶微小，三角状披针形，长约 1.5 mm；小叶 3 ~ 4（~ 5）对，对生，稀互生，形状、大小变异较大，通常为卵状长圆形、长圆状椭圆形、椭圆形或近圆形，长 1 ~ 3.7（~ 6.5）cm，宽 1 ~ 2（~ 3）cm，先端圆钝，具小尖头，基部楔形或阔楔形，上面绿色，疏生"丁"字毛，下面苍白色，被毛较密，中脉上面微凹，下面隆起，侧脉 4 ~ 6 对，上面隐约可见；小叶柄长约 1.5 mm，被毛；小托叶微小。总状花序腋生，长达 11 ~ 15 cm；近无总花梗；苞片线形，长约 2 mm，早落；花梗长约 1.5 mm；花萼长约 3.5 mm，被白色平贴"丁"字毛，萼筒长约 1.5 mm，最下方萼齿

长约 2 mm，两侧萼齿长约 1.5 mm，上方萼齿长约 1 mm；花冠淡红色，旗瓣倒阔卵形，长 6 ~ 6.5 mm，先端螺壳状，瓣柄短，外面被毛，翼瓣长约 7 mm，龙骨瓣较翼瓣短，距长约 1 mm；花药球形，先端具小突尖；子房线形，被毛，有胚珠 17 ~ 18。荚果棕褐色，线状圆柱形，长 3.5 ~ 6（~ 7）cm，被短"丁"字毛，种子间有横隔，内果皮无斑点；种子褐色，长圆形，长约 2.5 mm。花期 5 ~ 7 月，果期 9 ~ 11 月。

| **生境分布** | 生于海拔 600 ~ 1 600 m 的山坡草地、沟边、路旁灌丛及林缘。分布于河北阜平、迁西、武安等。

| **资源情况** | 野生资源一般。药材主要来源于野生。

| **采收加工** | 9 ~ 10 月采挖，鲜用或晒干。

| **药材性状** | 本品呈圆柱形，头部膨大成结节状，下面着生 3 ~ 5 支根，多扭曲，有 2 ~ 3 分枝和多数须根。表面黄褐色至棕褐色，有不规则纵皱纹和微凸起的横长皮孔，栓皮多皱缩开裂，易脱落，脱落处色较深，呈深棕褐色。质硬而脆，易折断，断面纤维状，皮部棕色，木部淡黄色，有放射状纹理。气微，味微苦。

| **功能主治** | 苦，寒。清热利咽，解毒，通便。用于暑温，热结便秘，咽喉肿痛，肺热咳嗽，黄疸，痔疮，秃疮，蛇、虫、犬咬伤。

| **用法用量** | 内服煎汤，15 ~ 30 g。外用适量，研末敷；或捣汁搽。

| **附　注** | 木蓝山豆根来源于本种和华东木蓝 *Indigofera fortunei* Craib、宜昌木蓝 *Indigofera decora* Lindl. var. *ichangensis* (Craib) Y. Y. Fang et C. Z. Zheng、花木蓝 *Indigofera kirilowii* Maxim. ex Palibin、甘肃木蓝 *Indigofera potaninii* Craib。

豆科 Fabaceae 木蓝属 Indigofera

河北木蓝 *Indigofera bungeana* Walp.

| 植物别名 | 本氏木蓝、野蓝枝子、狼牙草。

| 药 材 名 | 铁扫竹（药用部位：全草或根。别名：铁扫帚、女儿红、山红蓝靛）。

| 形态特征 | 直立灌木，高 40 ~ 100 cm。茎褐色，圆柱形，有皮孔；枝银灰色，被灰白色"丁"字毛。羽状复叶长 2.5 ~ 5 cm；叶柄长达 1 cm，叶轴上面有槽，与叶柄均被灰色平贴"丁"字毛；托叶三角形，长约 1 mm，早落；小叶 2 ~ 4 对，对生，椭圆形或稍倒阔卵形，长 5 ~ 15 mm，宽 3 ~ 10 mm，先端钝圆，基部圆形，上面绿色，疏被"丁"字毛，下面苍绿色，"丁"字毛较粗；小叶柄长 0.5 mm；小托叶与小叶柄近等长或不明显。总状花序腋生，长 4 ~ 6（~ 8）cm；总花梗较叶柄短；苞片线形，长约 1.5 mm；花梗长约 1 mm；花萼长约 2 mm，外面被白色"丁"字毛，萼齿近相等，三角状披针形，与萼

筒近等长；花冠紫色或紫红色，旗瓣阔倒卵形，长达 5 mm，外面被"丁"字毛，翼瓣与龙骨瓣等长，龙骨瓣有距；花药圆球形，先端具小凸尖；子房线形，被疏毛。荚果褐色，线状圆柱形，长不超过 2.5 cm，被白色"丁"字毛，种子间有横隔，内果皮有紫红色斑点；种子椭圆形。花期 5 ~ 6 月，果期 8 ~ 10 月。

| 生境分布 | 生于海拔 600 ~ 1 000 m 的山坡、草地和河滩地。分布于河北邢台及易县、永年等。

| 资源情况 | 野生资源丰富。药材主要来源于野生。

| 采收加工 | 春、秋季采收，洗净，鲜用，或切段，晒干。

| 药材性状 | 本品全草长 40 ~ 100 cm。茎褐色，被白色"丁"字毛。奇数羽状复叶，叶、叶轴和叶柄均被灰色平贴"丁"字毛；小叶 7 ~ 8，对生，长圆形或倒卵状长圆形，长 5 ~ 15 mm，宽 3 ~ 10 mm，先端钝圆，有小尖头，基部圆形，全缘。总状花序腋生，花冠紫色。荚果线状圆柱形，被白色"丁"字毛，种子间有横隔，内果皮有紫红色斑点。种子椭圆形。气微。

| 功能主治 | 苦、涩，凉。止血敛疮，清热利湿。用于吐血，创伤，无名肿毒，口疮，臁疮，痔疮，泄泻腹痛。

| 用法用量 | 内服煎汤，9 ~ 15 g，鲜品30 ~ 60 g。外用适量，研末调敷；或鲜品捣敷；或煎汤洗。

豆科 Fabaceae 木蓝属 *Indigofera*

花木蓝

Indigofera kirilowii Maxim. ex Palibin

| 植物别名 | 吉氏木蓝。

| 药 材 名 | 豆根木蓝（药用部位：根）。

| 形态特征 | 小灌木，高 30 ~ 100 cm。茎圆柱形，无毛。幼枝有棱，疏生白色"丁"字毛。羽状复叶长 6 ~ 15 cm；叶柄长（0.5 ~）1 ~ 2.5 cm，叶轴上面略扁平，有浅槽，被毛或近无毛；托叶披针形，长 4 ~ 6 mm，早落；小叶（2 ~）3 ~ 5 对，对生，阔卵形、卵状菱形或椭圆形，长 1.5 ~ 4 cm，宽 1 ~ 2.3 cm，先端圆钝或急尖，具长的小尖头，基部楔形或阔楔形，上面绿色，下面粉绿色，两面散生白色"丁"字毛，中脉在上面微隆起，在下面隆起，侧脉两面明显；小叶柄长 2.5 mm，密生毛；小托叶钻形，长 2 ~ 3 mm，宿存。

总状花序长 5 ~ 12（~ 20）cm，疏花；总花梗长 1 ~ 2.5 cm；花序轴有棱，疏生白色"丁"字毛；苞片线状披针形，长 2 ~ 5 mm；花梗长 3 ~ 5 mm，无毛；花萼杯状，外面无毛，长约 3.5 mm，萼筒长约 1.5 mm，萼齿披针状三角形，有缘毛，最下方萼齿长达 2 mm；花冠淡红色，稀白色，花瓣近等长，旗瓣椭圆形，

长 12 ~ 15（~ 17）mm，宽约 7.5 mm，先端圆形，外面无毛，边缘有短毛，翼瓣边缘有毛；花药阔卵形，两端有髯毛；子房无毛。荚果棕褐色，圆柱形，长 3.5 ~ 7 cm，直径约 5 mm，无毛，内果皮有紫色斑点，有种子 10 余粒；果柄平展；种子赤褐色，长圆形，长约 5 mm，直径约 2.5 mm。花期 5 ~ 7 月，果期 8 月。

| 生境分布 | 生于山坡灌丛及疏林或岩缝。分布于河北抚宁、兴隆、赞皇等。

| 资源情况 | 野生资源丰富。栽培资源丰富。药材主要来源于栽培。

| 采收加工 | 春、秋季采挖，洗净，晒干或鲜用。

| 功能主治 | 苦，寒。清热解毒，消肿止痛，通便。用于咽喉肿痛，肺热咳嗽，黄疸，热结便秘；外用于痔疮肿痛，蛇虫咬伤。

| 用法用量 | 内服煎汤，5 ~ 15 g。外用适量，研末敷；或鲜品捣汁搽。

花苜蓿 *Medicago ruthenica* (L.) Trautv.

| 植物别名 | 扁蓿豆。

| 药 材 名 | 花苜蓿（药用部位：全草。别名：奇尔克、纳林 - 胡岑格、布斯项）。

| 形态特征 | 多年生草本，高 20 ~ 70（ ~ 100）cm。主根深入土中，根系发达。茎直立或上升，四棱形，基部分枝，丛生。羽状三出复叶；托叶披针形，锥尖，先端稍上弯，基部阔圆形，耳状，具 1 ~ 3 浅齿，脉纹清晰；叶柄比小叶短，长 2 ~ 7（ ~ 12）mm，被柔毛；小叶形状变化很大，长圆状倒披针形、楔形、线形至卵状长圆形，长（6 ~）10 ~ 15（ ~ 25）mm，宽（1.5 ~）3 ~ 7（ ~ 12）mm，先端平截、钝圆或微凹，中央具细尖，基部楔形、阔楔形至钝圆，边缘在基部1/4 处以上具尖齿，或仅在上部具不整齐尖锯齿，上面近无毛，下面被贴伏柔毛，侧脉 8 ~ 18 对，分叉并伸出叶缘成尖齿，两面均隆起；

顶生小叶稍大，小叶柄长 2 ~ 6 mm，侧生小叶柄甚短，被毛。花序伞形，有时长达 2 cm，具花（4 ~）6 ~ 9（~ 15）；总花梗腋生，通常比叶长，挺直，有时也纤细、比叶短；苞片刺毛状，长 1 ~ 2 mm；花长（5 ~）6 ~ 9 mm；花梗长 1.5 ~ 4 mm，被柔毛；花萼钟形，长 2 ~ 4 mm，宽 1.5 ~ 2 mm，被柔毛，萼齿披针状锥尖，与萼筒等长或较之短；花冠黄褐色，中央具深红色至紫色条纹，旗瓣倒卵状长圆形、倒心形至匙形，先端具凹头，翼瓣稍短，长圆形，龙骨瓣明显短，卵形，均具长瓣柄；子房线形，无毛，花柱短，胚珠 4 ~ 8。荚果长圆形或卵状长圆形，扁平，长 8 ~ 15（~ 20）mm，宽 3.5 ~ 5（~ 7）mm，先端钝、急尖，具短喙，基部狭尖并稍弯曲，具短颈，脉纹横向倾斜，分叉，腹缝有时具流苏状的狭翅，成熟后变黑，有种子 2 ~ 6；种子椭圆状卵形，长 2 mm，宽 1.5 mm，棕色，平滑，种脐偏于一端；胚根发达。花期 6 ~ 9 月，果期 8 ~ 10 月。

| **生境分布** | 生于草原、沙地、河岸及砂砾质土壤的山坡旷野。分布于河北蔚县、兴隆、围场等。

| **资源情况** | 野生资源丰富。药材主要来源于野生。

| **采收加工** | 6 ~ 7 月采收，洗净，除去残叶、须根，晾干。

| **药材性状** | 本品皱缩、卷曲。根细长，少分枝，淡黄色至褐色。茎近四棱形，疏被白毛，质脆，易折断。叶多皱缩，湿展后具小叶 3，小叶片绿色，倒卵形或宽椭圆形，长 0.3 ~ 1 cm，宽 2 ~ 8 mm，先端微凹，上部边缘具不规则疏锯齿。花蝶形，淡黄色，具紫色条纹。荚果椭圆形，长约 1 cm，表面有横纹，先端具短尖。种子 2 ~ 4，黄褐色。气微香。

| **功能主治** | 苦，寒。清热解毒，止咳，止血。用于发热，咳嗽，痢疾，外伤出血。

| **用法用量** | 内服煎汤，9 ~ 15 g。外用适量，熬膏涂。

豆科 Fabaceae 苜蓿属 Medicago

天蓝苜蓿 *Medicago lupulina* L.

| 植物别名 | 天蓝。

| 药 材 名 | 老蜗生（药用部位：全草。别名：天蓝、接筋草）。

| 形态特征 | 一年生、二年生或多年生草本，高 15 ~ 60 cm，全株被柔毛或有腺毛。主根浅，须根发达。茎平卧或上升，多分枝，叶茂盛。羽状三出复叶；托叶卵状披针形，长可达 1 cm，先端渐尖，基部圆或戟状，常齿裂；下部叶柄较长，长 1 ~ 2 cm，上部叶柄比小叶短；小叶倒卵形、阔倒卵形或倒心形，长 5 ~ 20 mm，宽 4 ~ 16 mm，纸质，先端多少平截或微凹，具细尖，基部楔形，边缘在上半部具不明显尖齿，两面均被毛，侧脉近 10 对，平行达叶缘，几不分叉，上下均平坦；顶生小叶较大，小叶柄长 2 ~ 6 mm，侧生小叶叶柄甚短。花序小头状，具 10 ~ 20 花；总花梗细，挺直，比叶长，密被贴伏

柔毛；苞片刺毛状，甚小；花长 2 ~ 2.2 mm；花梗短，长不及 1 mm；花萼钟形，长约 2 mm，密被毛，萼齿线状披针形，稍不等长，比萼筒略长或与之等长；花冠黄色，旗瓣近圆形，先端微凹，翼瓣和龙骨瓣近等长，均比旗瓣短；子房阔卵形，被毛，花柱弯曲，胚珠 1。荚果肾形，长 3 mm，宽 2 mm，表面具同心弧形脉纹，被稀疏毛，熟时变黑，有种子 1；种子卵形，褐色，平滑。花期 7 ~ 9 月，果期 8 ~ 10 月。

| **生境分布** | 生于河岸、路边、田野及林缘。分布于河北滦平、平泉、蔚县等。

| **资源情况** | 野生资源丰富。药材主要来源于野生。

| **采收加工** | 夏季采收，鲜用或切碎晒干。

| **药材性状** | 本品全长 20 ~ 60 cm，被疏毛。三出复叶互生，具长柄；完整小叶呈宽倒卵形或菱形，长、宽均为 1 ~ 2 cm，先端钝圆，微凹，基部宽楔形，边缘上部有锯齿，两面均具白色柔毛；小叶柄短；托叶斜卵形，有柔毛。10 ~ 20 花密集成头状花序；花萼钟状，花冠蝶形，黄棕色。荚果先端内曲，稍呈肾形，黑色，具网纹，有疏柔毛。种子 1，黄褐色。气微，味淡。

| **功能主治** | 甘、苦、微涩，凉；有小毒。清热利湿，舒筋活络，止咳平喘，凉血解毒。用于湿热黄疸，热淋，石淋，风湿痹痛，咳喘，痔血，指头疔，毒蛇咬伤。

| **用法用量** | 内服煎汤，9 ~ 30 g。外用适量，捣敷。

豆科 Fabaceae 苜蓿属 *Medicago*

野苜蓿

Medicago falcata L.

| 药 材 名 |

野苜蓿（药用部位：全草。别名：镰荚苜蓿、豆豆苗）。

| 形态特征 |

多年生草本，高（20～）40～100（～120）cm。主根粗壮，木质，须根发达。茎平卧或上升，圆柱形，多分枝。羽状三出复叶；托叶披针形至线状披针形，先端长渐尖，基部戟形，全缘或稍具锯齿，脉纹明显；叶柄细，比小叶短；小叶倒卵形至线状倒披针形，长（5～）8～15（～20）mm，宽（1～）2～5（～10）mm，先端近圆形，具刺尖，基部楔形，边缘上部1/4具锐锯齿，上面无毛，下面被贴伏毛，侧脉12～15对，与中脉呈锐角，平行达叶缘，不分叉；顶生小叶稍大。花序短总状，长1～2（～4）cm，具花6～20（～25），稠密，花期几不伸长；总花梗腋生，挺直，与叶等长或较之稍长；苞片针刺状，长约1mm；花长6～9（～11）mm；花梗长2～3mm，被毛；花萼钟形，被贴伏毛，萼齿线状锥形，比萼筒长；花冠黄色，旗瓣长倒卵形，翼瓣和龙骨瓣等长，均比旗瓣短；子房线形，被柔毛，花柱短，略弯，胚珠2～5。荚果镰形，长（8～）10～15mm，

宽 2.5 ~ 3.5（~ 4）mm，脉纹细，斜向，被贴伏毛，有种子 2 ~ 4；种子卵
状椭圆形，长 2 mm，宽 1.5 mm，黄褐色，胚根处凸起。花期 6 ~ 8 月，果期
7 ~ 9 月。

| **生境分布** | 生于砂质偏旱耕地、山坡、草原及河岸杂草丛。分布于河北昌黎、乐亭、迁安等。

| **资源情况** | 野生资源丰富。药材主要来源于野生。

| **采收加工** | 夏、秋季采收，晒干。

| **功能主治** | 甘、微苦，平。归脾、胃、膀胱经。健脾补虚，利尿退黄，舒筋活络。用于脾虚腹胀，
消化不良，浮肿，黄疸，风湿痹痛。

| **用法用量** | 内服煎汤，9 ~ 15 g；或研末，3 ~ 4.5 g。

豆科 Fabaceae 苜蓿属 Medicago

紫苜蓿 *Medicago sativa* L.

| 植物别名 | 苜蓿。

| 药 材 名 | 苜蓿（药用部位：全草。别名：木粟、怀风、光风）、苜蓿根（药
用部位：根）。

| 形态特征 | 多年生草本，高 30 ~ 100 cm。根粗壮，深入土层，根颈发达。茎
直立、丛生以至平卧，四棱形，无毛或微被柔毛，枝叶茂盛。羽状
三出复叶；托叶大，卵状披针形，先端锐尖，基部全缘或具 1 ~ 2
齿裂，脉纹清晰；叶柄比小叶短；小叶长卵形、倒长卵形至线状卵
形，等大，或顶生小叶稍大，长（5 ~）10 ~ 25（~ 40）mm，宽
3 ~ 10 mm，纸质，先端钝圆，具由中脉伸出的长齿尖，基部狭窄，
楔形，边缘 1/3 以上具锯齿，上面无毛，深绿色，下面被贴伏柔毛，
侧脉 8 ~ 10 对，与中脉呈锐角，在近叶缘处略有分叉；顶生小叶

柄比侧生小叶柄略长。花序总状或头状，长 1 ～ 2.5 cm，具花 5 ～ 30；总花梗挺直，比叶长；苞片线状锥形，比花梗长或与之等长；花长 6 ～ 12 mm；花梗短，长约 2 mm；花萼钟形，长 3 ～ 5 mm，萼齿线状锥形，比萼筒长，被贴伏柔毛；花冠淡黄色、深蓝色至暗紫色等，花瓣均具长瓣柄，旗瓣长圆形，先端微凹，明显较翼瓣和龙骨瓣长，翼瓣较龙骨瓣稍长；子房线形，具柔毛，花柱短阔，上端细尖，柱头点状，胚珠多数。荚果螺旋状紧卷 2 ～ 4（～ 6）圈，中央无孔或近无孔，直径 5 ～ 9 mm，被柔毛或渐脱落无毛，脉纹细，不清晰，成熟时棕色，有种子 10 ～ 20；种子卵形，长 1 ～ 2.5 mm，平滑，黄色或棕色。花期 5 ～ 7 月，果期 6 ～ 8 月。

| **生境分布** | 生于田边、路旁、旷野、草原、河岸及沟谷等。分布于河北沽源、行唐、涞源等。河北各地均有栽培。 |

| **资源情况** | 野生资源稀少。栽培资源丰富。药材主要来源于栽培。 |

| **采收加工** | 苜蓿：6 ~ 10 月采收，鲜用，或切段，晒干。
苜蓿根：6 ~ 7 月采挖，鲜用或晒干。 |

| **药材性状** | 苜蓿：本品茎长 30 ~ 100 cm，有蔓生茎，多分枝，光滑。三出复叶，多皱缩、卷曲；完整小叶呈倒卵形或倒披针形，长 1 ~ 2.5 cm，宽 0.5 cm，仅上部叶缘有锯齿；小叶柄长约 1 mm；托叶披针形，长约 5 mm。总状花序腋生，花萼有柔毛，萼齿狭披针形，急尖，花冠暗紫色，长于花萼。荚果螺旋形，2 ~ 3 绕不等， |

黑褐色，稍有毛。种子 10 ～ 20，肾形，小，黄褐色。气微，味淡。

苜蓿根：本品根呈细长圆柱形，直径 0.5 ～ 2 cm，分枝较多。根头部较粗大，有时具地上茎残基。表面灰棕色至红棕色，皮孔少且不明显。质坚而脆，断面刺状。气微弱，略具刺激性，味微苦。

| **功能主治** | **苜蓿**：苦、甘，凉。清热，利湿，通淋，排石。用于湿热黄疸，泄泻，痢疾，浮肿，石淋，痔疮出血。

苜蓿根：苦，寒。清热，利湿，通淋。用于热病烦满，湿热黄疸，石淋。

| **用法用量** | **苜蓿**：内服煎汤，15 ～ 30 g；或捣汁，鲜品 90 ～ 150 g；或研末，3 ～ 9 g。

苜蓿根：内服煎汤，15 ～ 30 g；或捣汁。

豆科 Fabaceae 山黧豆属 *Lathyrus*

大山黧豆 *Lathyrus davidii* Hance

| **植物别名** | 大豆花、大豌豆、豌豆花。

| **药材名** | 大山黧豆（药用部位：种子。别名：山黧豆、野豌豆、豌豆花）。

| **形态特征** | 多年生草本，具块根，高 1 ~ 1.8 m。茎粗壮，通常直径 5 mm，圆柱状，具纵沟，直立或上升，无毛。托叶大，半箭形，全缘或下面稍有锯齿，长 4 ~ 6 cm，宽 2 ~ 3.5 cm；叶轴末端具分枝的卷须；小叶（2 ~）3 ~ 4（~ 5）对，通常为卵形，具细尖，基部宽楔形或楔形，全缘，长 4 ~ 6 cm，宽 2 ~ 7 cm，两面无毛，上面绿色，下面苍白色，具羽状脉。总状花序腋生，约与叶等长，有 10 余花；花萼钟状，长约 5 mm，无毛，萼齿短小，最小萼齿长 2 mm，最上方萼齿长 1 mm；花深黄色，长 1.5 ~ 2 cm，旗瓣长 1.6 ~ 1.8 cm，瓣片扁圆形，瓣柄狭倒卵形，与瓣片等长，翼瓣瓣片与旗瓣瓣片等

长，具耳及线形长瓣柄，龙骨瓣约与翼瓣等长，瓣片卵形，先端渐尖，基部具耳及线形瓣柄；子房线形，无毛。荚果线形，长 8 ～ 15 cm，宽 5 ～ 6 mm，具长网纹；种子紫褐色，宽长圆形，长 3 ～ 5 mm，光滑。花期 5 ～ 7 月，果期 8 ～ 9 月。

| 生境分布 |　生于海拔 1 800 m 以下的山坡、林缘、灌丛。分布于河北青龙、武安、兴隆等。

| 资源情况 |　野生资源一般。栽培资源丰富。药材主要来源于栽培。

| 采收加工 |　秋季采收成熟果实，打下种子，除去杂质，晒干。

| 功能主治 |　辛，温。疏肝理气，调经止痛。用于痛经，月经不调。

| 用法用量 |　内服煎汤，6 ～ 15 g。

豆科 Fabaceae 山黧豆属 Lathyrus

山黧豆

Lathyrus quinquenervius (Miq.) Litv.

| 植物别名 | 五脉香豌豆、五脉山黧豆。

| 药 材 名 | 竹叶马豆（药用部位：全草。别名：铁马豆）。

| 形态特征 | 多年生草本。根茎不增粗，横走。茎通常直立，单一，高 20 ～ 50 cm，具棱及翅，有毛，后渐脱落。偶数羽状复叶，叶轴末端具不分枝的卷须，下部叶的卷须短，呈针刺状；托叶披针形至线形，长 7 ～ 23 mm，宽 0.2 ～ 2 mm；叶具小叶 1 ～ 2（～ 3）对；小叶质坚硬，椭圆状披针形或线状披针形，长 35 ～ 80 mm，宽 5 ～ 8 mm，先端渐尖，具细尖，基部楔形，两面被短柔毛，上面稀疏，老时毛渐脱落，具 5 平行脉，两面明显凸出。总状花序腋生，具 5 ～ 8 花；花梗长 3 ～ 5 mm；花萼钟状，被短柔毛，最下 1 萼齿约与萼筒等长；花紫蓝色或紫色，长（12 ～）15 ～ 20 mm；旗瓣近圆形，先端微

缺，瓣柄与瓣片约等长，翼瓣狭倒卵形，与旗瓣等长或较之稍短，具耳及线形瓣柄，龙骨瓣卵形，具耳及线形瓣柄；子房密被柔毛。荚果线形，长 3 ～ 5 cm，宽 4 ～ 5 mm。花期 5 ～ 7 月，果期 8 ～ 9 月。

| **生境分布** | 生于海拔 2 500 m 以下的山坡、林缘、路旁、草甸等。分布于河北沽源、张北、涿鹿等。

| **资源情况** | 野生资源一般。栽培资源一般。药材主要来源于栽培。

| **采收加工** | 春、夏季采收，鲜用或晒干。

| **药材性状** | 本品茎纤细，无毛。羽状复叶，小叶 1 ～ 3 对，叶轴先端呈二歧卷须；叶片皱缩，小叶展平后呈线状披针形，长 2.4 ～ 4 cm，宽 1.5 ～ 4.5 cm，先端具有小突尖，基部楔形，全缘，上下表面叶脉明显凸出。有的可见总状花序，腋生，花暗紫色。荚果圆柱形，无毛。味苦，凉。

| **功能主治** | 苦，凉。清热解毒。用于疮癣疥癞，小儿麻疹后余毒未尽。

| **用法用量** | 内服煎汤，9 ～ 15 g。外用适量，煎汤洗。

豆科 Fabaceae 野决明属 Thermopsis

披针叶野决明

Thermopsis lanceolata R. Br.

| 植物别名 | 牧马豆、披针叶黄华、东方野决明。

| 药 材 名 | 牧马豆（药用部位：全草。别名：黄花苦豆子、野决明、苦豆）。

| 形态特征 | 多年生草本，高 12 ~ 30（~ 40）cm。茎直立，分枝或单一，具沟棱，被黄白色贴伏或伸展柔毛。掌状复叶具 3 小叶；叶柄短，长 3 ~ 8 mm；托叶叶状，卵状披针形，先端渐尖，基部楔形，长 1.5 ~ 3 cm，宽 4 ~ 10 mm，上面近无毛，下面被贴伏柔毛；小叶狭长圆形、倒披针形，长 2.5 ~ 7.5 cm，宽 5 ~ 16 mm，上面通常无毛，下面多少被贴伏柔毛。总状花序顶生，长 6 ~ 17 cm，具花 2 ~ 6 轮，排列疏松；苞片线状卵形或卵形，先端渐尖，长 8 ~ 20 mm，宽 3 ~ 7 mm，宿存；花萼钟形，长 1.5 ~ 2.2 cm，密被毛，背部稍呈囊状隆起，上方 2 齿连合，三角形，下方萼齿

披针形，与萼筒近等长；花冠黄色，旗瓣近圆形，长 2.5 ~ 2.8 cm，宽 1.7 ~ 2.1 cm，先端微凹，基部渐狭成瓣柄，瓣柄长 7 ~ 8 mm，翼瓣长 2.4 ~ 2.7 cm，先端有 4 ~ 4.3 mm 长的狭窄头，龙骨瓣长 2 ~ 2.5 cm，宽为翼瓣的 1.5 ~ 2 倍；子房密被柔毛，具柄，柄长 2 ~ 3 mm，胚珠 12 ~ 20。荚果线形，长 5 ~ 9 cm，宽 7 ~ 12 mm，先端具尖喙，被细柔毛，黄褐色，种子 6 ~ 14，位于中央；种子圆肾形，黑褐色，具灰色蜡层，有光泽，长 3 ~ 5 mm，宽 2.5 ~ 3.5 mm。花期 5 ~ 7 月，果期 6 ~ 10 月。

| 生境分布 | 生于草原沙丘、河岸和砾滩。分布于河北沽源、张北、涿鹿等。

| 资源情况 | 野生资源一般。药材主要来源于野生。

| 采收加工 | 7 ~ 9 月结果时采收，晒干或风干。

| 药材性状 | 本品全体有黄白色长柔毛。茎偶有分枝。掌状复叶，小叶 3；托叶卵状披针形，长 1.5 ~ 2.5 cm，宽 4 ~ 7 mm，基部连合；小叶多皱缩、破碎，完整者展平后呈倒披针形或长圆状倒卵形，长 2.5 ~ 7.5 cm，宽 0.7 ~ 1.5 cm，有短柄。有时可见花序和荚果，花蝶形，黄色。荚果线状长圆形，长约 4 cm，先端有长喙，浅棕色，密被短柔毛，内有种子 6 ~ 14。种子近肾形，黑褐色，具光泽。气微，味淡，种子嚼之有豆腥气。

| 功能主治 | 甘，微温；有毒。归肺经。祛痰止咳，润肠通便。用于咳嗽痰喘，大便干结。

| 用法用量 | 内服煎汤，6 ~ 12 g。外用适量，捣敷；或研末调敷。

豆科 Fabaceae 野豌豆属 Vicia

广布野豌豆 *Vicia cracca* L.

| 植物别名 | 草藤、鬼豆角、落豆秧。

| 药 材 名 | 落豆秧（药用部位：全草。别名：兰花草、透骨草、落地秧）。

| 形态特征 | 多年生草本，高40～150 cm。根细长，多分枝。茎攀缘或蔓生，有棱，被柔毛。偶数羽状复叶，叶轴先端卷须有2～3分枝；托叶半箭头形或戟形，上部2深裂；小叶5～12对，互生，线形、长圆形或披针状线形，长1.1～3 cm，宽0.2～0.4 cm，先端锐尖或圆形，具短尖头，基部近圆形或近楔形，全缘；叶脉稀疏，呈三出脉状，不甚清晰。总状花序与叶轴近等长，花多数，10～40密集一面向着生于总花序轴上部；花萼钟状，萼齿5，近三角状披针形；花冠紫色、蓝紫色或紫红色，长0.8～1.5 cm，旗瓣长圆形，中部缢缩成提琴形，先端微缺，瓣柄与瓣片近等长，翼瓣与旗瓣近等长，明显长于龙骨瓣，

先端钝；子房有柄，胚珠 4 ～ 7，花柱弯与子房连接处呈大于 90° 夹角，上部四周被毛。荚果长圆形或长圆状菱形，长 2 ～ 2.5 cm，宽约 0.5 cm，先端有喙，果柄长约 0.3 cm；种子 3 ～ 6，扁圆球形，直径约 0.2 cm，种皮黑褐色，种脐长相当于种子周长的 1/3。花果期 5 ～ 9 月。

| 生境分布 | 生于草甸、林缘、山坡、河滩草地及灌丛。分布于河北邢台及怀安、涿鹿等。

| 资源情况 | 野生资源丰富。药材主要来源于野生。

| 采收加工 | 7 ～ 9 月采收，晒干。

| 功能主治 | 辛、苦，温。祛风除湿，活血消肿，解毒止痛。用于风湿痹痛，跌打肿痛，湿疹，疮毒。

| 用法用量 | 内服煎汤，15 ～ 25 g。外用适量，煎汤熏洗。

| 附　　注 | 本种的全草在民间用于治疗鼻衄、疮肿。

豆科 Fabaceae 野豌豆属 Vicia

山野豌豆
Vicia amoena Fisch. ex DC.

| 植物别名 | 豆豌豌、落豆秧。

| 药 材 名 | 山野豌豆（药用部位：嫩茎叶。别名：山豌豆、山豆苗、落豆秧）。

| 形态特征 | 多年生草本，高 30 ~ 100 cm，植株被疏柔毛，稀近无毛。主根粗壮，须根发达。茎具棱，多分枝，细软，斜升或攀缘。偶数羽状复叶，长 5 ~ 12 cm，几无柄，先端卷须有 2 ~ 3 分枝；托叶半箭头形，长 0.8 ~ 2 cm，边缘有 3 ~ 4 裂齿；小叶 4 ~ 7 对，互生或近对生，椭圆形至卵状披针形，长 1.3 ~ 4 cm，宽 0.5 ~ 1.8 cm，先端圆、微凹，基部近圆形，上面被贴伏长柔毛，下面粉白色，沿中脉毛被较密，侧脉扇状展开直达叶缘。总状花序通常长于叶；花 10 ~ 20（~ 30）密集着生于花序轴上部；花冠红紫色、蓝紫色或蓝色，花期颜色多变；花萼斜钟状，萼齿近三角形，上萼齿长 0.3 ~ 0.4 cm，明显短

于下萼齿；旗瓣倒卵圆形，长 1 ~ 1.6 cm，宽 0.5 ~ 0.6 cm，先端微凹，瓣柄较宽，翼瓣与旗瓣近等长，瓣片斜倒卵形，瓣柄长 0.4 ~ 0.5 cm，龙骨瓣短于翼瓣，长 1.1 ~ 1.2 cm；子房无毛，胚珠 6，花柱上部四周被毛，子房柄长约 0.4 cm。荚果长圆形，长 1.8 ~ 2.8 cm，宽 0.4 ~ 0.6 cm，两端渐尖，无毛；种子 1 ~ 6，圆形，直径 0.35 ~ 0.4 cm，种皮革质，深褐色，具花斑，种脐内凹，黄褐色，长相当于种子周长的 1/3。花期 4 ~ 6 月，果期 7 ~ 10 月。

| 生境分布 | 生于草甸、山坡、灌丛或杂木林。分布于河北平泉、青龙、涿鹿等。

| 资源情况 | 野生资源丰富。药材主要来源于野生。

| 采收加工 | 7 ~ 9 月采收植株上部的嫩茎叶，晒干或鲜用。

| 功能主治 | 甘，平。祛风除湿，活血止痛。用于风湿疼痛，筋脉拘挛，阴囊湿疹，跌打损伤，无名肿毒，鼻衄，崩漏。

| 用法用量 | 内服煎汤，6 ~ 15 g，鲜品 30 ~ 45 g。外用适量，煎汤熏洗；或研末调敷。

歪头菜
Vicia unijuga A. Br.

| 植物别名 | 草豆、两叶豆苗、山豌豆。

| 药 材 名 | 歪头菜（药用部位：全草。别名：山苦瓜、二叶蚕头、草豆）。

| 形态特征 | 多年生草本，高（15 ~）40 ~ 100（~ 180）cm。根茎粗壮，近木质，主根长达 8 ~ 9 cm，直径 2.5 cm，须根发达，表皮黑褐色。通常数茎丛生，具棱，疏被柔毛，老时渐脱落，茎基部表皮红褐色或紫褐红色。叶轴末端为细刺尖头；偶见卷须，托叶戟形或近披针形，长 0.8 ~ 2 cm，宽 3 ~ 5 mm，边缘有不规则啮蚀状；小叶 1 对，卵状披针形或近菱形，长（1.5 ~）3 ~ 7（~ 11）cm，宽 1.5 ~ 4（~ 5）cm，先端渐尖，边缘具小齿，基部楔形，两面均疏被微柔毛。总状花序单一，稀有分枝，呈圆锥状复总状花序，明显长于叶，长 4.5 ~ 7 cm；花 8 ~ 20 一面向密集于花序轴上部；花萼紫色，斜钟状

或钟状，长约 0.4 cm，直径 0.2 ~ 0.3 cm，无
毛或近无毛，萼齿明显短于萼筒；花冠蓝紫色、
紫红色或淡蓝色，长 1 ~ 1.6 cm，旗瓣倒提琴
形，中部缢缩，先端圆、有凹，长 1.1 ~ 1.5 cm，
宽 0.8 ~ 1 cm，翼瓣先端钝圆，长 1.3 ~ 1.4 cm，
宽 0.4 cm，龙骨瓣短于翼瓣；子房线形，无毛，
胚珠 2 ~ 8，具子房柄，花柱上部四周被毛。
荚果扁，长圆形，长 2 ~ 3.5 cm，宽 0.5 ~ 0.7 cm，
无毛，表皮棕黄色，近革质，两端渐尖，先端
具喙，成熟时腹背开裂，果瓣扭曲；种子 3 ~ 7，
扁圆球形，直径 0.2 ~ 0.3 cm，种皮黑褐色，革质，
种脐长相当于种子周长的 1/4。花期 6 ~ 7 月，
果期 8 ~ 9 月。

| 生境分布 |

生于低海拔至海拔 4 000 m 的山地、林缘、草地、
沟边及灌丛。分布于河北昌黎、赤城、磁县等。

| 资源情况 |

野生资源一般。栽培资源一般。药材主要来源
于栽培。

| 采收加工 |

夏季采收，洗净，切段，晒干。

| 功能主治 |

甘，平。补虚，调肝，利尿，解毒。用于虚劳，
头晕，头痛，胃痛，浮肿，疔疮。

| 用法用量 |

内服煎汤，9 ~ 30 g；或研末，3 g。外用适量，
捣敷。

豆科 Fabaceae 野豌豆属 Vicia

野豌豆 *Vicia sepium* L.

| 植物别名 | 滇野豌豆。

| 药 材 名 | 野豌豆（药用部位：全草）。

| 形态特征 | 多年生草本，高30～100 cm。根茎匍匐。茎柔细，斜升或攀缘，具棱，疏被柔毛。偶数羽状复叶长7～12 cm，叶轴先端卷须发达；托叶半戟形，有2～4裂齿；小叶5～7对，长卵圆形或长圆状披针形，长0.6～3 cm，宽0.4～1.3 cm，先端钝或平截，微凹，有短尖头，基部圆形，两面被疏柔毛，下面较密。短总状花序，花2～4（～6），腋生；花萼钟状，萼齿披针形或锥形，短于萼筒；花冠红色或近紫色至浅粉红色，稀白色，旗瓣近提琴形，先端凹，翼瓣短于旗瓣，龙骨瓣内弯，最短；子房线形，无毛，胚珠5，子房柄短，花柱与子房连接处呈近90°夹角,柱头远轴面有1束黄髯毛。荚果宽长圆状、

近菱形，长 2.1 ~ 3.9 cm，宽 0.5 ~ 0.7 cm，成熟时亮黑色，先端具喙，微弯；种子 5 ~ 7，扁圆球形，表皮棕色有斑，种脐长相当于种子周长的 2/3。花期 6 月，果期 7 ~ 8 月。

| 生境分布 |

生于海拔 1 000 ~ 2 200 m 的山坡、林缘草丛。分布于河北隆化、平泉、涿鹿等。

| 资源情况 |

野生资源丰富。栽培资源丰富。药材主要来源于栽培。

| 采收加工 |

夏季采收，拣净杂质，晒干。

| 功能主治 |

辛、甘，温。祛风除湿，活血消肿。用于风湿关节肿痛，黄疸，阴囊湿疹，跌打损伤，腰痛，咳嗽痰多，疮疡肿毒。

| 用法用量 |

内服煎汤，9 ~ 15 g。外用适量，捣敷；或煎汤熏洗。

豆科 Fabaceae 皂荚属 Gleditsia

皂荚
Gleditsia sinensis Lam.

| 植物别名 | 皂角、皂荚树、猪牙皂。

| 药材名 | 大皂角（药用部位：果实。别名：长皂荚、鸡栖子、大皂荚）、皂角刺（药用部位：棘刺。别名：天丁、皂丁）、皂荚子（药用部位：种子。别名：皂角子、皂子、皂角核）、皂荚叶（药用部位：叶）、皂荚木皮（药用部位：茎皮和根皮。别名：木乳）。

| 形态特征 | 落叶乔木或小乔木，高可达30 m。枝灰色至深褐色；刺粗壮，圆柱形，常分枝，多呈圆锥状，长达16 cm。叶为一回羽状复叶，长10～18（～26）cm；小叶（2～）3～9对，纸质，卵状披针形至长圆形，长2～8.5（～12.5）cm，宽1～4（～6）cm，先端急尖、渐尖或圆钝且具小尖头，基部圆形或楔形，有时稍歪斜，边缘具细锯齿，上面被短柔毛，下面中脉上稍被柔毛，网脉明显，在两面凸起；小

叶柄长 1 ~ 2（~ 5）mm，被短柔毛。花杂性，黄白色，组成总状花序；花序腋生或顶生，长 5 ~ 14 cm，被短柔毛。雄花：直径 9 ~ 10 mm；花梗长 2 ~ 8（~ 10）mm；花托长 2.5 ~ 3 mm，深棕色，外面被柔毛；萼片 4，三角状披针形，长 3 mm，两面被柔毛；花瓣 4，长圆形，长 4 ~ 5 mm，被微柔毛；雄蕊 6 或 8；退化雌蕊长 2.5 mm。两性花：直径 10 ~ 12 mm；花梗长 2 ~ 5 mm；花萼、花瓣与雄花的相似，惟萼片长 4 ~ 5 mm，花瓣长 5 ~ 6 mm；雄蕊 8；子房缝线上及基部被毛（偶有少数湖北标本子房全体被毛），柱头浅 2 裂；胚珠多数。荚果带状，长 12 ~ 37 cm，宽 2 ~ 4 cm，劲直或扭曲，果肉稍厚，两面鼓起，或有的荚果短小，多少呈柱形，长 5 ~ 13 cm，宽 1 ~ 1.5 cm，弯曲成新月形，通常称猪牙皂，内无种子；果颈长 1 ~ 3.5 cm；果瓣革质，褐棕色或红褐色，常被白色粉霜；种子多数，长圆形或椭圆形，长 11 ~ 13 mm，宽 8 ~ 9 mm，棕色，光亮。花期 3 ~ 5 月，果期 5 ~ 12 月。

| 生境分布 | 生于海拔 2 500 m 以下的路旁、沟旁、宅旁或向阳处。分布于河北沙河、涉县、武安等。河北各地均有栽培。

| 资源情况 | 野生资源丰富。药材主要来源于野生。

| 采收加工 | **大皂角**：秋季果实成熟时采摘，晒干。
皂角刺：全年均可采收，干燥，或趁鲜切片，干燥。

皂荚子：秋季采收成熟果实，剥取种子，晒干。

皂荚叶：5～6月采摘，晒干。

皂荚木皮：秋、冬季剥取，切片，晒干。

| 药材性状 | **大皂角**：本品呈扁长的剑鞘状，有的略弯曲，长 15～37 cm，宽 2～4 cm，厚 0.2～1.5 cm。表面棕褐色或紫褐色，被灰色粉霜，擦去后有光泽，种子所在处隆起，基部渐窄而弯曲，有短果柄或果柄痕，两侧有明显的纵棱线。质硬，摇之有声，易折断，断面黄色，纤维性。气特异，有刺激性，味辛、辣。

皂角刺：本品为主刺和 1～2 次分枝的棘刺。主刺长圆锥形，长 3～15 cm 或更长，直径 0.3～1 cm；分枝刺长 1～6 cm，刺端锐尖。表面紫棕色或棕褐色。体轻，质坚硬，不易折断。切片厚 0.1～0.3 cm，常带有尖细的刺端；木部黄白色，髓部疏松，淡红棕色；质脆，易折断。气微，味淡。

皂荚子：本品呈长椭圆形，一端略狭尖，长 1.1～1.3 cm，宽 0.7～0.8 cm，厚约 0.7 cm。表面棕褐色，平滑而带有光泽，较狭尖的一端有微凹的点状种脐，有的不甚明显。种皮剥落后可见 2 大型、鲜黄色的子叶。质极坚硬。气微，味淡。

| 功能主治 | **大皂角**：辛、咸，温；有小毒。归肺、大肠经。祛痰开窍，散结消肿。用于中风口噤，昏迷不醒，癫痫痰盛，关窍不通，喉痹痰阻，顽痰喘咳，咳痰不爽，大便燥结；外用于痈肿。

皂角刺：辛，温。归肝、胃经。消肿托毒，排脓，杀虫。用于痈疽初起或脓成不溃；外用于疥癣麻风。

皂荚子：辛，温。归肺、大肠经。润肠通便，祛风散热，化痰散结。用于大便燥结，肠风下血，痢疾里急后重，痰喘肿满，疝气疼痛，瘰疬，肿毒，疮癣。

皂荚叶：辛，微温。祛风解毒，生发。用于风热疮癣，毛发不生。

皂荚木皮：辛，温。解毒散结，祛风杀虫。用于淋巴结结核，无名肿毒，风湿骨痛，疥癣，恶疮。

| 用法用量 |　大皂角：内服入丸、散剂，1～1.5 g。外用适量，研末吹鼻取嚏；或研末调敷。

皂角刺：内服煎汤，3～10 g。外用适量，醋蒸取汁涂。

皂荚子：内服煎汤，5～9 g；或入丸、散剂。外用适量，研末调敷。

皂荚叶：外用煎汤洗，10～20 g。

皂荚木皮：内服煎汤，3～15 g；或研末。外用适量，煎汤熏洗。

豆科 Fabaceae 猪屎豆属 *Crotalaria*

紫花野百合

Crotalaria sessiliflora L.

| 植物别名 | 野百合、羊屎蛋。

| 药 材 名 | 农吉利（药用部位：全草。别名：佛指甲、野芝麻、野花生）。

| 形态特征 | 直立草本，高 30 ~ 100 cm，基部常木质，单株或茎上分枝，被紧贴粗糙的长柔毛。托叶线形，长 2 ~ 3 mm，宿存或早落；单叶，叶片形状常变异较大，通常为线形或线状披针形，两端渐尖，长 3 ~ 8 cm，宽 0.5 ~ 1 cm，上面近无毛，下面密被丝质短柔毛；叶柄近无。总状花序顶生、腋生或密生于枝顶，形似头状，亦有于叶腋生出单花者，花 1 至多数；苞片线状披针形，长 4 ~ 6 mm，小苞片与苞片同形，成对生于萼筒基部；花梗短，长约 2 mm；花萼二唇形，长 10 ~ 15 mm，密被棕褐色长柔毛，萼齿阔披针形，先端渐尖；花冠蓝色或紫蓝色，包被于萼内，旗瓣长圆形，长 7 ~ 10 mm，宽

4 ～ 7 mm，先端钝或凹，基部具 2 胼胝体，翼瓣长圆形或披针状长圆形，约与旗瓣等长，龙骨瓣中部以上变狭，形成长喙；子房无柄。荚果短圆柱形，长约 10 mm，包被于宿萼内，下垂紧贴于枝，秃净无毛；种子 10 ～ 15。花果期 5 月至翌年 2 月。

| **生境分布** | 生于海拔 70 ～ 1 500 m 的山坡草地、灌丛林中、河边、路旁。分布于河北青龙、昌黎、抚宁等。

| **资源情况** | 野生资源一般。药材主要来源于野生。

| **采收加工** | 秋季果实成熟时采收，除去杂质，晒干或鲜用。

| **药材性状** | 本品茎呈圆柱形，长 20 ～ 90 cm，灰绿色，密被灰白色丝毛。单叶互生，叶片多皱卷，展平后呈线状披针形或线形，暗绿色，全缘，下面有丝状长毛。花萼 5 裂，外面密被棕黄色长毛。荚果长圆形，包于宿萼内，灰褐色。种子肾状圆形，深棕色，有光泽。无臭，味淡。以色绿、果多者为佳。

| **功能主治** | 甘、淡，平；有毒。清热，利湿，解毒，消积。用于痢疾，热淋，喘咳，风湿麻痹，疔疮疖肿，毒蛇咬伤，小儿疳积，恶性肿瘤。

| **用法用量** | 内服煎汤，15 ～ 60 g。外用适量，研末调敷；或研末撒敷；或鲜品捣敷；或煎汤洗。

███ 豆科 ███ Fabaceae ███ 紫荆属 ███ *Cercis*

紫荆
Cercis chinensis Bunge

| **植物别名** | 裸枝树、紫珠、老茎生花。

| **药 材 名** | 紫荆木（药用部位：木部）、紫荆皮（药用部位：树皮。别名：肉红、
内消、白林皮）、紫荆花（药用部位：花）、紫荆果（药用部位：果实）、
紫荆根（药用部位：根或根皮）。

| **形态特征** | 丛生或单生灌木，高 2 ~ 5 m；树皮和小枝灰白色。叶纸质，近圆
形或三角状圆形，长 5 ~ 10 cm，宽与长相等或略短于长，先端急
尖，基部浅心形至深心形，两面通常无毛，嫩叶绿色，仅叶柄略带
紫色，叶缘膜质，透明，新鲜时明显可见。花紫红色或粉红色，2 ~ 10
余朵成束，簇生于老枝和主干，尤以主干上花束较多，越到上部幼
嫩枝条则花越少，通常先于叶开放，但嫩枝或幼株上的花则与叶同
时开放，花长 1 ~ 1.3 cm；龙骨瓣基部具深紫色斑纹；子房嫩绿色，

花蕾时光亮无毛，后期则密被短柔毛，有胚珠 6 ~ 7。荚果扁狭长形，绿色，长 4 ~ 8 cm，宽 1 ~ 1.2 cm，翅宽约 1.5 mm，先端急尖或短渐尖，喙细而弯曲，基部长渐尖，两侧缝线对称或近对称；果颈长 2 ~ 4 mm；种子 2 ~ 6，阔长圆形，长 5 ~ 6 mm，宽约 4 mm，黑褐色，光亮。花期 3 ~ 4 月，果期 8 ~ 10 月。

| **生境分布** | 生于山坡、山沟溪旁、灌丛。分布于河北保定、石家庄、邯郸等。河北保定、石家庄、邯郸等有栽培。

| **资源情况** | 野生资源丰富。栽培资源丰富。药材主要来源于栽培。

| **采收加工** | **紫荆木**：全年均可采收，鲜时切片，晒干。
紫荆皮：全年均可采剥，晒干。
紫荆花：4 ~ 5 月采收，晒干。
紫荆果：5 ~ 7 月采收，晒干。
紫荆根：全年均可采挖，或剥皮，鲜用，或切片，晒干。

| **药材性状** | **紫荆皮**：本品呈筒状、槽状或不规则的块片状，向内卷曲，长 6 ~ 25 cm，宽约 3 cm，厚 3 ~ 6 mm。外表面灰棕色，粗糙，有皱纹，常显鳞甲状；内表面紫棕色或红棕色，有细纵纹理。质坚实，不易折断，断面灰红棕色。对光照视，可见细小的亮点。气无，味涩。

紫荆花：本品花蕾呈椭圆形，开放的花呈蝶形，长约 1 cm。花萼钟状，先端 5 裂，萼裂片钝齿状，长约 3 mm，黄绿色。花冠蝶形，花瓣 5，大小不一，紫色，有黄白色晕纹。雄蕊 10，分离，基部附着于萼内，花药黄色。雌蕊 1，略扁，有柄，光滑无毛，花柱上部弯曲，柱头短小，呈压扁状，色稍深。花梗细，长 1 ～ 1.5 mm。质轻脆。有茶叶香气，味酸、略甜。以色紫、无杂质者为佳。

| 功能主治 |　紫荆木：苦，平。活血，通淋。用于月经不调，瘀滞腹痛，小便淋沥涩痛。

紫荆皮：苦，平。归肝经。活血，通淋，解毒。用于月经不调，瘀滞腹痛，风湿痹痛，小便淋痛，喉痹，痈肿，疥癣，跌打损伤，蛇虫咬伤。

紫荆花：清热凉血，通淋解毒。用于热淋，血淋，疮疡，风湿筋骨痛。

紫荆果：甘、微苦，平。止咳平喘，行气止痛。用于咳嗽痰多，哮喘，胸口痛。

紫荆根：苦，平。破瘀活血，消痈解毒。用于月经不调，瘀滞腹痛，痈肿疮毒，疰腮，狂犬咬伤。

| 用法用量 |　紫荆木：内服煎汤，9 ～ 15 g。

紫荆皮：内服煎汤，6 ～ 15 g；或浸酒；或入丸、散剂。外用适量，研末调敷。

紫荆花：内服煎汤，3 ～ 6 g。外用适量，研末敷。

紫荆果：内服煎汤，6 ～ 12 g。

紫荆根：内服煎汤，6 ～ 12 g。外用适量，捣敷。

| 附　注 | 本种的同属植物湖北紫荆 *Cercis glabra* Pampan. 的叶呈心形或近心形，下面被较少的短柔毛。总状花序有 8 ～ 24 花，花玫瑰红色，长 15 mm。荚果较短，有种子 1 ～ 2。其根皮亦同等入药，药材呈圆筒状或块状，外表面橙红色或橙黄色，有横纹，内表面深棕色，具纵纹。

紫穗槐 *Amorpha fruticosa* L.

| 植物别名 | 棉槐、槐树。

| 药 材 名 | 紫穗槐（药用部位：叶）。

| 形态特征 | 落叶灌木，丛生，高 1 ~ 4 m。小枝灰褐色，被疏毛，后变无毛，嫩枝密被短柔毛。叶互生，奇数羽状复叶，长 10 ~ 15 cm，有小叶 11 ~ 25，基部有线形托叶；叶柄长 1 ~ 2 cm；小叶卵形或椭圆形，长 1 ~ 4 cm，宽 0.6 ~ 2 cm，先端圆形、锐尖或微凹，有一短而弯曲的尖刺，基部宽楔形或圆形，上面无毛或被疏毛，下面有白色短柔毛，具黑色腺点。穗状花序常 1 至数个顶生和枝端腋生，长 7 ~ 15 cm，密被短柔毛；花有短梗；苞片长 3 ~ 4 mm；花萼长 2 ~ 3 mm，被疏毛或几无毛，萼齿三角形，较萼筒短；旗瓣心形，紫色，无翼瓣和龙骨瓣；雄蕊 10，下部合生成鞘，上部分裂，包于

旗瓣之中，伸出花冠外。荚果下垂，长 6 ~ 10 mm，宽 2 ~ 3 mm，微弯曲，先端具小尖，棕褐色，表面有凸起的疣状腺点。花果期 5 ~ 10 月。

| 生境分布 |

生于林间、路旁。分布于河北平泉、迁安、沙河等。河北有栽培。

| 资源情况 |

野生资源丰富。药材主要来源于野生。

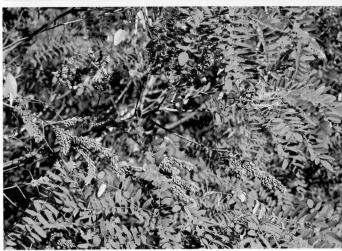

| 采收加工 |

春、夏季采收，鲜用或晒干。

| 功能主治 |

微苦，凉。清热解毒，祛湿消肿。用于痈疮，烫火伤，湿疹。

| 用法用量 |

外用适量，捣敷；或煎汤洗。

豆科 Fabaceae 紫藤属 Wisteria

紫藤 *Wisteria sinensis* (Sims) Sweet

| 植物别名 | 紫藤萝、白花紫藤。

| 药 材 名 | 紫藤子（药用部位：种子。别名：紫藤豆、藤花子、土木鳖）、紫藤（药用部位：茎或茎皮。别名：招豆藤、朱藤、藤花菜）、紫藤根（药用部位：根）。

| 形态特征 | 落叶藤本。茎左旋。枝较粗壮，嫩枝被白色柔毛，后秃净；冬芽卵形。奇数羽状复叶长 15 ~ 25 cm；托叶线形，早落；小叶 3 ~ 6 对，纸质，卵状椭圆形至卵状披针形，上部小叶较大，基部 1 对最小，长 5 ~ 8 cm，宽 2 ~ 4 cm，先端渐尖至尾尖，基部钝圆、楔形或歪斜，嫩叶两面被平伏毛，后秃净；小叶柄长 3 ~ 4 mm，被柔毛；小托叶刺毛状，长 4 ~ 5 mm，宿存。总状花序发自去年生短枝的腋芽或顶芽，长 15 ~ 30 cm，直径 8 ~ 10 cm；花序轴被白色柔毛；苞片披针形，

早落；花长 2 ～ 2.5 cm，芳香；花梗细，长 2 ～ 3 cm；花萼杯状，长 5 ～ 6 mm，宽 7 ～ 8 mm，密被细绢毛，上方 2 齿甚钝，下方 3 齿卵状三角形；花冠紫色，旗瓣圆形，先端略凹陷，花开后反折，基部有 2 胼胝体，翼瓣长圆形，基部圆，龙骨瓣较翼瓣短，阔镰形；子房线形，密被绒毛，花柱无毛，上弯，胚珠 6 ～ 8。荚果倒披针形，长 10 ～ 15 cm，宽 1.5 ～ 2 cm，密被绒毛，悬垂枝上不脱落，有种子 1 ～ 3；种子褐色，具光泽，圆形，宽 1.5 cm，扁平。花期 4 月中旬至 5 月上旬，果期 5 ～ 8 月。

| **生境分布** |　　生于山坡、疏林缘、溪谷旁、空旷草地。分布于河北乐亭等。

| **资源情况** | 野生资源丰富。栽培资源丰富。药材主要来源于栽培。 |

采收加工	**紫藤子**：秋季采摘成熟果实，晒干后取出种子或取出种子后晒干。
	紫藤：夏季采收茎或剥取茎皮，晒干。
	紫藤根：全年均可采挖，除去泥土，洗净，切片，晒干。

| **药材性状** | **紫藤子**：本品呈扁圆形，或略呈肾圆形，一面平坦，另一面稍隆起，直径 1.2～2.3 cm，厚 2～3 mm，表面淡棕色至黑棕色，平滑，具光泽，散有黑色斑纹，一端有细小合点，自合点分出少数略凹下的弧形脉纹，另一端侧边凹陷处有黄白色椭圆形的种脐，并有种柄残迹。质坚硬，种皮薄，剥去后可见 2 黄白色坚硬的子叶，嚼之有豆腥气，微有麻舌感。以身干、粒大、饱满、无杂质者为佳。 |

| 功能主治 | **紫藤子**：甘，微温；有小毒。归肝、胃、大肠经。活血，通络，解毒，驱虫。用于筋骨疼痛，腹痛吐泻，小儿蛲虫病。
紫藤：甘、苦，微温；有小毒。归肾经。利水，除痹，杀虫。用于水癖病，浮肿，关节疼痛，肠道寄生虫病。
紫藤根：甘，温。归肝、肾、心经。祛风除湿，舒筋活络。用于痛风，痹证。 |

| 用法用量 | **紫藤子**：内服煎汤（炒熟），15 ~ 30 g；或浸酒。
紫藤：内服煎汤，9 ~ 15 g。
紫藤根：内服煎汤，9 ~ 15 g。 |

| 附　注 | 本种的野生种略有变异，有 1 个常见变型。 |

酢浆草科 | Oxalidaceae | 酢浆草属 | Oxalis

酢浆草
Oxalis corniculata L.

| 植物别名 | 酸味草、鸠酸、酸醋酱。

| 药 材 名 | 酢浆草（药用部位：全草）。

| 形态特征 | 草本，全株被疏柔毛。茎细弱，多分枝，直立或匍匐，匍匐茎节上生不定根。复叶，互生，总叶柄长 2 ~ 6.5 cm，基部具关节；植株下部托叶明显，长圆形或卵形，边缘具长柔毛，基部与叶柄合生，植株上部托叶多不明显；小叶 3，无柄，倒心形，长 4 ~ 16 mm，宽 4 ~ 22 mm，先端凹，基部宽楔形，两面具柔毛或上面无毛，脉上毛较密，边缘具贴伏缘毛。花单生或数朵组成腋生伞形花序；总花梗与叶近等长，多淡红色；花梗长 4 ~ 15 mm，果期伸长；苞片2，线形，膜质；萼片 5，长卵状披针形，长约 4 mm，具柔毛，宿存；花瓣 5，黄色，倒卵形，长约 9 mm，先端圆，基部微合生；雄

蕊 10，花丝基部合生成筒；子房长圆形，5 室，花柱 5，柱头头状。蒴果长圆柱形，长 1 ~ 2.5 cm，具 5 棱；种子长卵形，长 1 ~ 1.5 mm，褐色或红棕色，具横向肋状网纹。花果期 2 ~ 9 月。

| 生境分布 | 生于山坡草地、河谷沿岸、路边、田边、荒地或林下阴湿处等。分布于河北磁县、抚宁、阜平等。

| 资源情况 | 野生资源丰富。栽培资源丰富。药材主要来源于栽培。

| 采收加工 | 全年均可采收，尤以夏、秋季为宜，洗净，鲜用或晒干。

| 药材性状 | 本品为段片状。茎、枝被疏长毛。叶纸质，皱缩或破碎，棕绿色。花黄色，萼片 5，花瓣 5。蒴果近圆柱形，有 5 棱，被柔毛，种子小，扁卵形，褐色。具酸气。味咸而酸、涩。

| 功能主治 | 酸，寒。归肝、肺、膀胱经。清热利湿，凉血散瘀，解毒消肿。用于湿热泄泻，痢疾，黄疸，淋证，带下，吐血，衄血，尿血，月经不调，跌打损伤，咽喉肿痛，痈肿疔疮，丹毒，湿疹，疥癣，痔疮，麻疹，烫火伤，蛇虫咬伤。

| 用法用量 | 内服煎汤，9 ~ 15 g，鲜品 30 ~ 60 g；或研末；或鲜品绞汁饮。外用适量，煎汤洗；或捣敷；或捣汁涂；或煎汤漱口。

牻牛儿苗科 Geraniaceae 老鹳草属 Geranium

老鹳草
Geranium wilfordii Maxim.

| 植物别名 | 鸭脚老鹳草。

| 药 材 名 | 老鹳草（药用部位：地上部分。别名：五叶草、五齿耙、老鸹嘴）。

| 形态特征 | 多年生草本，高30～50 cm。根茎直生，粗壮，具簇生纤维状细长须根，上部围以残存基生托叶。茎直立，单生，具棱槽，假二叉状分枝，被倒向短柔毛，有时上部混生开展腺毛。基生叶和茎生叶均对生；托叶卵状三角形或上部者为狭披针形，长5～8 mm，宽1～3 mm；基生叶和茎下部叶具长柄，柄长为叶片的2～3倍，被倒向短柔毛，茎上部叶叶柄渐短或近无柄；基生叶圆肾形，长3～5 cm，宽4～9 cm，5深裂达2/3处，裂片倒卵状楔形，下部全缘，上部不规则齿裂；茎生叶3裂至3/5处，裂片长卵形或宽楔形，上部齿状浅裂，先端长渐尖，表面被短伏毛，背面沿脉被短糙毛。花序腋生和顶生，

稍长于叶；总花梗被倒向短柔毛，有时混生腺毛，每梗具 2 花；苞片钻形，长 3 ~ 4 mm；花梗与总花梗相似，长为花的 2 ~ 4 倍，花果期通常直立；萼片长卵形或卵状椭圆形，长 5 ~ 6 mm，宽 2 ~ 3 mm，先端具细尖头，背面沿脉和边缘被短柔毛，有时混生开展的腺毛；花瓣白色或淡红色，倒卵形，与萼片近等长，内面基部被疏柔毛；雄蕊稍短于萼片，花丝淡棕色，下部扩展，被缘毛；雌蕊被短糙状毛，花柱分枝紫红色。蒴果被短柔毛和长糙毛。花期 6 ~ 8 月，果期 8 ~ 9 月。

| **生境分布** | 生于海拔 1 800 m 以下的低山林下、草甸。分布于河北尚义、崇礼、万全等。

| **资源情况** | 野生资源丰富。药材主要来源于野生。

| **采收加工** | 夏、秋季果实近成熟时采割，捆成把，晒干。

| **药材性状** | 本品茎较细，略短。叶片圆形，3 或 5 深裂，裂片较宽，边缘具缺刻。果实球形，长 0.3 ~ 0.5 cm。花柱长 1 ~ 1.5 cm，有的 5 裂，向上卷曲成伞形。

| **功能主治** | 辛、苦，平。归肝、肾、脾经。祛风湿，通经络，止泻痢。用于风湿痹痛，麻木拘挛，筋骨酸痛，泄泻痢疾。

| **用法用量** | 内服煎汤，9 ~ 15 g。

牻牛儿苗科 Geraniaceae 老鹳草属 *Geranium*

毛蕊老鹳草

Geranium platyanthum Duthie

| 药 材 名 | 毛蕊老鹳草（药用部位：全草）。

| 形态特征 | 多年生草本，高 30 ～ 80 cm。根茎短粗，直生或斜生，上部被残存基生托叶包围，下部具束生纤维状肥厚块根或肉质细长块根。茎直立，单一，假二叉状分枝或不分枝，被开展的长糙毛和腺毛或下部无明显腺毛。叶基生和茎上互生；托叶三角状披针形，长 8 ～ 12 mm，宽 3 ～ 4 mm，外被疏糙毛；基生叶和茎下部叶具长柄，柄长为叶片的 2 ～ 3 倍，密被糙毛，向上叶柄渐短；叶片五角状肾圆形，长 5 ～ 8 cm，宽 8 ～ 15 cm，掌状 5 裂达叶片中部或稍过之，裂片菱状卵形或楔状倒卵形，下部全缘，上部边缘具不规则牙齿状缺刻，齿端急尖，具不明显短尖头，表面被疏糙伏毛，背面主要沿脉被糙毛。伞形聚伞花序，顶生或有时腋生，长于叶，被开展的糙毛和腺毛；

总花梗具 2 ~ 4 花；苞片钻状，长 2 ~ 3 mm，宽近 1 mm；花梗与总花梗相似，长为花的 1.5 ~ 2 倍，稍下弯，果期劲直；萼片长卵形或椭圆状卵形，长 8 ~ 10 mm，宽 3 ~ 4 mm，先端具短尖头，外面被糙毛和开展腺毛；花瓣淡紫红色，宽倒卵形或近圆形，经常向上反折，长 10 ~ 14 mm，宽 8 ~ 10 mm，具深紫色脉纹，先端呈浅波状，基部具短爪和白色糙毛；雄蕊长为萼片的 1.5 倍，花丝淡紫色，下部扩展和边缘被糙毛，花药紫红色；雌蕊稍短于雄蕊，被糙毛，花柱上部紫红色，花柱分枝长 3 ~ 4 mm。蒴果长约 3 cm，被开展的短糙毛和腺毛；种子肾圆形，灰褐色，长约 2 mm，宽约 1.5 mm。花期 6 ~ 7 月，果期 8 ~ 9 月。

| **生境分布** | 生于山地林下、灌丛和草甸。分布于河北赤城、阜平、涞源等。

| **资源情况** | 野生资源丰富。药材主要来源于野生。

| **采收加工** | 8 ~ 9 月采收，洗去泥沙，晒干。

| **功能主治** | 微辛，微温。归肝、脾经。疏风通络，强筋健骨。用于风寒湿痹，关节疼痛，肌肤麻木，肠炎，痢疾。

| **用法用量** | 内服煎汤，15 ~ 30 g；或研末；或浸酒。

| **附　注** | 本种与陕西老鹳草 *Geranium shensianum* R. Knuth 的主要形态区别在于本种的叶裂片短而宽，分裂深度达叶片中部或稍过之，全株被密长糙毛。二者的分布区域也有区别，本种分布于东北至华北地区，并延伸至四川西北部，而后者为秦岭西部和与四川毗邻地区的特有种。

牻牛儿苗科 Geraniaceae 牻牛儿苗属 Erodium

牻牛儿苗

Erodium stephanianum Willd.

| **植物别名** | 太阳花。

| **药材名** | 老鹳草（药用部位：地上部分。别名：五叶草、五齿耙、老鸹嘴）。

| **形态特征** | 多年生草本，高通常 15 ~ 50 cm。根为直根，较粗壮，少分枝。茎多数，仰卧或蔓生，具节，被柔毛。叶对生；托叶三角状披针形，分离，被疏柔毛，边缘具缘毛；基生叶和茎下部叶具长柄，柄长为叶片的 1.5 ~ 2 倍，被开展的长柔毛和倒向短柔毛；叶片卵形或三角状卵形，基部心形，长 5 ~ 10 cm，宽 3 ~ 5 cm，2 回羽状深裂，小裂片卵状条形，全缘或具疏齿，表面被疏伏毛，背面被疏柔毛，沿脉被毛较密。伞形花序腋生，明显长于叶；总花梗被开展长柔毛和倒向短柔毛，每梗具 2 ~ 5 花；苞片狭披针形，分离；花梗与总花梗相似，等长于或稍长于花，花期直立，果期开展，上部向上弯曲；

萼片矩圆状卵形，长 6 ~ 8 mm，宽 2 ~ 3 mm，先端具长芒，被长糙毛；花瓣紫红色，倒卵形，等长于或稍长于萼片，先端圆形或微凹；雄蕊稍长于萼片，花丝紫色，中部以下扩展，被柔毛；雌蕊被糙毛，花柱紫红色。蒴果密被短糙毛；种子褐色，具斑点。花期 6 ~ 8 月，果期 8 ~ 9 月。

| **生境分布** | 生于山坡、草地、田埂、路边及村庄住宅附近。分布于河北兴隆、易县、永年等。

| **资源情况** | 野生资源丰富。药材主要来源于野生。

| **采收加工** | 夏、秋季果实近成熟时采割，捆成把，晒干。

| **药材性状** | 本品茎长 30 ~ 50 cm，直径 0.3 ~ 0.7 cm，多分枝，节膨大；表面灰绿色或带紫色，有纵沟纹和稀疏茸毛；质脆，断面黄白色，有的中空。叶对生，具细长叶柄；叶片卷曲、皱缩，质脆，易碎，完整者为 2 回羽状深裂，裂片披针状线形。果实长圆形，长 0.5 ~ 1 cm。宿存花柱长 2.5 ~ 4 cm，形似鹳喙，有的裂成 5 瓣，呈螺旋形卷曲。气微，味淡。

| **功能主治** | 辛、苦，平。归肝、肾、脾经。祛风湿，通经络，止泻痢。用于风湿痹痛，麻木拘挛，筋骨酸痛，泄泻痢疾。

| **用法用量** | 内服煎汤，9 ~ 15 g。

| **附　注** | 《中药大辞典》规定老鹳草来源于牻牛儿苗科牻牛儿苗属植物牻牛儿苗 *Erodium stephanianum* Willd. 及老鹳草属植物老鹳草 *Geranium wilfordii* Maxim.、野老鹳草 *Geranium carolinianum* L. 等带果实的全草。

旱金莲 *Tropaeolum majus* L.

| 植物别名 | 荷叶七、旱莲花。

| 药 材 名 | 旱莲花（药用部位：全草。别名：金莲花、大红鸟）。

| 形态特征 | 一年生肉质草本，蔓生，无毛或被疏毛。叶互生；叶柄长 6 ~ 31 cm，向上扭曲，盾状，着生于叶片的近中心处；叶片圆形，直径 3 ~ 10 cm，有主脉 9，由叶柄着生处向四面放射，边缘为波浪形的浅缺刻，背面通常被疏毛或有乳凸点。单花腋生，花梗长 6 ~ 13 cm；花黄色、紫色、橘红色或杂色，直径 2.5 ~ 6 cm；花托杯状；萼片 5，长椭圆状披针形，长 1.5 ~ 2 cm，宽 5 ~ 7 mm，基部合生，边缘膜质，其中 1 片延长成长距，距长 2.5 ~ 3.5 cm，渐尖；花瓣 5，通常圆形，边缘有缺刻，上部 2 通常全缘，长 2.5 ~ 5 cm，宽 1 ~ 1.8 cm，着生在距的开口处，下部 3 基部狭窄成爪，近爪处边缘具睫毛；雄

蕊 8，长短互间，分离；子房 3 室，花柱 1，柱头 3 裂，线形。果实扁球形，成熟时分裂成 3 瘦果，瘦果具 1 种子。花期 6 ~ 10 月，果期 7 ~ 11 月。

| 生境分布 |

河北多地有栽培。分布于河北赤城等。

| 资源情况 |

栽培资源丰富。药材主要来源于栽培。

| 采收加工 |

5 ~ 7 月采收，鲜用或晾干。

| 功能主治 |

辛、酸，凉。归心、肾经。清热解毒，凉血止血。用于目赤肿痛，疮疖，吐血，咯血。

| 用法用量 |

内服煎汤，鲜品 15 ~ 30 g。外用适量，捣敷；或煎汤洗。

亚麻科 Linaceae 亚麻属 Linum

宿根亚麻
Linum perenne L.

| 植物别名 | 豆麻、多年生亚麻、蓝亚麻。

| 药材名 | 宿根亚麻（药用部位：花、果实。别名：豆麻、多年生亚麻）。

| 形态特征 | 多年生草本，高 20 ~ 90 cm。根为直根，粗壮，根颈头木质化。茎多数，直立或仰卧，中部以上多分枝，基部木质化，具密集、狭条形叶的不育枝。叶互生；叶片狭条形或条状披针形，长 8 ~ 25 mm，宽 3 ~ 4（~ 8）mm，全缘内卷，先端锐尖，基部渐狭，具 1 ~ 3 脉（实际由于侧脉不明显而为 1 脉）。花多数，组成聚伞花序，蓝色、蓝紫色、淡蓝色，直径约 2 cm；花梗细长，长 1 ~ 2.5 cm，直立或稍向一侧弯曲；萼片 5，卵形，长 3.5 ~ 5 mm，外面 3 先端急尖，内面 2 先端钝，全缘，具 5 ~ 7 脉，稍凸起；花瓣 5，倒卵形，长 1 ~ 1.8 cm，先端圆形，基部楔形；雄蕊 5，长于或短于雌蕊，或与雌蕊近等长，

花丝中部以下稍宽，基部合生；退化雄蕊 5，与雄蕊互生；子房 5 室，花柱 5，分离，柱头头状。蒴果近球形，直径 3.5 ~ 7（~ 8）mm，草黄色，开裂；种子椭圆形，褐色，长 4 mm，宽约 2 mm。花期 6 ~ 7 月，果期 8 ~ 9 月。

| **生境分布** | 生于海拔 4 100 m 以下的干旱草原、沙砾质干河滩和干旱的山地阳坡疏灌丛或草地。分布于河北沽源、张北、涿鹿等。

| **资源情况** | 野生资源丰富。栽培资源丰富。药材主要来源于栽培。

| **采收加工** | 6 ~ 7 月采摘花，7 ~ 8 月采摘果实，以纸遮蔽，晒干。

| **功能主治** | 淡，平。通经活血。用于血瘀闭经。

| **用法用量** | 内服研末，3 ~ 9 g。

亚麻科 Linaceae 亚麻属 *Linum*

亚麻
Linum usitatissimum L.

| 植物别名 | 山西胡麻、壁虱胡麻、鸦麻。

| 药 材 名 | 亚麻子 (药用部位：种子。别名：胡麻子、壁虱胡麻、亚麻仁)。

| 形态特征 | 一年生草本。茎直立，高 30 ~ 120 cm，多在上部分枝，有时自茎基部亦有分枝，但密植则不分枝，基部木质化，无毛。叶互生；叶片线形、线状披针形或披针形，长 2 ~ 4 cm，宽 1 ~ 5 mm，先端锐尖，基部渐狭，无柄，内卷，有三或五出脉。花单生于枝顶或枝的上部叶腋，组成疏散的聚伞花序；花直径 15 ~ 20 mm；花梗长 1 ~ 3 cm，直立；萼片 5，卵形或卵状披针形，长 5 ~ 8 mm，先端凸尖或长尖，有 3 或 5 脉，中央 1 脉明显凸起，边缘膜质，无腺点，全缘，有时上部有锯齿，宿存；花瓣 5，倒卵形，长 8 ~ 12 mm，蓝色或紫蓝色，稀白色或红色，先端啮蚀状；雄蕊 5，花丝基部合生；

退化雄蕊5，钻状；子房5室，花柱5，分离，柱头比花柱微粗，细线状或棒状，长于或几等于雄蕊。蒴果球形，干后棕黄色，直径6～9 mm，先端微尖，室间开裂成5瓣；种子10，长圆形，扁平，长3.5～4 mm，棕褐色。花期6～8月，果期7～10月。

| **生境分布** | 河北多地有栽培，有时逸为野生。分布于河北赤城、丰宁、行唐等。

| **资源情况** | 栽培资源丰富。药材主要来源于栽培。

| **采收加工** | 秋季果实成熟时采收植株，晒干，打下种子，除去杂质，再晒干。

| **药材性状** | 本品呈扁平卵圆形，一端钝圆，另一端尖而略偏斜，长3.5～4 mm，宽2～3 mm。表面红棕色或灰褐色，平滑有光泽，种脐位于尖端的凹入处；种脊浅棕色，位于一侧边缘。种皮薄，胚乳棕色，薄膜状；子叶2，黄白色，富油性。气微，嚼之有豆腥味。

| **功能主治** | 甘，平。归肺、肝、大肠经。润燥通便，养血祛风。用于肠燥便秘，皮肤干燥，瘙痒，脱发。

| **用法用量** | 内服煎汤，5～10 g；或入丸、散剂。外用适量，榨油涂。

| **附　　注** | 从特征记载和分布区来看，我国主要地区的栽培种应为 *Linum humile* Mill.。其在中亚被用作油料，在我国亦是如此。其主要特点是植株较矮小，叶排列较密，果实较多，蒴果隔膜边缘具缘毛等，这些特征皆与我国各地的标本相符合。而上述特征与亚麻 *Linum usitatissimum* L. 的特征极相似。在我国现有标本中很难区分此2种，故遵循《土耳其植物志》将 *Linum humile* Mill. 作为异名处理。

野亚麻
Linum stelleroides Planch.

药材名

野亚麻（药用部位：全草）、野亚麻子（药用部位：种子）。

形态特征

一年生或二年生草本，高 20 ~ 90 cm。茎直立，圆柱形，基部稍木质化，不分枝或自中部以上分枝，无毛。叶互生，线形、线状披针形或狭倒披针形，长 1 ~ 4 cm，宽 1 ~ 4 mm，叶尖钝、锐尖或渐尖，基部渐狭，全缘，两面无毛，无叶柄。单花或多花组成聚伞花序；花梗长 5 ~ 15 mm；花直径约 1 cm；萼片 5，绿色，卵状披针形，长 2.5 ~ 4 mm，顶部锐尖，边缘稍为膜质并有易脱落的黑色球形带柄的腺点，近基部具 1 ~ 3 不明显的脉，宿存；花瓣 5，倒卵形，长 7 ~ 9 mm，先端啮蚀状，基部渐狭，淡红色、淡紫色或蓝紫色；雄蕊 5，与花柱近等长，基部合生；子房卵球形，5 室，花柱 5，中下部结合，上部分离。蒴果球形或扁球形，先端突尖，成熟后室间开裂；种子长圆形，长 2 ~ 2.5 mm。花期 6 ~ 8 月，果期 7 ~ 9 月。

生境分布

生于海拔 630 ~ 2 750 m 的山坡、路旁和荒山地。分布于河北迁西、北戴河、承德等。

｜资源情况｜

野生资源丰富。药材主要来源于野生。

｜采收加工｜

野亚麻：夏、秋季采收，洗净，鲜用。

野亚麻子：秋季采摘成熟果实，搓出种子，簸净，晒干。

｜功能主治｜

野亚麻：甘，平。解毒消肿。用于疔疮肿毒。

野亚麻子：甘，平。养血，润燥，祛风。用于肠燥便秘，皮肤瘙痒。

｜用法用量｜

野亚麻：外用适量，鲜品捣敷。

野亚麻子：内服煎汤，3 ～ 10 g。

大戟科 Euphorbiaceae 白饭树属 Flueggea

一叶萩
Flueggea suffruticosa (Pall.) Baill.

| 植物别名 | 山嵩树、狗梢条、白几木。

| 药 材 名 | 一叶萩（药用部位：嫩枝叶、根）。

| 形态特征 | 灌木，高1～3m，全株无毛，多分枝。小枝浅绿色，近圆柱形，
有棱槽，有不明显的皮孔。叶片纸质，椭圆形或长椭圆形，稀倒卵
形，长1.5～8cm，宽1～3cm，先端急尖至钝，基部钝至楔形，
全缘或中间有不整齐的波状齿或细锯齿，下面浅绿色，侧脉每边
5～8，两面凸起，网脉略明显；叶柄长2～8mm；托叶卵状披针
形，长1mm，宿存。花小，雌雄异株，簇生于叶腋。雄花：3～18
簇生；花梗长2.5～5.5mm；萼片通常5，椭圆形、卵形或近圆形，
长1～1.5mm，宽0.5～1.5mm，全缘或具不明显的细齿；雄蕊5，
花丝长1～2.2mm，花药卵圆形，长0.5～1mm；花盘腺体5；退

化雌蕊圆柱形，高 0.6 ~ 1 mm，先端 2 ~ 3 裂。雌花：花梗长 2 ~ 15 mm；萼片 5，椭圆形至卵形，长 1 ~ 1.5 mm，近全缘，背部呈龙骨状凸起；花盘盘状，全缘或近全缘；子房卵圆形，2 或 3 室，花柱 3，长 1 ~ 1.8 mm，分离或基部合生，直立或外弯。蒴果三棱状扁球形，直径约 5 mm，成熟时淡红褐色，有网纹，3 片裂；果柄长 2 ~ 15 mm，基部常有宿存的萼片；种子卵形而一侧呈扁压状，长约 3 mm，褐色而有小疣状突起。花期 3 ~ 8 月，果期 6 ~ 11 月。

| 生境分布 | 生于海拔 800 ~ 2 500 m 的山坡灌丛或山沟、路边。分布于河北昌黎、赤城、抚宁等。

| 资源情况 | 野生资源一般。栽培资源一般。药材主要来源于栽培。

| 采收加工 | 春末至秋末割取连叶的绿色嫩枝，扎成小把，阴干；全年均可采挖根，除去泥沙，洗净，切片，晒干。

| 药材性状 | 本品嫩枝条呈圆柱形，略具棱角，长 30 ~ 40 cm，粗端直径约 2 mm。表面暗绿黄色，有时略带红色，具纵向细微纹理。质脆，断面四周纤维状，中央白色。叶多皱缩、破碎，有时尚有黄色的花朵或灰黑色的果实。气微，味微辛而苦。根不规则分枝，圆柱形，表面红棕色，有细纵皱纹，疏生凸起的小点或横向皮孔。质脆，断面不整齐，木部淡黄白色。气微，味淡转涩。

| 功能主治 | 辛、苦，微温；有小毒。归肝、肾、脾经。祛风活血，益肾强筋。用于风湿腰痛，四肢麻木，小儿麻痹症后遗症，面神经麻痹，阳痿，小儿疳积。

| 用法用量 | 内服煎汤，6 ~ 9 g。

蓖麻
Ricinus communis L.

| 植物别名 |

牛蓖子草、红蓖麻、草麻。

| 药材名 |

蓖麻子（药用部位：种子。别名：草麻子、蓖麻仁、大麻子）。

| 形态特征 |

一年生粗壮草本或草质灌木，高达 5 m。小枝、叶和花序通常被白霜，茎多液汁。叶近圆形，长和宽均达 40 cm 或更大，掌状 7 ~ 11 裂，裂缺几达中部，裂片卵状长圆形或披针形，先端急尖或渐尖，边缘具锯齿，掌状脉 7 ~ 11，网脉明显；叶柄粗壮，中空，长可达 40 cm，先端具 2 盘状腺体，基部具盘状腺体；托叶长三角形，长 2 ~ 3 cm，早落。总状花序或圆锥花序，长 15 ~ 30 cm 或更长；苞片阔三角形，膜质，早落。雄花：花萼裂片卵状三角形，长 7 ~ 10 mm；雄蕊束众多。雌花：萼片卵状披针形，长 5 ~ 8 mm，凋落；子房卵状，直径约 5 mm，密生软刺或无刺，花柱红色，长约 4 mm，顶部 2 裂，密生乳头状突起。蒴果卵球形或近球形，长 1.5 ~ 2.5 cm，果皮具软刺或平滑；种子椭圆形，微扁平，长 8 ~ 18 mm，平滑，斑纹淡褐色或灰白色，种阜大。花期几全年或 6 ~ 9 月（栽培）。

| **生境分布** | 生于海拔 20 ~ 500 m 的村旁疏林或河流两岸冲积地。分布于河北邢台及涉县、武安等。

| **资源情况** | 野生资源一般。栽培资源丰富。药材主要来源于栽培。

| **采收加工** | 秋季采摘成熟果实，晒干，除去果壳，收集种子。

| **药材性状** | 本品呈椭圆形或卵形，稍扁，长 0.9 ~ 1.8 cm，宽 0.5 ~ 1 cm。表面光滑，有灰白色与黑褐色或黄棕色与红棕色相间的花斑纹。一面较平，一面较隆起，较平的一面有一隆起的种脊；一端有灰白色或浅棕色凸起的种阜。种皮薄而脆。胚乳肥厚，白色，富油性，子叶 2，菲薄。气微，味微苦、辛。

| **功能主治** | 甘、辛，平；有毒。归大肠、肺经。泻下通滞，消肿拔毒。用于大便燥结，痈疽肿毒，喉痹，瘰疬。

| **用法用量** | 内服煎汤，2 ~ 5 g。外用适量。

| **附　　注** | 本种的种子含蓖麻毒蛋白（ricin）及蓖麻碱（ricinine），若误食过量种子（小孩 2 ~ 7 粒，成人约 20 粒），会导致中毒死亡。

大戟科 Euphorbiaceae 大戟属 Euphorbia

大戟
Euphorbia pekinensis Rupr.

| 植物别名 | 湖北大戟、京大戟、北京大戟。

| 药材名 | 京大戟（药用部位：根。别名：邛钜、红芽大戟、紫大戟）。

| 形态特征 | 多年生草本。根圆柱状，长 20 ~ 30 cm，分枝或不分枝。茎单生或自基部多分枝，每个分枝上部又 4 ~ 5 分枝，高 40 ~ 80（~ 90）cm，直径 3 ~ 6（~ 7）cm，被柔毛或少许柔毛，或无毛。叶互生，常为椭圆形，少为披针形或披针状椭圆形，变异较大，先端尖或渐尖，基部渐狭或呈楔形、近圆形或近平截，全缘，主脉明显，侧脉羽状，不明显，叶两面无毛，或有时叶背具少许柔毛或被较密的柔毛，变化较大且不稳定。花序单生于二歧分枝先端，无柄；伞幅 4 ~ 7，长 2 ~ 5 cm；总苞杯状，高约 3.5 mm，直径 3.5 ~ 4 mm，边缘 4 裂，裂片半圆形，边缘具不明显的缘毛；总苞叶 4 ~ 7，长椭圆形，先

端尖，基部近平截；苞叶 2，近圆形，先端具短尖头，基部平截或近平截；腺体 4，半圆形或肾状圆形，淡褐色。雄花多数，伸出总苞之外。雌花 1，具较长的子房柄，柄长 3 ~ 5（~ 6）mm；子房幼时被较密的瘤状突起，花柱 3，分离，柱头 2 裂。蒴果球状，长约 4.5 mm，直径 4 ~ 4.5 mm，被稀疏的瘤状突起，成熟时分裂为 3 分果片；花柱宿存且易脱落；种子长球状，长约 2.5 mm，直径 1.5 ~ 2 mm，暗褐色或微光亮，腹面具浅色条纹，种阜近盾状，无柄。花期 5 ~ 8 月，果期 6 ~ 9 月。

| **生境分布** | 生于山坡、灌丛、路旁、荒地、草丛、林缘和疏林。分布于河北赤城、磁县、抚宁等。

| **资源情况** | 野生资源丰富。药材主要来源于野生。

| **采收加工** | 秋、冬季采挖，洗净，晒干。

| **药材性状** | 本品呈不整齐的长圆锥形，略弯曲，常有分枝，长 10 ~ 20 cm，直径 1.5 ~ 4 cm。表面灰棕色或棕褐色，粗糙，有纵皱纹、横向皮孔样突起及支根痕，先端略膨大，有多数茎基及芽痕。质坚硬，不易折断，断面类白色或淡黄色，纤维性。气微，味微苦、涩。

| **功能主治** | 苦，寒；有毒。归肺、脾、肾经。泻水逐饮，消肿散结。用于水肿胀满，胸腹积水，痰饮积聚，气逆咳喘，二便不利，痈肿疮毒，瘰疬痰核。

| **用法用量** | 内服煎汤，1.5 ~ 3 g；或入丸、散剂，1 g。外用适量，生用。

大戟科 Euphorbiaceae 大戟属 Euphorbia

乳浆大戟 *Euphorbia esula* L.

| 植物别名 |

猫眼草、乳浆草。

| 药材名 |

乳浆大戟（药用部位：全草。别名：乳浆草、奶浆草）。

| 形态特征 |

多年生草本。根圆柱状，长 20 cm 以上，直径 3 ~ 5（~ 6）mm，不分枝或分枝，常曲折，褐色或黑褐色。茎单生或丛生，单生时自基部多分枝，高 30 ~ 60 cm，直径 3 ~ 5 mm；不育枝常发自基部，较矮，有时发自叶腋。叶线形至卵形，变化极不稳定，长 2 ~ 7 cm，宽 4 ~ 7 mm，先端尖或钝尖，基部楔形至平截；无叶柄；不育枝叶常为松针状，长 2 ~ 3 cm，直径约 1 mm；无柄。花序单生于二歧分枝的先端，基部无柄；伞幅 3 ~ 5，长 2 ~ 4（~ 5）cm；总苞钟状，高约 3 mm，直径 2.5 ~ 3 mm，边缘 5 裂，裂片半圆形至三角形，边缘及内侧被毛；总苞叶 3 ~ 5，与茎生叶同形；苞叶 2，常为肾形，少为卵形或三角状卵形，长 4 ~ 12 mm，宽 4 ~ 10 mm，先端渐尖或近圆，基部近平截；腺体 4，新月形，两端具角，角长而尖或短而钝，变异幅度较大，褐色。雄花多枚，苞片宽线形，无毛。雌花 1，子房柄明显伸出总苞之外；子房光滑无毛，花柱 3，分离，柱头 2 裂。蒴果三棱状球形，长与直径均为 5 ~ 6 mm，具 3 纵沟，成熟时分裂为 3 分果爿；花柱宿存；种子卵球状，长 2.5 ~ 3 mm，直径 2 ~ 2.5 mm，成熟时黄褐色，种阜盾状，无柄。花果期 4 ~ 10 月。

| **生境分布** | 生于路旁、杂草丛、山坡、林下、河沟边、荒山、沙丘及草地。分布于河北滦平、平泉、平山等。

| **资源情况** | 野生资源一般。药材主要来源于野生。

| **采收加工** | 春、夏季采收，鲜用或晒干。

| **功能主治** | 苦，平；有毒。利尿消肿，散结，杀虫。用于水肿，臌胀，瘰疬，皮肤瘙痒。

| **用法用量** | 内服煎汤，0.9 ~ 2.4 g。外用适量，捣敷。

| **附　　注** | 本种是国产大戟属植物中分布最广、变异程度最大的种之一，常因复杂的生境而产生叶型、苞叶形状、植物体大小、不育枝存在与否、腺体两角的尖锐程度等变异。其主要识别特征是：直根系，无念珠状根和不定根；总苞钟状，5 裂，腺体 4；花序基部无柄。因此，本种在国产乳汁大戟中较易于识别。

通奶草 *Euphorbia hypericifolia* L.

| 植物别名 | 小飞扬草。

| 药 材 名 | 通奶草（药用部位：全草）。

| 形态特征 | 一年生草本。根纤细，长 10 ~ 15 cm，直径 2 ~ 3.5 mm，常不分枝，少数由末端分枝。茎直立，自基部分枝或不分枝，高 15 ~ 30 cm，直径 1 ~ 3 mm，无毛或被少许短柔毛。叶对生，狭长圆形或倒卵形，长 1 ~ 2.5 cm，宽 4 ~ 8 mm，先端钝或圆，基部圆形，通常偏斜，不对称，全缘或基部以上具细锯齿，上面深绿色，下面淡绿色，有时略带紫红色，两面被稀疏的柔毛，或上面的毛早脱落；叶柄极短，长 1 ~ 2 mm；托叶三角形，分离或合生。花序数个簇生于叶腋或枝顶，每个花序基部具纤细的柄，柄长 3 ~ 5 mm；总苞陀螺状，

高与直径均约 1 mm 或稍大，边缘 5 裂，裂片卵状三角形；苞叶 2，与茎生叶同形；腺体 4，边缘具白色或淡粉色附属物。雄花数枚，微伸出总苞外。雌花 1，子房柄长于总苞；子房三棱状，无毛，花柱 3，分离，柱头 2 浅裂。蒴果三棱状，长约 1.5 mm，直径约 2 mm，无毛，成熟时分裂为 3 分果爿；种子卵棱状，长约 1.2 mm，直径约 0.8 mm，每棱面具数个皱纹，无种阜。花果期 8 ~ 12 月。

| 生境分布 | 生于旷野荒地、路旁、灌丛及田间。分布于河北丰宁、滦平、迁安等。

| 资源情况 | 野生资源丰富。药材主要来源于野生。

| 功能主治 | 微酸、涩，微凉。清热利湿，收敛止痒。用于细菌性痢疾，肠炎腹泻，痔疮出血；外用于湿疹，过敏性皮炎，皮肤瘙痒。

| 用法用量 | 内服煎汤，25 ~ 50 g。外用适量，鲜品煎汤熏洗。

大戟科 Euphorbiaceae 大戟属 Euphorbia

银边翠
Euphorbia marginata Pursh.

| 植物别名 | 高山积雪。

| 药材名 | 银边翠（药用部位：全草。别名：高山积雪）。

| 形态特征 | 一年生草本。根纤细，极多分枝，长可达20 cm以上，直径3～5 mm。茎单一，自基部向上极多分枝，高可达60～80 cm，直径3～5 mm，光滑，常无毛，有时被柔毛。叶互生，椭圆形，长5～7 cm，宽约3 cm，先端钝，具小尖头，基部平截、圆形，绿色，全缘；无柄或近无柄。花序单生于苞叶内或数个聚伞状着生，基部具柄，柄长3～5 mm，密被柔毛；伞幅2～3，长1～4 cm，被柔毛或近无毛；总苞钟状，高5～6 mm，直径约4 mm，外面被柔毛，边缘5裂，裂片三角形至圆形，尖至微凹，边缘与内侧均被柔毛；总苞叶2～3，椭圆形，长3～4 cm，宽1～2 cm，先端圆，基部渐狭，全缘，绿色，

具白色边缘；苞叶椭圆形，长 1 ~ 2 cm，宽 5 ~ 7（~ 9）mm，先端圆，基部渐狭，近无柄；腺体 4，半圆形，边缘具宽大的白色附属物，长与宽均超过腺体。雄花多数，伸出总苞外；苞片丝状。雌花 1，子房柄较长，长达 3 ~ 5 mm，伸出总苞之外，被柔毛；子房密被柔毛，花柱 3，分离，柱头 2 浅裂。蒴果近球状，长与直径均约 5.5 mm，具长柄，长达 3 ~ 7 mm，被柔毛，成熟时分裂为 3 分果爿；花柱宿存；种子圆柱状，淡黄色至灰褐色，长 3.5 ~ 4 mm，直径 2.8 ~ 3 mm，被瘤或短刺或不明显的突起，无种阜。花果期 6 ~ 9 月。

| 生境分布 | 生于植物园、公园等。分布于河北平泉等。

| 资源情况 | 野生资源一般。栽培资源丰富。药材主要来源于栽培。

| 采收加工 | 春、夏季采收，鲜用或晒干。

| 药材性状 | 本品全长 70 cm，全株被柔毛或无毛。茎叉状分枝。叶卵形至长圆形或椭圆状披针形，长 3 ~ 7 cm，宽约 2 cm，下部的叶互生，绿色，先端的叶轮生，边缘白色或全部白色。杯状花序生于分枝上部的叶腋处，总苞杯状，密被短柔毛，先端 5 裂，裂片间有漏斗状的腺体 4，有白色花瓣状附属物。蒴果扁球形，直径 5 ~ 6 mm，密被白色短柔毛；种子椭圆形或近卵形，长约 4 mm，宽近 3 mm，表面有稀疏的疣状突起，成熟时灰黑色。

| 功能主治 | 辛，微寒；有毒。活血调经，消肿拔毒。用于月经不调，跌打损伤，无名肿毒。

| 用法用量 | 内服煎汤，3 ~ 9 g。外用适量，捣敷；或研末敷。

地构叶

Speranskia tuberculate (Bunge) Baill.

| 植物别名 | 珍珠透骨草。

| 药 材 名 | 透骨草（药用部位：全草。别名：吉盖草、枸皮草）。

| 形态特征 | 多年生草本。茎直立，高 25 ~ 50 cm，分枝较多，被伏贴短柔毛。叶纸质，披针形或卵状披针形，长 1.8 ~ 5.5 cm，宽 0.5 ~ 2.5 cm，先端渐尖，稀急尖，尖头钝，基部阔楔形或圆形，边缘具疏离圆齿或有时深裂，齿端具腺体，上面疏被短柔毛，下面被柔毛或仅叶脉被毛；叶柄长不及 5 mm 或近无柄；托叶卵状披针形，长约 1.5 mm。总状花序长 6 ~ 15 cm，上部有雄花 20 ~ 30，下部有雌花 6 ~ 10，位于花序中部的雌花的两侧有时具雄花 1 ~ 2；苞片卵状披针形或卵形，长 1 ~ 2 cm。雄花：2 ~ 4 生于苞腋；花梗长约 1 mm；花萼裂片卵形，长约 1.5 mm，外面疏被柔毛；花瓣倒心形，具爪，长约

0.5 mm，被毛；雄蕊 8 ~ 12（~ 15）枝，花丝被毛。雌花：1 ~ 2 生于苞腋；花梗长约 1 mm，果时长达 5 mm，且常下弯；花萼裂片卵状披针形，长约 1.5 mm，先端渐尖，疏被长柔毛；花瓣与雄花相似，但较短，疏被柔毛和缘毛，具脉纹；花柱 3，2 深裂，裂片呈羽状撕裂。蒴果扁球形，长约 4 mm，直径约 6 mm，具柔毛和瘤状突起；种子卵形，长约 2 mm，先端急尖，灰褐色。花果期 5 ~ 9 月。

| **生境分布** | 生于海拔 800 ~ 1 900 m 的山坡草丛或灌丛。分布于河北行唐、怀安、涿鹿等。

| **资源情况** | 野生资源丰富。药材主要来源于野生。

| **采收加工** | 5 ~ 6 月间开花结实时采收，除去杂质，鲜用或晒干。

| **药材性状** | 本品茎多分枝，呈圆柱形或微有棱，长 10 ~ 30 cm，直径 1 ~ 5 mm，茎表面灰绿色，近基部淡紫色，被灰白色柔毛，具互生叶或叶痕；质脆，易折断，断面黄白色。茎基部有时连有根茎，根茎长短不一，表面灰棕色，略粗糙；质较坚硬，断面淡黄白色。叶多卷曲皱缩或破碎，呈灰绿色，两面均被白色细柔毛。枝梢有时可见总状花序或果序；花小；蒴果三角状扁圆形。气微，味淡而后微苦。

| **功能主治** | 辛，温。归肝、肾经。祛风除湿，舒筋活络，散瘀消肿。用于风湿痹痛，筋骨挛缩，寒湿脚气，腰部扭伤，瘫痪，闭经，阴囊湿疹，疮疖肿毒。

| **用法用量** | 内服煎汤，9 ~ 15 g。外用适量，煎汤熏洗；或捣敷。

| **附　　注** | 孕妇忌用。

大戟科 Euphorbiaceae 雀舌木属 Leptopus

雀儿舌头 *Leptopus chinensis* (Bunge) Pojark.

| 植物别名 | 线叶雀舌木、小叶雀舌木、粗毛雀舌木。

| 药材名 | 雀儿舌头（药用部位：根）。

| 形态特征 | 直立灌木，高达 3 m。茎上部和小枝条具棱；除枝条、叶片、叶柄和萼片均在幼时被疏短柔毛外，其余无毛。叶片膜质至薄纸质，卵形、近圆形、椭圆形或披针形，长 1 ~ 5 cm，宽 0.4 ~ 2.5 cm，先端钝或急尖，基部圆或宽楔形，叶面深绿色，叶背浅绿色，侧脉每边 4 ~ 6，在叶面扁平，在叶背微凸起；叶柄长 2 ~ 8 mm；托叶小，卵状三角形，边缘被睫毛。花小，雌雄同株，单生或 2 ~ 4 簇生于叶腋；萼片、花瓣和雄蕊均为 5。雄花：花梗丝状，长 6 ~ 10 mm；萼片卵形或宽卵形，长 2 ~ 4 mm，宽 1 ~ 3 mm，浅绿色，膜质，

具有脉纹；花瓣白色，匙形，长 1 ~ 1.5 mm，
膜质；花盘腺体 5，分离，先端 2 深裂；雄蕊
离生，花丝丝状，花药卵圆形。雌花：花梗
长 1.5 ~ 2.5 cm；花瓣倒卵形，长 1.5 mm，宽
0.7 mm；萼片与雄花的相同；花盘环状，10 裂
至中部，裂片长圆形；子房近球形，3 室，每
室有胚珠 2，花柱 3，2 深裂。蒴果圆球形或扁
球形，直径 6 ~ 8 mm，基部有宿存的萼片；果
柄长 2 ~ 3 cm。花期 2 ~ 8 月，果期 6 ~ 10 月。

| 生境分布 |

生于海拔 500 ~ 1 000 m 的山地灌丛、林缘、
路旁、岩崖或石缝。分布于河北邢台及昌黎、
兴隆、易县等。

| 资源情况 |

野生资源一般。药材主要来源于野生。

| 功能主治 |

辛，温。归胃、大肠经。理气止痛。用于脾胃
气滞，脘腹胀痛，食欲不振，寒疝腹痛，下痢
腹痛。

| 用法用量 |

内服煎汤，6 ~ 12 g。

| 大戟科 | Euphorbiaceae | 铁苋菜属 | Acalypha

铁苋菜 *Acalypha australis* L.

| **植物别名** | 蛤蜊花、海蚌含珠。

| **药 材 名** | 铁苋菜（药用部位：全草）。

| **形态特征** | 一年生草本，高 0.2 ~ 0.5 m。小枝细长，被贴伏柔毛，毛逐渐稀疏。叶膜质，长卵形、近菱状卵形或阔披针形，长 3 ~ 9 cm，宽 1 ~ 5 cm，先端短渐尖，基部楔形，稀圆钝，边缘具圆锯齿，上面无毛，下面沿中脉具柔毛，基出脉 3，侧脉 3 对；叶柄长 2 ~ 6 cm，具短柔毛；托叶披针形，长 1.5 ~ 2 mm，具短柔毛。雌雄花同序，花序腋生，稀顶生，长 1.5 ~ 5 cm；花序梗长 0.5 ~ 3 cm，花序轴具短毛；雌花苞片 1 ~ 2 (~ 4)，卵状心形，花后增大，长 1.4 ~ 2.5 cm，宽 1 ~ 2 cm，边缘具三角形齿，外面沿掌状脉具疏柔毛，苞腋具雌花 1 ~ 3，花梗无；雄花生于花序上部，排列成穗状或头状，雄花苞片

卵形，长约 0.5 mm，苞腋具雄花 5 ~ 7，簇生，花梗长 0.5 mm。雄花：花蕾时近球形，无毛；花萼裂片 4，卵形，长约 0.5 mm；雄蕊 7 ~ 8。雌花：萼片 3，长卵形，长 0.5 ~ 1 mm，具疏毛；子房具疏毛，花柱 3，长约 2 mm，撕裂 5 ~ 7 条。蒴果直径 4 mm，具 3 分果爿，果皮具疏生毛和毛基变厚的小瘤体；种子近卵状，长 1.5 ~ 2 mm，种皮平滑，假种阜细长。花果期 4 ~ 12 月。

| 生境分布 | 生于海拔 20 ~ 1 200（~ 1 900）m 的平原或山坡较湿润耕地和空旷草地，有时生于石灰岩山疏林下。分布于河北迁西、沙河、武安等。

| 资源情况 | 野生资源丰富。药材主要来源于野生。

| 采收加工 | 夏、秋季采收，除去杂质，晒干或鲜用。

| 药材性状 | 本品呈段状。全体被灰白色细柔毛。老茎近无毛，类圆柱形，有分枝，表面棕色或棕红色，有纵条纹；切面黄白色，有髓。叶互生，有柄；叶片黄绿色，边缘有钝齿。花序腋生；苞片三角状肾形，不分裂，合抱如蚌。蒴果小，三角状扁圆形。气微，味淡。

| 功能主治 | 苦、涩，凉。归心、肺经。清热解毒，利湿，收敛止血。用于肠炎，痢疾，吐血，衄血，便血，尿血，崩漏；外用于痈疖疮疡，皮炎湿疹。

| 用法用量 | 内服煎汤，15 ~ 30 g。外用适量，鲜品捣敷。

大戟科 Euphorbiaceae 叶下珠属 Phyllanthus

叶下珠 *Phyllanthus urinaria* L.

| 植物别名 |

阴阳草、假油树、珍珠草。

| 药 材 名 |

叶下珠（药用部位：全草）。

| 形态特征 |

一年生草本，高 10 ~ 60 cm。茎通常直立，基部多分枝，枝倾卧而后上升；枝具翅状纵棱，上部被 1 纵列疏短柔毛。叶片纸质，因叶柄扭转而呈羽状排列，长圆形或倒卵形，长 4 ~ 10 mm，宽 2 ~ 5 mm，先端圆、钝或急尖而有小尖头，下面灰绿色，近边缘或边缘有 1 ~ 3 列短粗毛，侧脉每边 4 ~ 5，明显；叶柄极短；托叶卵状披针形，长约 1.5 mm。花雌雄同株，直径约 4 mm。雄花：2 ~ 4 簇生于叶腋，通常仅上面 1 朵开花，下面的很小；花梗长约 0.5 mm，基部有苞片 1 ~ 2；萼片 6，倒卵形，长约 0.6 mm，先端钝；雄蕊 3，花丝全部合生成柱状；花粉粒长球形，通常具 5 孔沟，少数具 3、4 或 6 孔沟，内孔横长椭圆形；花盘腺体 6，分离，与萼片互生。雌花：单生于小枝中下部的叶腋内；花梗长约 0.5 mm；萼片 6，近相等，卵状披针形，长约 1 mm，边缘膜质，

黄白色；花盘圆盘状，全缘；子房卵状，有鳞片状突起，花柱分离，先端 2 裂，裂片弯卷。蒴果圆球状，直径 1 ~ 2 mm，红色，表面具小凸刺，有宿存的花柱和萼片，开裂后轴柱宿存；种子长 1.2 mm，橙黄色。花期 4 ~ 6 月，果期 7 ~ 11 月。

| **生境分布** | 生于海拔 500 m 以下的旷野平地、耕地、山地路旁或林缘。分布于河北卢龙、丰润、承德等。

| **资源情况** | 野生资源一般。栽培资源一般。药材主要来源于栽培。

| **采收加工** | 夏、秋季采收，除去杂质，鲜用或晒干。

| **药材性状** | 本品长短不一。根茎外表面浅棕色，主根不发达，须根多数，浅灰棕色。茎直径 2 ~ 3 mm，老茎基部灰褐色。茎枝有纵皱纹，灰棕色、灰褐色或棕红色，质脆，易断，断面中空；分枝有纵皱纹及不甚明显的膜翅状脊线。叶片薄而小，长椭圆形，尖端有短突尖，基部圆形或偏斜，边缘有白色短毛，灰绿色，皱缩，易脱落。花细小，腋生于叶背之下，多已干缩。有的带有三棱状扁球形、黄棕色的果实，其表面有鳞状突起，常 6 纵裂。气微香，味微苦。

| **功能主治** | 微苦，凉。归肝、脾、肾经。清热解毒，利水消肿，明目，消积。用于痢疾，泄泻，黄疸，水肿，热淋，石淋，目赤，夜盲，疳积，痈肿，毒蛇咬伤。

| **用法用量** | 内服煎汤，15 ~ 30 g。外用适量，捣敷。

| **附　注** | 本种多生长在温暖湿润、土壤疏松的地域，稍耐阴，生长地土质以森林棕壤和砂壤土为主，土壤 pH 值为 5.8 ~ 7.0。播种时间在清明过后的 4 月中旬。据测定，本种先年收获种子的千粒重为 0.52 kg，发芽率为 63%，每公顷用种量为 7.5 kg。播种方法以条播为好，在畦面每隔 20 cm 开深 2 cm 的细沟，将种子与细土拌匀后撒入沟内，用钉耙背轻轻将畦面整平覆盖即可。

芸香科 Rutaceae 白鲜属 Dictamnus

白鲜
Dictamnus dasycarpus Turcz.

| 植物别名 | 臭骨头、大茴香、臭哄哄。

| 药 材 名 | 白鲜皮（药用部位：根皮。别名：北鲜皮、藓皮、野花椒根皮）。

| 形态特征 | 茎基部木质化的多年生宿根草本，高 40 ~ 100 cm。根斜生，肉质，粗长，淡黄白色。茎直立，幼嫩部分密被长毛及水泡状凸起的油点。叶有小叶 9 ~ 13，小叶对生，位于先端的 1 小叶具长柄，其余小叶无柄，椭圆形至长圆形，长 3 ~ 12 cm，宽 1 ~ 5 cm，生于叶轴上部的较大，叶缘有细锯齿，叶脉不甚明显，中脉被毛，成长叶的毛逐渐脱落；叶轴有甚狭窄的翼叶。总状花序长可达 30 cm；花梗长 1 ~ 1.5 cm；苞片狭披针形；萼片长 6 ~ 8 mm，宽 2 ~ 3 mm；花瓣白色带淡紫红色或粉红色带深紫红色脉纹，倒披针形，长 2 ~ 2.5 cm，宽 5 ~ 8 mm；雄蕊伸出花瓣外；萼片及花瓣均密生透

明油点。成熟的蓇葖果沿腹缝线开裂为 5 分果瓣，每分果瓣又深裂为 2 小瓣，瓣的顶角短尖，内果皮蜡黄色，有光泽，每分果瓣有种子 2 ~ 3；种子阔卵形或近圆球形，长 3 ~ 4 mm，厚约 3 mm，光滑。花期 5 月，果期 8 ~ 9 月。

| 生境分布 | 生于平原、海拔较高的山地。分布于河北隆化、平泉、围场等。

| 资源情况 | 野生资源丰富。药材主要来源于野生。

| 采收加工 | 春、秋季采挖根，除去泥沙和粗皮，剥取根皮，干燥。

| 药材性状 | 本品呈卷筒状，长 5 ~ 15 cm，直径 1 ~ 2 cm，厚 0.2 ~ 0.5 cm。外表面灰白色或淡灰黄色，具细纵皱纹和细根痕，常有凸起的颗粒状小点；内表面类白色，有细纵纹。质脆，折断时有粉尘飞扬，断面不平坦，略呈层片状，剥去外层，迎光可见闪烁的小亮点。有羊膻气，味微苦。

| 功能主治 | 苦，寒。归脾、胃、膀胱经。清热燥湿，祛风解毒。用于湿热疮毒，黄水淋漓，湿疹，风疹，疥癣疮癞，风湿热痹，黄疸尿赤。

| 用法用量 | 内服煎汤，5 ~ 10 g。外用适量，煎汤洗；或研末敷。

芸香科 Rutaceae 花椒属 Zanthoxylum

花椒
Zanthoxylum bungeanum Maxim.

| 植物别名 |

蜀椒、秦椒、大椒。

| 药 材 名 |

花椒（药用部位：果实。别名：椒、大椒、秦椒）。

| 形态特征 |

落叶小乔木，高 3 ~ 7 m。茎干上的刺常早落；枝有短刺，小枝上的刺为基部宽而扁且劲直的长三角形，当年生枝被短柔毛。叶有小叶 5 ~ 13，叶轴常有甚狭窄的叶翼；小叶对生，无柄，卵形、椭圆形，稀披针形，位于叶轴顶部的较大，近基部的有时呈圆形，长 2 ~ 7 cm，宽 1 ~ 3.5 cm，叶缘有细裂齿，齿缝有油点，其余无油点或散生肉眼可见的油点，叶背基部中脉两侧有丛毛或小叶两面均被柔毛，中脉在叶面微凹陷，叶背干后常有红褐色斑纹。花序顶生；花序轴及花梗密被短柔毛或无毛；花被片 6 ~ 8，黄绿色，形状及大小大致相同；雄花雄蕊 5 或多至 8，退化雌蕊先端叉状浅裂；雌花很少有发育雄蕊，有心皮 2 或 3，间有 4，花柱斜向背弯。果实紫红色，单个分果瓣直径 4 ~ 5 mm，散生微凸起的油点，先端有甚短的芒尖或无；种子长 3.5 ~ 4.5 mm。花期 4 ~ 5 月，果期 8 ~ 9 月或 10 月。

| 生境分布 |

生于平原、海拔较高的山地。分布于河北武安、兴隆、永年等。

| 资源情况 |

野生资源丰富。栽培资源丰富。药材主要来源于栽培。

| 采收加工 |

秋季果实成熟时采收，晒干，除去种子和杂质。

| 药材性状 |

本品多单生，直径 4 ~ 5 mm。外表面紫红色或棕红色，散有多数疣状凸起的油点，直径 0.5 ~ 1 mm，对光观察半透明；内表面淡黄色。香气浓，味麻辣而持久。

| 功能主治 |

辛，温。归脾、胃、肾经。温中止痛，杀虫止痒。用于脘腹冷痛，呕吐泄泻，虫积腹痛；外用于湿疹，阴痒。

| 用法用量 |

内服煎汤，3 ~ 6 g。外用适量，煎汤熏洗。

芸香科 Rutaceae 花椒属 Zanthoxylum

青花椒 *Zanthoxylum schinifolium* Sieb. et Zucc.

| 植物别名 | 野椒、天椒、崖椒。

| 药 材 名 | 花椒（药用部位：果实。别名：檓、大椒、秦椒）。

| 形态特征 | 灌木，通常高 1 ~ 2 m。茎枝有短刺，刺基部两侧压扁状，嫩枝暗紫红色。叶有小叶 7 ~ 19；小叶纸质，对生，几无柄，位于叶轴基部的常互生，其小叶柄长 1 ~ 3 mm，宽卵形至披针形或阔卵状菱形，长 5 ~ 10 mm，宽 4 ~ 6 mm，稀长达 70 mm，宽 25 mm，顶部短至渐尖，基部圆或宽楔形，两侧对称，有时一侧偏斜，油点多或不明显，叶面在放大镜下可见细短毛或毛状凸体，叶缘有细裂齿，或近全缘，中脉至少中段以下凹陷。花序顶生，花或多或少；萼片及花瓣均为 5；花瓣淡黄白色，长约 2 mm；雄花的退化雌蕊甚短，2 ~ 3 浅裂；雌花有心皮 3，很少 4 或 5。分果瓣红褐色，干后变暗

苍绿色或褐黑色,直径 4 ~ 5 mm,先端几无芒尖,油点小;种子直径 3 ~ 4 mm。花期 7 ~ 9 月,果期 9 ~ 12 月。

| 生境分布 | 生于平原,海拔 800 m 的山地疏林、灌丛或岩石旁等。分布于河北昌黎、迁安、青龙等。

| 资源情况 | 野生资源丰富。药材主要来源于野生。

| 采收加工 | 秋季果实成熟时采收,晒干,除去种子和杂质。

| 药材性状 | 本品多为 2 ~ 3 上部离生的小蓇葖果,集生于小果柄上,蓇葖果球形,沿腹缝线开裂,直径 3 ~ 4 mm;外表面灰绿色或暗绿色,散有多数油点和细密的网状隆起皱纹;内表面类白色,光滑。内果皮常自基部与外果皮分离。残存种子呈卵形,长 3 ~ 4 mm,直径 2 ~ 3 mm,表面黑色,有光泽。气香,味微甜而辛。

| 功能主治 | 辛,温。归脾、胃、肾经。温中止痛,杀虫止痒。用于脘腹冷痛,呕吐泄泻,虫积腹痛;外用于湿疹,阴痒。

| 用法用量 | 内服煎汤,3 ~ 6 g。外用适量,煎汤熏洗。

芸香科 Rutaceae 花椒属 Zanthoxylum

野花椒
Zanthoxylum simulans Hance

| 植物别名 | 香椒、黄总管、天角椒。

| 药材名 | 野花椒（药用部位：果实。别名：叶尔玛）、野花椒皮（药用部位：根皮或茎皮）、野花椒叶（药用部位：叶。别名：花椒叶、麻醉根叶）。

| 形态特征 | 灌木或小乔木。枝干散生基部宽而扁的锐刺，嫩枝及小叶背面沿中脉或仅中脉基部两侧，或有时及侧脉均被短柔毛，或各部均无毛。叶有小叶 5 ~ 15；叶轴有狭窄的叶质边缘，腹面呈沟状凹陷；小叶对生，无柄或位于叶轴基部的有甚短的小叶柄，卵形、卵状椭圆形或披针形，长 2.5 ~ 7 cm，宽 1.5 ~ 4 cm，两侧略不对称，顶部急尖或短尖，常有凹口，油点多，干后半透明且常微凸起，间有窝状凹陷，叶面常有刚毛状细刺，中脉凹陷，叶缘有疏离而浅的钝裂齿。花序顶生，长 1 ~ 5 cm；花被片 5 ~ 8，狭披针形、宽卵形或近三

角形，大小及形状有时不相同，长约 2 mm，淡黄绿色；雄花有雄蕊 5 ~ 8(~ 10)，花丝及半圆形凸起的退化雌蕊均淡绿色，药隔先端有一干后呈暗褐黑色的油点；雌花的花被片为狭长披针形，心皮 2 ~ 3，花柱斜向背弯。果实红褐色，分果瓣基部变狭窄且延长 1 ~ 2 mm，呈柄状，油点多，微凸起，单个分果瓣直径约 5 mm；种子长 4 ~ 4.5 mm。花期 3 ~ 5 月，果期 7 ~ 9 月。

| 生境分布 | 生于平地、低丘陵或略高的山地疏林或密林下。分布于河北昌黎、抚宁、涉县等。

| 资源情况 | 野生资源丰富。药材主要来源于野生。

| 采收加工 | **野花椒**：7 ~ 8 月果实成熟时采收，除去杂质，晒干。
野花椒皮：春、夏、秋季剥取，鲜用或晒干。
野花椒叶：7 ~ 9 月采收带叶的小枝，晒干或鲜用。

| 药材性状 | **野花椒**：本品分果呈球形，常 1 ~ 2 集生，每分果沿腹背缝线开裂至基部，直径约 5 mm。表面褐红色，具密集凸起的小油腺点，基部延长为子房柄，长约 2.5 mm，中部直径约 1 mm，具纵皱纹。种子卵球形，长 4 ~ 4.5 mm，直径 3.5 ~ 4 mm，黑色，光亮，基部种阜嵌入状。果皮质韧。气淡，味苦、凉、微麻而辣。

| 功能主治 | **野花椒**：辛，温；有小毒。温中止痛，杀虫止痒。用于脾胃虚寒，脘腹冷痛，呕吐，泄泻，蛔虫腹痛，湿疹，皮肤瘙痒，阴痒，龋齿疼痛。
野花椒皮：辛，温。祛风除湿，散寒止痛，解毒。用于风寒湿痹，筋骨麻木，脘腹冷痛，吐泻，牙痛，皮肤疮疡，毒蛇咬伤。
野花椒叶：辛，温。祛风除湿，活血通络。用于风寒湿痹，闭经，跌打损伤，阴骨疽，皮肤瘙痒。

| 用法用量 | **野花椒**：内服煎汤，9 ~ 15 g。外用适量，捣敷；或煎汤洗。
野花椒皮：内服煎汤，6 ~ 9 g；或研末，2 ~ 3 g。外用适量，煎汤洗；或含漱；或研末调敷；或鲜品捣敷。
野花椒叶：内服煎汤，9 ~ 15 g；或浸酒。外用适量，鲜品捣敷。

| 附　注 | 果实有短梗是本种与梗花椒 *Zanthoxylum stipitatum* Huang 共有的特征，但本种的分果瓣干后不呈暗褐黑色，亦非鲜红色。

苦木科 Simaroubaceae 臭椿属 Ailanthus

臭椿
Ailanthus altissima (Mill.) Swingle

| 植物别名 |

樗、皮黑樗、黑皮樗。

| 药 材 名 |

椿皮（药用部位：根皮或干皮）。

| 形态特征 |

落叶乔木，高可超过 20 m；树皮平滑而有直纹。嫩枝有髓，幼时被黄色或黄褐色柔毛，后脱落。叶为奇数羽状复叶，长40 ~ 60 cm，叶柄长 7 ~ 13 cm，有小叶13 ~ 27；小叶对生或近对生，纸质，卵状披针形，长 7 ~ 13 cm，宽 2.5 ~ 4 cm，先端长渐尖，基部偏斜，截形或稍圆，两侧各具 1 或 2 粗锯齿，齿背有腺体 1，叶面深绿色，叶背灰绿色，揉碎后具臭味。圆锥花序长10 ~ 30 cm；花淡绿色；花梗长 1 ~ 2.5 mm；萼片 5，覆瓦状排列，裂片长 0.5 ~ 1 mm；花瓣 5，长 2 ~ 2.5 mm，基部两侧被硬粗毛；雄蕊 10，花丝基部密被硬粗毛，雄花花丝长于花瓣，雌花花丝短于花瓣，花药长圆形，长约 1 mm；心皮 5，花柱黏合，柱头 5裂。翅果长椭圆形，长 3 ~ 4.5 cm，宽 1 ~1.2 cm；种子位于翅的中间，扁圆形。花期4 ~ 5 月，果期 8 ~ 10 月。

| 生境分布 | 生于山坡、树林或道路旁。分布于河北昌黎、磁县、丰宁等。

| 资源情况 | 野生资源丰富。药材主要来源于野生。

| 采收加工 | 全年均可剥取，晒干，或刮去粗皮，晒干。

| 药材性状 | 本品根皮呈不整齐的片状或卷片状，大小不一，厚0.3 ~ 1 cm。外表面灰黄色或黄褐色，粗糙，有多数纵向皮孔样突起和不规则纵、横裂纹，除去粗皮者显黄白色，内表面淡黄色，较平坦，密布梭形小孔或小点。质硬而脆，断面外层颗粒性，内层纤维性。气微，味苦。干皮呈不规则板片状，大小不一，厚0.5 ~ 2 cm。外表面灰黑色，极粗糙，有深裂。

| 功能主治 | 苦、涩，寒。归大肠、胃、肝经。清热燥湿，收涩止带，止泻，止血。用于赤白带下，湿热泻痢，久泻久痢，便血，崩漏。

| 用法用量 | 内服煎汤，6 ~ 9 g。

苦木科 Simaroubaceae 苦树属 Picrasma

苦树
Picrasma quassioides (D. Don) Benn.

| 植物别名 | 熊胆树、黄楝树、苦皮树。

| 药材名 | 苦木（药用部位：枝、叶。别名：胆树、苦胆树、黄楝树）。

| 形态特征 | 落叶乔木，高达 10 余米；树皮紫褐色，平滑，有灰色斑纹，全株有苦味。叶互生，奇数羽状复叶，长 15 ~ 30 cm；小叶 9 ~ 15，卵状披针形或广卵形，边缘具不整齐的粗锯齿，先端渐尖，基部楔形，除顶生小叶外，其余小叶基部均不对称，叶面无毛，叶背仅幼时沿中脉和侧脉有柔毛，后变无毛；落叶后留有明显的半圆形或圆形叶痕；托叶披针形，早落。花雌雄异株，组成腋生复聚伞花序；花序轴密被黄褐色微柔毛；萼片小，通常 5，偶 4，卵形或长卵形，外面被黄褐色微柔毛，覆瓦状排列；花瓣与萼片同数，卵形或阔卵形，两面中脉附近有微柔毛；雄花雄蕊长为花瓣的 2 倍，与萼片对生，

雌花雄蕊短于花瓣；花盘 4 ~ 5 裂；心皮 2 ~ 5，分离，每心皮有 1 胚珠。核果成熟后蓝绿色，长 6 ~ 8 mm，宽 5 ~ 7 mm；种皮薄，萼宿存。花期 4 ~ 5 月，果期 6 ~ 9 月。

| **生境分布** | 生于海拔（1 400 ~ ）1 650 ~ 2 400 m 的山地杂木林。分布于河北磁县、阜平、武安等。

| **资源情况** | 野生资源丰富。药材主要来源于野生。

| **采收加工** | 夏、秋季采收，干燥。

| **药材性状** | 本品茎呈类圆形，直径达 30 cm，或切片厚 1 cm。表面灰绿色或淡棕色，散布不规则灰白色斑纹。树心处的块片呈深黄色。横切片年轮明显，射线放射状排列。质坚硬，折断面纤维状。

| **功能主治** | 苦，寒；有小毒。归肺、大肠经。清热解毒，祛湿。用于风热感冒，咽喉肿痛，湿热泻痢，湿疹，疮疖，毒蛇咬伤。

| **用法用量** | 内服煎汤，6 ~ 15 g，大剂量可用 30 g；或入丸、散剂。外用适量，煎汤洗；或研末撒；或研末调敷；或浸酒搽。

棟科 Meliaceae 棟属 *Melia*

楝
Melia azedarach L.

| 植物别名 | 苦楝树、森树、紫花树。

| 药 材 名 | 苦楝皮（药用部位：树皮或根皮。别名：楝木皮、楝树枝皮、苦楝树白皮）。

| 形态特征 | 落叶乔木，高达 10 余米，胸径 1 m。二至三回奇数羽状复叶，长 20 ~ 40 cm；小叶卵形、椭圆形或披针形，长 3 ~ 7 cm，宽 2 ~ 3 cm，先端渐尖，基部楔形或圆，具钝齿，幼时被星状毛，后脱落，侧脉 12 ~ 16 对。圆锥花序与叶近等长，无毛或幼时被毛；花芳香；花萼 5 深裂，裂片卵形或长圆状卵形；花瓣淡紫色，倒卵状匙形，长约 1 cm，两面均被毛；花丝筒紫色，长 7 ~ 8 mm，具 10 窄裂片，每裂片 2 ~ 3 齿裂，花药 10，着生于裂片内侧；子房 5 ~ 6 室。核果球形或椭圆形，长 1 ~ 2 cm，直径 0.8 ~ 1.5 cm。花期 4 ~ 5 月，

果期 10 ~ 11 月。

| 生境分布 |

生于低海拔旷野、路旁或疏林。分布于河北邢台及磁县、永年等。

| 资源情况 |

野生资源一般。栽培资源一般。药材主要来源于栽培。

| 采收加工 |

春、秋季剥取，晒干，或除去粗皮，晒干。

| 药材性状 |

本品呈不规则板片状、槽状或半卷筒状，长宽不一，厚 2 ~ 6 mm。外表面灰棕色或灰褐色，粗糙，有交织的纵皱纹和点状灰棕色皮孔，除去粗皮者淡黄色；内表面类白色或淡黄色。质韧，不易折断，断面纤维性，呈层片状，易剥离。气微，味苦。

| 功能主治 |

苦，寒；有毒。归肝、脾、胃经。杀虫，疗癣。用于蛔虫病，蛲虫病，虫积腹痛；外用于疥癣瘙痒。

| 用法用量 |

内服煎汤，3 ~ 6 g。外用适量，研末用猪脂调敷。

香椿
Toona sinensis (A. Juss.) Roem.

| 植物别名 | 毛椿、椿芽、春甜树。

| 药 材 名 | 香椿子（药用部位：果实。别名：椿树子）、香椿皮（药用部位：干皮或枝皮）。

| 形态特征 | 乔木；树皮粗糙，深褐色，片状脱落。叶具长柄，偶数羽状复叶，长 30 ~ 50 cm 或更长；小叶 16 ~ 20，对生或互生，纸质，卵状披针形或卵状长椭圆形，长 9 ~ 15 cm，宽 2.5 ~ 4 cm，先端尾尖，基部一侧圆形，另一侧楔形，不对称，全缘或边缘有疏离的小锯齿，两面均无毛，无斑点，背面常呈粉绿色，侧脉每边 18 ~ 24，平展，与中脉几呈直角，背面略凸起；小叶柄长 5 ~ 10 mm。圆锥花序与叶等长或较之长，被稀疏的锈色短柔毛或有时近无毛，小聚伞花序生于短的小枝上，多花；花长 4 ~ 5 mm，具短花梗；花萼 5 齿裂或

浅波状，外面被柔毛，且有睫毛；花瓣5，白色，长圆形，先端钝，长4~5 mm，宽2~3 mm，无毛；雄蕊10，其中5能育，5退化；花盘无毛，近念珠状；子房圆锥形，有5细沟纹，无毛，每室有胚珠8，花柱比子房长，柱头盘状。蒴果狭椭圆形，长2~3.5 cm，深褐色，有小而苍白色的皮孔，果瓣薄；种子基部通常钝，上端有膜质的长翅，下端无翅。花期6~8月，果期10~12月。

| 生境分布 | 生于海拔30~1700 m的村庄及山坡。分布于河北平泉、涉县、涿鹿等。河北西南地区有栽培。

| 资源情况 | 野生资源丰富。药材主要来源于野生。

| 采收加工 | **香椿子**：秋季果实成熟时采收，除去杂质，干燥。
香椿皮：夏季剥取，干燥。

| 药材性状 | **香椿子**：本品呈狭卵圆形，长2.5~3.5 cm。果皮开裂为5瓣，深裂至全长的2/3左右，裂叶披针形，先端尖；外表面黑褐色，有细纹理；内表面黄棕色，光滑；果肉厚约2.5 mm；质脆。果轴呈圆锥形，先端钝尖，黄棕色，有5棕褐色棱线。种子着生于果轴及果瓣之间，5列，具极薄的种翅，黄白色，半透明，基部斜口状；种仁细小，不明显。气微，味微苦。
香椿皮：本品呈半卷筒状或片状，厚0.2~0.6 cm。外表面红棕色或棕褐色，有纵纹及裂隙，有的可见圆形细小皮孔。内表面棕色，有细纵纹。质坚硬，断面纤维性，呈层状。有香气，味淡。

| 功能主治 | **香椿子**：辛、苦，温。归肝、肺经。祛风，散寒，止痛。用于外感风寒，风湿痹痛，胃痛，疝气疼痛，痢疾。
香椿皮：苦、涩，微寒。归大肠、胃经。清热燥湿，涩肠，止血，止带，杀虫。用于泄泻，痢疾，肠风便血，崩漏，带下，蛔虫病，丝虫病，疮癣。

| 用法用量 | **香椿子**：内服煎汤，6~15 g；或研末。
香椿皮：内服煎汤，6~15 g。外用适量，煎汤洗；或熬膏涂。

远志科 Polygalaceae 远志属 Polygala

西伯利亚远志 Polygala sibirica L.

| 植物别名 | 万年青、地丁、蓝花地丁。

| 药 材 名 | 远志（药用部位：根。别名：细草、青小草）。

| 形态特征 | 多年生草本，高 10 ~ 30 cm。根直立或斜生，木质。茎丛生，通常直立，被短柔毛。叶互生；叶片纸质至亚革质，下部叶小，卵形，长约 6 mm，宽约 4 mm，先端钝，上部叶大，披针形或椭圆状披针形，长 1 ~ 2 cm，宽 3 ~ 6 mm，先端钝，具骨质短尖头，基部楔形，全缘，略反卷，绿色，两面被短柔毛，主脉在上面凹陷，在下面隆起，侧脉不明显；具短柄。总状花序腋外生或假顶生，通常高出茎顶，被短柔毛，具少数花；花长 6 ~ 10 mm；小苞片 3，钻状披针形，长约 2 mm，被短柔毛；萼片 5，宿存，背面被短柔毛，具缘毛，外面 3 披针形，长约 3 mm，里面 2 花瓣状，近镰形，长约 7.5 mm，

宽约 3 mm，先端具突尖，基部具爪，淡绿色，边缘色浅；花瓣 3，蓝紫色，侧瓣倒卵形，长 5 ~ 6 mm，2/5 以下与龙骨瓣合生，先端圆形、微凹，基部内侧被柔毛，龙骨瓣较侧瓣长，背面被柔毛，具流苏状鸡冠状附属物；雄蕊 8，花丝长 5 ~ 6 mm，2/3 以下合生成鞘，且具缘毛，花药卵形，顶孔开裂；子房倒卵形，直径约 2 mm，先端具缘毛，花柱肥厚，先端弯曲，长约 5 mm，柱头 2，间隔排列。蒴果近倒心形，直径约 5 mm，先端微缺，具狭翅及短缘毛；种子长圆形，扁，长约 1.5 mm，黑色，密被白色柔毛，具白色种阜。花期 4 ~ 7 月，果期 5 ~ 8 月。

| 生境分布 | 生于海拔 1 100 ~ 3 300（~ 4 300）m 的砂质土、石砾和石灰岩山地灌丛、林缘或草地。分布于河北昌黎、涞源、滦平等。

| 资源情况 | 野生资源丰富。药材主要来源于野生。

| 采收加工 | 春、秋季采挖，除去须根和泥沙，晒干。

| 药材性状 | 本品呈圆柱形，略弯曲，长 3 ~ 15 cm，直径 0.3 ~ 0.8 cm。表面灰黄色至灰棕色，有较密并深陷的横皱纹、纵皱纹及裂纹，老根的横皱纹较密，更深陷，略呈结节状。质硬而脆，易折断，断面皮部棕黄色，木部黄白色，皮部易与木部剥离。气微，味苦、微辛，嚼之有刺喉感。

| 功能主治 | 辛、苦，平。归肺、心经。祛痰，安神，消痈。用于咳嗽痰多，虚烦，惊恐，梦遗失精，胸痹心痛，痈肿疮疡。

| 用法用量 | 内服煮散剂，3 ~ 5 g；或入丸、散剂。

| 附　注 | 本种与苦远志 *Polygala sibirica* L. var. *megalopha* Franch. 的主要区别在于后者的植株矮小，分枝铺散，叶片亚革质，边缘反卷，侧脉在叶面凸起，鸡冠状附属物较大。

远志科 Polygalaceae 远志属 Polygala

小扁豆
Polygala tatarinowii Regel

| 植物别名 | 天星吊红、野豌豆草、小远志。

| 药 材 名 | 小扁豆根（药用部位：根。别名：吴乌模、猪大肠）。

| 形态特征 | 一年生草本，高 5 ~ 15 cm。茎无毛。叶纸质，卵形、椭圆形或宽椭圆形，长 0.8 ~ 2.5 cm，宽 0.6 ~ 1.5 cm，先端骤尖，基部楔形下延，具缘毛，疏被柔毛；叶柄长 0.5 ~ 1 cm。总状花序顶生，花密；小苞片披针形，早落；外萼片 3，卵形或椭圆形，内萼片 2，长倒卵形；花瓣红色或紫红色，龙骨瓣 2/3 以下合生，无鸡冠状附属物；花丝 3/4 以下合生。果序长达 6 cm；蒴果扁球形，直径 2 mm，具翅，疏被柔毛；种子近长圆形，长 1.5 mm，被白色柔毛，种阜盔状。花期 8 ~ 9 月，果期 9 ~ 11 月。

| **生境分布** | 生于海拔 1 300 ～ 3 000 m 的山坡草地、杂木林下或路旁草丛。分布于河北易县等。

| **资源情况** | 野生资源一般。药材主要来源于野生。

| **采收加工** | 夏、秋季采挖，切段，晒干。

| **功能主治** | 辛，温。祛风，活血止痛。用于跌打损伤，风湿骨痛。

| **用法用量** | 内服煎汤，9 ～ 15 g。外用适量，捣敷；或研末调敷。

七叶树科 Hippocastanaceae 七叶树属 Aesculus

七叶树

Aesculus chinensis Bunge

| **植物别名** | 日本七叶树、浙江七叶树。

| **药 材 名** | 娑罗子（药用部位：种子。别名：天师栗、娑婆子、武吉）。

| **形态特征** | 落叶乔木，高达 25 m；树皮深褐色或灰褐色。小枝圆柱形，黄褐色或灰褐色，无毛或嫩时有微柔毛，有圆形或椭圆形、淡黄色的皮孔；冬芽大形，有树脂。掌状复叶，由 5 ~ 7 小叶组成；叶柄长 10 ~ 12 cm，有灰色微柔毛；小叶纸质，长圆状披针形至长圆状倒披针形，稀长椭圆形，先端短锐尖，基部楔形或阔楔形，边缘有钝尖细锯齿，长 8 ~ 16 cm，宽 3 ~ 5 cm，上面深绿色，无毛，下面除嫩时中肋及侧脉的基部有疏柔毛外，其余部分无毛，中肋在上面显著，在下面凸起，侧脉 13 ~ 17 对，在上面微显著，在下面显著；中央小叶的小叶柄长 1 ~ 1.8 cm，两侧的小叶柄长 5 ~ 10 mm，有

灰色微柔毛。花序圆筒形，连同长 5 ~ 10 cm 的总花梗在内共长 21 ~ 25 cm，总花序轴有微柔毛，小花序常由 5 ~ 10 花组成，平斜向伸展，有微柔毛，长 2 ~ 2.5 cm；花梗长 2 ~ 4 mm；花杂性，雄花与两性花同株；花萼管状钟形，长 3 ~ 5 mm，外面有微柔毛，不等 5 裂，裂片钝形，边缘有短纤毛；花瓣 4，白色，长圆状倒卵形至长圆状倒披针形，长 8 ~ 12 mm，宽 1.5 ~ 5 mm，边缘有纤毛，基部爪状；雄蕊 6，长 1.8 ~ 3 cm，花丝线状，无毛，花药长圆形，淡黄色，长 1 ~ 1.5 mm；子房在雄花中不发育，在两性花中发育良好，卵圆形，花柱无毛。果实球形或倒卵圆形，顶部短尖或钝圆而中部略凹下，直径 3 ~ 4 cm，黄褐色，无刺，具很密的斑点，果壳干后厚 5 ~ 6 mm；种子常 1 ~ 2 发育，近球形，直径 2 ~ 3.5 cm，栗褐色，种脐白色，约占种子体积的 1/2。花期 4 ~ 5 月，果期 10 月。

| 生境分布 | 生于海拔 700 m 以下的山地。分布于河北蔚县等。

| 资源情况 | 野生资源一般。栽培资源一般。药材主要来源于栽培。

| 采收加工 | 秋季采收成熟果实，除去果皮，晒干或低温干燥。

| 药材性状 | 本品呈扁球形或类球形，似板栗，直径 1.5 ~ 3.5 cm。表面棕色或棕褐色，多皱缩，凹凸不平，略具光泽；种脐色较浅，近圆形，占种子面积的 1/4 ~ 1/2；其一侧有凸起的种脊，有的不甚明显。种皮硬而脆，子叶 2，肥厚，坚硬，形似栗仁，黄白色或淡棕色，粉性。气微，味先苦而后甜。

| 功能主治 | 甘，温。归肝、胃经。疏肝理气，和胃止痛。用于肝胃气滞，胸腹胀闷，胃脘疼痛。

| 用法用量 | 内服煎汤，3 ~ 9 g。

| 附　注 | 本种喜光，稍耐阴；喜温暖气候，也耐寒；喜深厚、肥沃、湿润而排水良好之土壤。

漆树科 Anacardiaceae 黄连木属 Pistacia

黄连木 *Pistacia chinensis* Bunge

| 植物别名 | 楷木、黄连茶、岩拐角。

| 药材名 | 黄楝木（药用部位：叶芽、叶、根、树皮。别名：黄连木）。

| 形态特征 | 落叶乔木，高达20余米；树干扭曲，树皮暗褐色，呈鳞片状剥落。幼枝灰棕色，具细小皮孔，疏被微柔毛或近无毛。奇数羽状复叶互生，有小叶5~6对，叶轴具条纹，被微柔毛；叶柄上面平，被微柔毛；小叶对生或近对生，纸质，披针形、卵状披针形或线状披针形，长5~10cm，宽1.5~2.5cm，先端渐尖或长渐尖，基部偏斜，全缘，两面沿中脉和侧脉被卷曲微柔毛或近无毛，侧脉和细脉两面凸起；小叶柄长1~2mm。雌雄异株，先花后叶，圆锥花序腋生，雄花序排列紧密，长6~7cm，雌花序排列疏松，长15~20cm，均被微柔毛；花小，花梗长约1mm，被微柔毛；苞片披针形或狭披针形，

内凹，长 1.5 ~ 2 mm，外面被微柔毛，边缘具睫毛。雄花：花被片 2 ~ 4，披针形或线状披针形，大小不等，长 1 ~ 1.5 mm，边缘具睫毛；雄蕊 3 ~ 5，花丝极短，长不足 0.5 mm，花药长圆形，大，长约 2 mm；雌蕊缺。雌花：花被片 7 ~ 9，大小不等，长 0.7 ~ 1.5 mm，宽 0.5 ~ 0.7 mm，外面 2 ~ 4 远较狭，披针形或线状披针形，外面被柔毛，边缘具睫毛，里面 5 卵形或长圆形，外面无毛，边缘具睫毛；不育雄蕊缺；子房球形，无毛，直径约 0.5 mm，花柱极短，柱头 3，厚，肉质，红色。核果倒卵状球形，略压扁，直径约 5 mm，成熟时紫红色，干后具纵向细条纹，先端细尖。

| 生境分布 | 生于海拔 140 ~ 3 550 m 的石山林中。分布于河北阜平、井陉、涉县等。

| 资源情况 | 野生资源一般。栽培资源一般。药材主要来源于栽培。

| 采收加工 | 春季采收叶芽，鲜用；夏、秋季采摘叶，鲜用或晒干；全年均可采收根及树皮，洗净，切片，晒干。

| 功能主治 | 苦、涩，寒。清暑，生津，解毒，利湿。用于暑热口渴，咽喉肿痛，口舌糜烂，吐泻，痢疾，淋证，无名肿毒，疮疹。

| 用法用量 | 内服煎汤，15 ~ 30 g；或腌食，叶芽适量。外用适量，捣汁涂；或煎汤洗。

漆树科 Anacardiaceae 黄栌属 Cotinus

黄栌
Cotinus coggygria Scop.

| 植物别名 | 红叶、路木炸、浓茂树。

| 药 材 名 | 黄栌根（药用部位：根）、黄栌枝叶（药用部位：枝叶）。

| 形态特征 | 灌木，高 3 ~ 5 m。叶倒卵形或卵圆形，长 3 ~ 8 cm，宽 2.5 ~ 6 cm，先端圆形或微凹，基部圆形或阔楔形，全缘，两面或尤其叶背显著被灰色柔毛，侧脉 6 ~ 11 对，先端常叉开；叶柄短。圆锥花序被柔毛；花杂性，直径约 3 mm；花梗长 7 ~ 10 mm；花萼无毛，裂片卵状三角形，长约 1.2 mm，宽约 0.8 mm；花瓣卵形或卵状披针形，长 2 ~ 2.5 mm，宽约 1 mm，无毛；雄蕊 5，长约 1.5 mm，花药卵形，与花丝等长，花盘 5 裂，紫褐色；子房近球形，直径约 0.5 mm，花柱 3，分离，不等长。果实肾形，长约 4.5 mm，宽约 2.5 mm，无毛。

| **生境分布** | 生于海拔 700 ~ 1 620 m 的向阳山坡林中。分布于河北井陉、灵寿、内丘等。

| **资源情况** | 野生资源一般。栽培资源一般。药材主要来源于栽培。

| **采收加工** | **黄栌根**：全年均可采挖，洗净，切段，晒干。
黄栌枝叶：夏、秋季采收，扎成把，晒干。

| **药材性状** | **黄栌枝叶**：本品呈纸质，多皱缩、破碎，完整者展平后呈卵圆形至倒卵形，长 3 ~ 8 cm，宽 2.5 ~ 6 cm，灰绿色，两面均被白色短柔毛，下表面沿叶脉处较密。气微香，味涩、微苦。

| **功能主治** | **黄栌根**：苦、辛，寒。归肝、肾经。清热利湿，散瘀，解毒。用于黄疸性肝炎，跌打瘀痛，皮肤瘙痒，赤眼，丹毒，烫火伤，漆疮。

黄栌枝叶：苦、辛，寒。归肾、肝经。清热解毒，活血止痛。用于黄疸性肝炎，丹毒，漆疮，烫火伤，结膜炎，跌打瘀痛。

| **用法用量** | **黄栌根**：内服煎汤，10 ~ 30 g。外用适量，煎汤洗。

黄栌枝叶：内服煎汤，9 ~ 15 g。外用适量，煎汤洗；或捣敷。

漆树科 Anacardiaceae 漆属 Toxicodendron

漆
Toxicodendron vernicifluum (Stokes) F. A. Barkl.

| **植物别名** | 大木漆、干漆、漆树。

| **药材名** | 生漆（药用部位：树脂。别名：大漆）、干漆（药材来源：树脂经加工后的干燥品。别名：黑漆、漆底、漆脚）。

| **形态特征** | 落叶乔木，高达 20 m；树皮灰白色，粗糙，呈不规则纵裂。小枝粗壮，被棕黄色柔毛，后变无毛，具圆形或心形的大叶痕和凸起的皮孔；顶芽大而显著，被棕黄色绒毛。奇数羽状复叶互生，常螺旋状排列，有小叶 4 ~ 6 对，叶轴圆柱形，被微柔毛；叶柄长 7 ~ 14 cm，被微柔毛，近基部膨大，半圆形，上面平；小叶膜质至薄纸质，卵形、卵状椭圆形或长圆形，长 6 ~ 13 cm，宽 3 ~ 6 cm，先端急尖或渐尖，基部偏斜，圆形或阔楔形，全缘，叶面通常无毛或仅沿中脉疏被微柔毛，叶背沿脉上被平展黄色柔毛，稀近无毛，侧脉 10 ~ 15 对，

两面略凸；小叶柄长 4 ~ 7 mm，上面具槽，被柔毛。圆锥花序长 15 ~ 30 cm，与叶近等长，被灰黄色微柔毛；花序轴及分枝纤细，疏花；花黄绿色；雄花花梗纤细，长 1 ~ 3 mm，雌花花梗短粗；花萼无毛，裂片卵形，长约 0.8 mm，先端钝；花瓣长圆形，长约 2.5 mm，宽约 1.2 mm，具细密的褐色羽状脉纹，先端钝，开花时外卷；雄蕊长约 2.5 mm，花丝线形，与花药等长或近等长，在雌花中较短，花药长圆形，花盘 5 浅裂，无毛；子房球形，直径约 1.5 mm，花柱 3。果序多少下垂；核果肾形或椭圆形，不偏斜，略压扁，长 5 ~ 6 mm，宽 7 ~ 8 mm，先端锐尖，基部截形，外果皮黄色，无毛，具光泽，成熟后不裂，中果皮蜡质，具树脂道条纹；果核棕色，与果实同形，长约 3 mm，宽约 5 mm，坚硬。花期 5 ~ 6 月，果期 7 ~ 10 月。

| **生境分布** | 生于海拔 800 ~ 2 800 (~ 3 800) m 的向阳山坡林内。分布于河北阜平、灵寿、平山等。

| **资源情况** | 野生资源丰富。药材主要来源于野生。

| **采收加工** | **生漆**：4 ~ 5 月划破树皮，收取溢出的脂液，贮存。
干漆：生漆干固后凝成的团块即为干漆。但商品多收集漆缸壁或底部黏着的干渣，经煅制后入药。

| **药材性状** | **干漆**：本品呈不规则块状，黑褐色或棕褐色，表面粗糙，有蜂窝状细小孔洞或呈颗粒状。质坚硬，不易折断，断面不平坦。具特殊臭气。

| **功能主治** | **生漆**：辛，温。归肝、脾经。杀虫。用于虫积水蛊。
干漆：辛，温；有毒。归肝、脾经。破瘀通经，消积杀虫。用于瘀血闭经，癥瘕积聚，虫积腹痛。

| **用法用量** | **生漆**：内服和丸；或熬干研末入丸、散剂。外用适量，涂抹。
干漆：内服煎汤，2 ~ 5 g。

漆树科 Anacardiaceae 盐肤木属 Rhus

青麸杨
Rhus potaninii Maxim.

| 植物别名 | 倍子树、五倍子。

| 药 材 名 | 五倍子（药用部位：叶上的虫瘿。别名：盐麸叶上球子、文蛤、百虫仓）。

| 形态特征 | 落叶乔木，高 5 ~ 8 m；树皮灰褐色，小枝无毛。奇数羽状复叶有小叶 3 ~ 5 对，叶轴无翅，被微柔毛；小叶卵状长圆形或长圆状披针形，长 5 ~ 10 cm，宽 2 ~ 4 cm，先端渐尖，基部多少偏斜，近回形，全缘，两面沿中脉被微柔毛或近无毛；小叶具短柄。圆锥花序长 10 ~ 20 cm，被微柔毛；苞片钻形，长约 1 mm，被微柔毛；花白色，直径 2.5 ~ 3 mm；花梗长约 1 mm，被微柔毛；花萼外面被微柔毛，裂片卵形，长约 1 mm，边缘具细睫毛；花瓣卵形或卵状长圆形，长 1.5 ~ 2 mm，宽约 1 mm，两面被微柔毛，边缘具细睫毛，

开花时先端外卷；花丝线形，长约 2 mm，在雌花中较短，花药卵形；花盘厚，无毛；子房球形，直径约 0.7 mm，密被白色绒毛。核果近球形，略压扁，直径 3 ～ 4 mm，密被具节柔毛和腺毛，成熟时红色。

| **生境分布** | 生于海拔 900 ～ 2 500 m 的山坡疏林或灌丛。分布于河北阜平、涉县、武安等。

| **资源情况** | 野生资源一般。药材主要来源于野生。

| **采收加工** | 秋季采摘，置沸水中略煮或蒸至表面呈灰色，杀死蚜虫，取出，干燥。按外形不同，分为"肚倍"和"角倍"。

| **药材性状** | 本品肚倍呈长圆形或纺锤形囊状，长 2.5 ～ 9 cm，直径 1.5 ～ 4 cm。表面灰褐色或灰棕色，微有柔毛。质硬而脆，易破碎，断面角质样，有光泽，壁厚 0.2 ～ 0.3 cm，内壁平滑，有黑褐色死蚜虫及灰色粉状排泄物。气特异，味涩。角倍呈菱形，具不规则的钝角状分枝，柔毛较明显，壁较薄。

| **功能主治** | 酸、涩，寒。归肺、大肠、肾经。敛肺降火，涩肠止泻，敛汗，止血，收湿敛疮。用于肺虚久咳，肺热痰嗽，久泻久痢，自汗盗汗，消渴，便血痔血，外伤出血，痈肿疮毒，皮肤湿烂。

| **用法用量** | 内服煎汤，3 ～ 6 g。外用适量。

盐肤木 *Rhus chinensis* Mill.

| 植物别名 |

五倍子树、山梧桐、五倍子。

| 药材名 |

五倍子（药用部位：叶上的虫瘿）。

| 形态特征 |

落叶小乔木或灌木，高2～10 m。小枝棕褐色，被锈色柔毛，具圆形小皮孔。奇数羽状复叶有小叶（2～）3～6对，叶轴具宽的叶状翅，小叶自下而上逐渐增大，叶轴和叶柄密被锈色柔毛；小叶多形，卵形、椭圆状卵形或长圆形，长6～12 cm，宽3～7 cm，先端急尖，基部圆形，顶生小叶基部楔形，边缘具粗锯齿或圆齿，叶面暗绿色，叶背粉绿色，被白粉，叶面沿中脉疏被柔毛或近无毛，叶背被锈色柔毛，脉上较密，侧脉和细脉在叶面凹陷，在叶背凸起；小叶无柄。圆锥花序宽大，多分枝，雄花序长30～40 cm，雌花序较短，密被锈色柔毛；苞片披针形，长约1 mm，被微柔毛；小苞片极小；花白色；花梗长约1 mm，被微柔毛。雄花：花萼外面被微柔毛，裂片长卵形，长约1 mm，边缘具细睫毛；花瓣倒卵状长圆形，长约2 mm，开花时外卷；雄蕊伸出，花丝线形，长约2 mm，无毛，花药卵形，长约0.7 mm；子房不育。雌花：花萼裂片较短，长约0.6 mm，外面被微柔毛，边缘具细睫毛；花瓣椭圆状卵形，长约1.6 mm，边缘具细睫毛，里面下部被柔毛；雄蕊极短；花盘无毛；子房卵形，长约1 mm，密被白色微柔毛，花柱3，柱头头状。核果球形，略压扁，直径4～5 mm，被具节柔毛和腺毛，成熟时红色；果核直径3～4 mm。花期8～9月，果期10月。

| 生境分布 | 生于海拔170～2 700 m的向阳山坡、沟谷、溪边的疏林或灌丛。分布于河北昌黎、抚宁、兴隆等。

| 资源情况 | 野生资源一般。药材主要来源于野生。

| 采收加工 | 秋季采摘，置沸水中略煮或蒸至表面呈灰色，杀死蚜虫，取出，干燥。

| 药材性状 | 本品肚倍呈长圆形或纺锤形囊状，长2.5～9 cm，直径1.5～4 cm。表面灰褐色或灰棕色，微有柔毛。质硬而脆，易破碎，断面角质样，有光泽，壁厚0.2～0.3 cm，内壁平滑，有黑褐色死蚜虫及灰色粉状排泄物。气特异，味涩。角倍呈菱形，具不规则的钝角状分枝，柔毛较明显，壁较薄。

| 功能主治 | 酸、涩，寒。归肺、大肠、肾经。敛肺降火，涩肠止泻，敛汗，止血，收湿敛疮。用于肺虚久咳，肺热痰嗽，久泻久痢，自汗盗汗，消渴，便血痔血，外伤出血，痈肿疮毒，皮肤湿烂。

| 用法用量 | 内服煎汤，3～6 g。外用适量。

槭树科 Aceraceae 槭属 Acer

秀丽槭
Acer elegantulum Fang et P. L. Chiu

| 植物别名 | 五角枫、五角槭、丫角枫。

| 药 材 名 | 秀丽槭（药用部位：根或根皮。别名：丫角枫、五角枫）。

| 形态特征 | 落叶乔木，高 9 ~ 15 m；树皮粗糙，深褐色。小枝圆柱形，无毛，当年生嫩枝淡紫绿色，直径 2 mm，多年生老枝深紫色。叶薄纸质或纸质，基部深心形或近心形，叶片宽大于长，长 5.5 ~ 8 cm，宽 7 ~ 10 cm，通常 5 裂，中央裂片与侧裂片卵形或三角状卵形，长 2.5 ~ 3.5 cm，近基部宽 2.5 ~ 3 cm，先端短急锐尖，尖尾长 8 ~ 10 mm，基部的裂片较小，边缘具紧贴的细圆齿，裂片间的凹缺锐尖，上面绿色，干后淡紫绿色，无毛，下面淡绿色，除脉腋被黄色丛毛外其余部分无毛，初生脉 5，在两面均显著，次生脉 10 ~ 11 对，约以 80° 的角与初生脉叉分，在下面较在上面显著，小叶脉仅微显著；

叶柄长 2 ~ 4 cm，淡紫绿色，无毛。花序圆锥状，初系淡绿色，无毛，连同长 2 ~ 3 cm 的总花梗在内共长 7 ~ 8 cm；花梗长 1 ~ 1.2 cm；花杂性，雄花与两性花同株；萼片 5，绿色，长圆状卵形或长椭圆形，长 3 mm，无毛；花瓣 5，深绿色，倒卵形或长圆状倒卵形，和萼片近等长；雄蕊 8，较花瓣长 2 倍，花丝无毛，花药淡黄色；花盘位于雄蕊的外侧；子房紫色，有很密的淡黄色长柔毛，花柱长 3 mm，无毛，2 裂，柱头平展。翅果嫩时淡紫色，成熟后淡黄色，小坚果凸起，近球形，直径 6 mm，翅张开近水平，中段最宽，常宽达 1 cm，连同小坚果长 2 ~ 2.3 cm。花期 5 月，果期 9 月。

| **生境分布** | 生于海拔 700 ~ 1 000 m 的疏林。分布于河北丰宁、宽城、蔚县等。

| **资源情况** | 野生资源一般。药材主要来源于野生。

| **采收加工** | 夏、秋季采挖根，洗净，切片或剥皮，鲜用或晒干。

| **功能主治** | 辛、苦，平。归肝经。祛风，止痛，接骨。用于风湿关节疼痛，骨折。

| **用法用量** | 内服煎汤，30 ~ 60 g，鲜品加倍。外用适量，鲜品捣敷。

| **附 注** | 本种与中华槭 *Acer sinense* Pax 很相近，但本种的叶较小，仅长 5.5 ~ 8 cm，宽 7 ~ 10 cm，边缘有紧贴的小圆齿，子房有很密的淡黄色长柔毛，翅果较小，仅长 2 ~ 2.3 cm，翅的中段最宽，通常宽 1 cm，张开近水平，二者区别甚易。本种又与五裂槭 *Acer oliverianum* Pax 近似，但本种的花序为圆锥状，此二者亦易于区别。

槭树科 Aceraceae 槭属 Acer

青榨槭
Acer davidii Franch.

| **植物别名** | 大卫槭、青虾蟆、青蛙腿。

| **药 材 名** | 青榨槭（药用部位：根、树皮。别名：光陈子、飞故子、鸡脚手）。

| **形态特征** | 落叶乔木，高 10 ~ 15 m，稀达 20 m；树皮黑褐色或灰褐色，常纵裂成蛇皮状。小枝细瘦，圆柱形，无毛，当年生的嫩枝紫绿色或绿褐色，具很稀疏的皮孔，多年生的老枝黄褐色或灰褐色；冬芽腋生，长卵圆形，绿褐色，长 4 ~ 8 mm；鳞片的外侧无毛。叶纸质，长圆状卵形或近长圆形，长 6 ~ 14 cm，宽 4 ~ 9 cm，先端锐尖或渐尖，常有尖尾，基部近心形或圆形，边缘具不整齐的钝圆齿，上面深绿色，无毛，下面淡绿色，嫩时沿叶脉被紫褐色短柔毛，渐老成无毛状，

主脉在上面显著，在下面凸起，侧脉 11 ~ 12 对，呈羽状，在上面微显，在下面显著；叶柄细瘦，长 2 ~ 8 cm，嫩时被红褐色短柔毛，渐老则脱落。花黄绿色，杂性，雄花与两性花同株，成下垂的总状花序，顶生于着叶的嫩枝，花叶同开，雄的花梗长 3 ~ 5 mm，通常 9 ~ 12 组成长 4 ~ 7 cm 的总状花序，两性花的花梗长 1 ~ 1.5 cm，通常 15 ~ 30 组成长 7 ~ 12 cm 的总状花序；萼片 5，椭圆形，先端微钝，长约 4 mm；花瓣 5，倒卵形，先端圆形，与萼片等长；雄蕊 8，无毛，在雄花中略长于花瓣，在两性花中不发育，花药黄色，球形；花盘无毛，现裂纹，位于雄蕊内侧；子房被红褐色短柔毛，在雄花中不发育，花柱无毛，细瘦，柱头反卷。翅果嫩时淡绿色，成熟后黄褐色，翅宽 1 ~ 1.5 cm，连同小坚果共长 2.5 ~ 3 cm，展开成钝角或几成水平。花期 4 月，果期 9 月。

| **生境分布** | 生于海拔 500 ~ 1 500 m 的疏林。分布于河北阜平、武安等。

| **资源情况** | 野生资源一般。药材主要来源于野生。

| **采收加工** | 夏、秋季采收，洗净，切片，晒干。

| **功能主治** | 甘、苦，平。归脾、胃经。活血止痛，祛风除湿，健胃消食。用于肢体麻木疼痛，关节不利，跌打扭伤，风湿痹痛，泄泻，痢疾，小儿消化不良。

| **用法用量** | 内服煎汤，6 ~ 15 g；或研末，3 ~ 6 g；或浸酒。外用适量，研末调敷。

槭树科 Aceraceae 槭属 Acer

元宝槭 *Acer truncatum* Bunge

植物别名

槭、五脚树、平基槭。

药材名

元宝槭（药用部位：根皮。别名：槭、五角枫、元宝树）。

形态特征

落叶乔木，高 8 ~ 10 m；树皮灰褐色或深褐色，深纵裂。小枝无毛，当年生枝绿色，多年生枝灰褐色，具圆形皮孔；冬芽小，卵圆形；鳞片锐尖，外侧微被短柔毛。叶纸质，长 5 ~ 10 cm，宽 8 ~ 12 cm，常 5 裂，稀 7 裂，基部截形，稀近心形；裂片三角状卵形或披针形，先端锐尖或尾状锐尖，全缘，长 3 ~ 5 cm，宽 1.5 ~ 2 cm，有时中央裂片的上段再 3 裂；裂片间的凹缺锐尖或钝尖，上面深绿色，无毛，下面淡绿色，嫩时脉腋被丛毛，其余部分无毛，渐老全部无毛；主脉 5，在上面显著，在下面微凸起，侧脉在上面微显著，在下面显著；叶柄长 3 ~ 5 cm，稀达 9 cm，无毛，稀嫩时先端被短柔毛。花黄绿色，杂性，雄花与两性花同株，常成无毛的伞房花序，长 5 cm，直径 8 cm；总花梗长 1 ~ 2 cm；花梗细瘦，长约 1 cm，无毛；萼片 5，黄绿色，长圆形，先端钝，长 4 ~ 5 mm；花瓣 5，淡黄色或淡白色，长圆状倒卵形，长 5 ~ 7 mm；雄蕊 8，生于雄花者长 2 ~ 3 mm，生于两性花者较短，着生于花盘的内缘，花药黄色，花丝无毛；花盘微裂；子房嫩时有黏性，无毛，花柱短，仅长 1 mm，无毛，2 裂，柱头反卷，微弯曲。翅果嫩时淡绿色，成熟时淡黄色或淡褐色，常成下垂的伞房果序；小坚果压扁状，长 1.3 ~ 1.8 cm，宽 1 ~ 1.2 cm；翅长圆形，两侧平行，宽 8 mm，常与小坚果等长，稀稍长，张开成锐角或钝角。花期 4 月，果期 8 月。

| 生境分布 | 生于海拔 400 ~ 1 000 m 的疏林。分布于河北青龙、蔚县、武安等。

| 资源情况 | 野生资源丰富。药材主要来源于野生。

| 采收加工 | 夏季采挖根，洗净，剥取根皮，晒干。

| 功能主治 | 辛、微苦，微温。祛风除湿，舒筋活络。用于腰背疼痛。

| 用法用量 | 内服煎汤，15 ~ 30 g；或浸酒，9 ~ 15 g。

文冠果 *Xanthoceras sorbifolium* Bunge

| 植物别名 |

文冠木、木瓜。

| 药 材 名 |

文冠果（药用部位：茎、枝叶。别名：文冠花、文光果、文冠木）。

| 形态特征 |

落叶灌木或小乔木，高 2 ~ 5 m。小枝粗壮，褐红色，无毛；顶芽和侧芽有覆瓦状排列的芽鳞。叶连柄长 15 ~ 30 cm；小叶 4 ~ 8 对，膜质或纸质，披针形或近卵形，两侧稍不对称，长 2.5 ~ 6 cm，宽 1.2 ~ 2 cm，先端渐尖，基部楔形，边缘有锐利锯齿，顶生小叶通常 3 深裂，腹面深绿色，无毛或中脉上有疏毛，背面鲜绿色，嫩时被绒毛和成束的星状毛，侧脉纤细，两面略凸起。花序先叶抽出或与叶同时抽出，两性花的花序顶生，雄花序腋生，长 12 ~ 20 cm，直立；总花梗短，基部常有残存芽鳞；花梗长 1.2 ~ 2 cm；苞片长 0.5 ~ 1 cm；萼片长 6 ~ 7 mm，两面被灰色绒毛；花瓣白色，基部紫红色或黄色，有清晰的脉纹，长约 2 cm，宽 7 ~ 10 mm，爪之两侧有须毛；花盘的角状附属体橙黄色，长 4 ~ 5 mm；雄蕊长约 1.5 cm，花丝无毛；

子房被灰色绒毛。蒴果长达 6 cm；种子长达 1.8 cm，黑色而有光泽。花期春季，果期秋初。

| **生境分布** | 生于草沙地、撂荒地、多石的山区、黄土丘陵和沟壑等，甚至生于崖畔。分布于河北怀安、灵寿、滦平等。

| **资源情况** | 野生资源丰富。药材主要来源于野生。

| **采收加工** | 春、夏季采收茎干，剥去外皮，取木材晒干；或取鲜枝叶，切碎，熬膏。

| **药材性状** | 本品茎干木部呈不规则的块状，表面红棕色或黄褐色，横断面红棕色，有同心性环纹，纵剖面有细皱纹。枝条多为细圆柱形，表面黄白色或黄绿色，断面有年轮环纹，外部黄白色，内部红棕色。质坚硬。气微，味甘、涩、苦。以质坚实、身干、色匀、无皮、色红棕者为佳。

| **功能主治** | 甘、微苦，平。归肝经。祛风除湿，消肿止痛。用于风湿热痹，筋骨疼痛。

| **用法用量** | 内服煎汤，3 ~ 9 g；或熬膏，3 g。外用适量，熬膏敷。

凤仙花科 Balsaminaceae 凤仙花属 Impatiens

凤仙花 *Impatiens balsamina* L.

植物别名

指甲花、急性子、凤仙透骨草。

药 材 名

凤仙透骨草（药用部位：茎。别名：透骨草、凤仙梗、凤仙花梗）、凤仙花（药用部位：花。别名：金凤花、灯盏花、好女儿花）、凤仙根（药用部位：根。别名：金凤花根）、急性子（药用部位：种子。别名：金凤花子、凤仙子）。

形态特征

一年生草本，高 60 ～ 100 cm。茎粗壮，肉质，直立，不分枝或分枝，无毛或幼时被疏柔毛，基部直径可达 8 mm，具多数纤维状根，下部节常膨大。叶互生，最下部叶有时对生；叶片披针形、狭椭圆形或倒披针形，长 4 ～ 12 cm，宽 1.5 ～ 3 cm，先端尖或渐尖，基部楔形，边缘有锐锯齿，向基部常有数对无柄的黑色腺体，两面无毛或被疏柔毛，侧脉 4 ～ 7 对；叶柄长 1 ～ 3 cm，上面有浅沟，两侧具数对具柄的腺体。花单生或 2 ～ 3 簇生于叶腋，无总花梗，白色、粉红色或紫色，单瓣或重瓣；花梗长 2 ～ 2.5 cm，密被柔毛；苞片线形，位于花梗的基部；

侧生萼片2，卵形或卵状披针形，长2～3 mm；唇瓣深舟状，长13～19 mm，宽4～8 mm，被柔毛，基部急尖成长1～2.5 cm且内弯的距，旗瓣圆形，兜状，先端微凹，背面中肋具狭龙骨状突起，先端具小尖，翼瓣具短柄，长23～35 mm，2裂，下部裂片小，倒卵状长圆形，上部裂片近圆形，先端2浅裂，外缘近基部具小耳；雄蕊5，花丝线形，花药卵球形，先端钝；子房纺锤形，密被柔毛。蒴果宽纺锤形，长10～20 mm，两端尖，密被柔毛；种子多数，圆球形，直径1.5～3 mm，黑褐色。花期7～10月。

| **生境分布** | 河北多地有栽培。分布于河北灵寿、隆化、平泉等。

| **资源情况** | 栽培资源丰富。药材主要来源于栽培。

| 采收加工 | **凤仙透骨草**：夏、秋季间秆植株生长茂盛时割取地上部分，除去叶、花、果实，洗净，晒干或鲜用。

凤仙花：夏、秋季花初开时采摘，晒干或鲜用。

凤仙根：秋季采挖，洗净，晒干或鲜用。

急性子：夏、秋季采收即将成熟的果实，晒干，除去果皮和杂质。

| 药材性状 | **凤仙透骨草**：本品呈长柱形，有少数分枝，直径 3 ~ 8 mm。表面黄棕色至红棕色，皱缩，具明显的纵沟，节部膨大，叶痕深棕色。质地轻脆，易折断，断面中空，或有白色、膜质状髓质。气微，味微酸。以色红棕、不带叶者为佳。

凤仙花：本品长 1 ~ 1.5 cm，宽 5 ~ 10 mm，皱缩，有时 2 或数朵粘连成较大的团块，黄棕色、淡棕色或淡红色。花单瓣或重瓣。萼片 2，细小，宽卵形，有疏短柔毛。旗瓣圆形，先端凹，有小尖头，背面中肋有龙骨突；侧生 4 花瓣成对结合成 2 裂的翼瓣，宽大，先端 2 浅裂，每对的基部有短柄；唇瓣舟形，疏生短柔毛，基部延长成细而内弯的距，长 5 ~ 10 mm。花药与雌蕊顶部黏合成平面状，有数个凹陷的小窝。花的基部常带有花梗，长 1 ~ 2 cm，具短柔毛。气微，味微苦。

急性子：本品呈椭圆形、扁圆形或卵圆形，长 2 ~ 3 mm，宽 1.5 ~ 2.5 mm。表面棕褐色或灰褐色，粗糙，有稀疏的白色或浅黄棕色小点，种脐位于狭端，稍凸出。质坚实，种皮薄，子叶灰白色，半透明，油质。无臭，味淡、微苦。

| 功能主治 | **凤仙透骨草**：苦、辛，温；有小毒。祛风湿，活血，解毒。用于风湿痹痛，跌打肿痛，闭经，痛经，痈肿，丹毒，鹅掌风，蛇虫咬伤。

凤仙花：甘，温。祛风活血，消肿止痛。用于风湿偏废，腰胁疼痛，蛇咬伤。

凤仙根：苦、辛，平。活血止痛，利湿消肿。用于跌仆肿痛，风湿骨痛，带下，水肿。

急性子：微苦、辛，温；有小毒。归肺、肝经。破血软坚，消积。用于癥瘕痞块，闭经，噎膈。

| 用法用量 | 凤仙透骨草：内服煎汤，3～9g；或鲜品捣汁。外用适量，鲜品捣敷；或煎汤熏洗。

凤仙花：内服煎汤，1.5～3g，鲜品3～9g；或研末；或浸酒。外用适量，鲜品研涂；或煎汤洗。

凤仙根：内服煎汤，6～15g；或研末，3～6g；或浸酒。外用适量，捣敷。

急性子：内服煎汤，3～4.5g。外用适量，研末敷；或熬膏贴敷。

| 附　　注 | 凤仙花原植物形态描述始见于《救荒本草》，名"小桃红"。《本草正》云："（凤仙花）善透骨通窍，故又名透骨草。"《本草纲目拾遗》谓："凤仙花，一名透骨草，以其性利，能软坚，故有此名。"又于透骨草条下记载："汪连仕《采药书》：透骨草仿佛马鞭之形，大能软坚。取汁浸龟板能化为水……按凤仙白花者亦名透骨白，追风散气；红花者名透骨红，破血堕胎，亦有透骨之名，非一物也。"可见，古代已将凤仙花作透骨草使用。由于古代透骨草来源不止一种，今将本种的茎称为"凤仙透骨草"。

凤仙花科 Balsaminaceae 凤仙花属 Impatiens

水金凤 Impatiens noli-tangere L.

| 植物别名 |　辉菜花。

| 药 材 名 |　水金凤（药用部位：全草或花。别名：野凤仙、水凤仙）。

| 形态特征 |　一年生草本，高 40 ~ 70 cm。茎较粗壮，肉质，直立，上部多分枝，无毛，下部节常膨大，有多数纤维状根。叶互生；叶片卵形或卵状椭圆形，长 3 ~ 8 cm，宽 1.5 ~ 4 cm，先端钝，稀急尖，基部圆钝或宽楔形，边缘有粗圆齿状齿，齿端具小尖，两面无毛，上面深绿色，下面灰绿色；叶柄纤细，长 2 ~ 5 cm，最上部的叶柄更短或近无柄。总花梗长 1 ~ 1.5 cm，具 2 ~ 4 花，排列成总状花序；花梗长 1.5 ~ 2 mm，中上部有 1 苞片；苞片草质，披针形，长 3 ~ 5 mm，宿存；花黄色；侧生 2 萼片卵形或宽卵形，长 5 ~ 6 mm，先端急尖；旗瓣圆形或近圆形，直径约 10 mm，先端微凹，背面中肋具绿色鸡

冠状突起，先端具短喙尖，翼瓣无柄，长 20 ~ 25 mm，2 裂，下部裂片小，长圆形，上部裂片宽斧形，近基部散生橙红色斑点，外缘近基部具钝角状的小耳，唇瓣宽漏斗状，喉部散生橙红色斑点，基部渐狭成长 10 ~ 15 mm 且内弯的距；雄蕊 5，花丝线形，上部稍膨大，花药卵球形，先端尖；子房纺锤形，直立，具短喙尖。蒴果线状圆柱形，长 1.5 ~ 2.5 cm；种子多数，长圆球形，长 3 ~ 4 mm，褐色，光滑。花期 7 ~ 9 月。

| **生境分布** | 生于海拔 900 ~ 2 400 m 的山坡林下、林缘草地或沟边。分布于河北青龙、围场、迁西等。

| **资源情况** | 野生资源丰富。药材主要来源于野生。

| **采收加工** | 夏、秋季采收，洗净，鲜用或晒干。

| **功能主治** | 甘，温。活血调经，祛风除湿。用于月经不调，痛经，闭经，跌打损伤，风湿痹痛，脚气肿痛，阴囊湿疹，癣疮，癞疮。

| **用法用量** | 内服煎汤，9 ~ 15 g。外用适量，煎汤洗；或鲜品捣敷。

卫矛科 Celastraceae 南蛇藤属 Celastrus

苦皮藤 *Celastrus angulatus* Maxim.

| 植物别名 |

苦树皮、马断肠、老虎麻。

| 药 材 名 |

吊干麻（药用部位：根或根皮。别名：马断肠、萝卜药、老虎麻）。

| 形态特征 |

藤状灌木。小枝常具 4 ~ 6 纵棱，皮孔密生，圆形至椭圆形，白色；腋芽卵圆状，长 2 ~ 4 mm。叶大，近革质，长方阔椭圆形、阔卵形、圆形，长 7 ~ 17 cm，宽 5 ~ 13 cm，先端圆阔，中央具尖头，侧脉 5 ~ 7 对，在叶面明显凸起，两面光滑或稀于叶背的主侧脉上具短柔毛；叶柄长 1.5 ~ 3 cm；托叶丝状，早落。聚伞圆锥花序顶生，下部分枝长于上部分枝，略呈塔锥形，长 10 ~ 20 cm；花序轴及小花轴光滑或被锈色短毛；小花梗较短，关节在顶部；花萼镊合状排列，三角形至卵形，长约 1.2 mm，近全缘；花瓣长方形，长约 2 mm，宽约 1.2 mm，边缘不整齐；花盘肉质，浅盘状或盘状，5 浅裂；雄蕊着生于花盘之下，长约 3 mm，雌花中的退化雄蕊长约 1 mm；雌蕊长 3 ~ 4 mm，子房球状，柱头反曲，雄花中的退化雌蕊长约 1.2 mm。

蒴果近球状，直径 8 ~ 10 mm；种子椭圆状，长 3.5 ~ 5.5 mm，直径 1.5 ~ 3 mm。花期 5 ~ 6 月。

| **生境分布** | 生于海拔 1 000 ~ 2 500 m 的山地丛林及山坡灌丛。分布于河北阜平、涉县、武安等。

| **资源情况** | 野生资源丰富。药材主要来源于野生。

| **采收加工** | 全年均可采收，洗净，剥取根皮，晒干。

| **功能主治** | 辛、苦，凉；有小毒。归肺、肝、肾经。祛风除湿，活血通经，解毒杀虫。用于风湿痹痛，骨折伤痛，闭经，疮疡溃烂，头癣，阴痒。

| **用法用量** | 内服煎汤，15 ~ 30 g；或浸酒。外用适量，煎汤洗；或捣烂研末敷。

南蛇藤 *Celastrus orbiculatus* Thunb.

植物别名

南蛇风、大南蛇、果山藤。

药材名

南蛇藤根（药用部位：根）、南蛇藤果（药用部位：果实）、南蛇藤叶（药用部位：叶。别名：合欢花、狗葛子、皮猢子）。

形态特征

落叶缠绕灌木。小枝光滑无毛，灰棕色或棕褐色，具稀而不明显的皮孔；腋芽小，卵状至卵圆状，长 1 ~ 3 mm。叶通常阔倒卵形、近圆形或长方椭圆形，长 5 ~ 13 cm，宽 3 ~ 9 cm，先端圆阔，具有小尖头或短渐尖，基部阔楔形至近钝圆形，边缘具锯齿，两面光滑无毛或叶背脉上具稀疏短柔毛，侧脉 3 ~ 5 对；叶柄细，长 1 ~ 2 cm。聚伞花序腋生，间有顶生，花序长 1 ~ 3 cm；小花 1 ~ 3，偶仅 1 ~ 2；小花梗关节在中部以下或近基部；雄花萼片钝三角形；花瓣倒卵状椭圆形或长方形，长 3 ~ 4 cm，宽 2 ~ 2.5 mm；花盘浅杯状，裂片浅，先端圆钝；雄蕊长 2 ~ 3 mm，退化雌蕊不发达；雌花花冠较雄花花冠窄小，花盘稍深厚，肉质，退化雄蕊极短小；子房近球状，花柱长

约 1.5 mm，柱头 3 深裂，裂端再 2 浅裂。蒴果近球状，直径 8 ～ 10 mm；种子椭圆状，稍扁，长 4 ～ 5 mm，直径 2.5 ～ 3 mm，赤褐色。花期 5 ～ 6 月，果期 7 ～ 10 月。

| 生境分布 | 生于海拔 450 ～ 2 200 m 的山坡灌丛。分布于河北昌黎、抚宁、阜平等。

| 资源情况 | 野生资源丰富。药材主要来源于野生。

| 采收加工 | 南蛇藤根：8 ～ 9 月采挖，洗净，鲜用或晒干。
南蛇藤果：9 ～ 10 月果实成熟后采摘，晒干。

南蛇藤叶：春季采收，鲜用或晒干。

| **药材性状** | 南蛇藤根：本品呈圆柱形，细长而弯曲，有少数须根，外表棕褐色，具不规则的纵皱纹。主根坚韧，不易折断，断面黄白色，纤维性；须根较细，亦呈圆柱形，质较脆，有香气。以质干、栓皮厚者为佳。

南蛇藤果：本品黄色，球形，直径约1 cm，3裂，干后呈黄棕色。种子每室2，有红色肉质假种皮。略有异臭，味甘、酸而带腥味。

| **功能主治** | 南蛇藤根：辛、苦，平。归肾、膀胱、肝经。祛风除湿，活血通经，消肿解毒。

用于风湿痹痛，跌打肿痛，闭经，头痛，腰痛，疝气痛，痢疾，肠风下血，痈疽肿毒，烫火伤，毒蛇咬伤。

南蛇藤果：甘、微苦，平。养心安神，和血止痛。用于心悸失眠，健忘多梦，牙痛，筋骨痛，腰腿麻木，跌打伤痛。

南蛇藤叶：苦、辛，平。归肝经。祛风除湿，解毒消肿，活血止痛。用于风湿痹痛，疮疡疖肿，疱疹，湿疹，跌打损伤，蛇虫咬伤。

| **用法用量** | **南蛇藤根**：内服煎汤，15 ~ 30 g；或浸酒。外用适量，研末调敷；或捣敷。

南蛇藤果：内服煎汤，6 ~ 15 g。

南蛇藤叶：内服煎汤，15 ~ 30 g。外用适量，鲜品捣敷；或干品研末调敷。

白杜

Euonymus maackii Rupr.

| 植物别名 | 丝绵木、桃叶卫矛、明开夜合。

| 药 材 名 | 丝棉木（药用部位：根、树皮。别名：鸡血兰、白桃树、野杜仲）、
丝棉木叶（药用部位：叶）。

| 形态特征 | 小乔木，高达 6 m。叶卵状椭圆形、卵圆形或窄椭圆形，长 4 ~ 8 cm，
宽 2 ~ 5 cm，先端长渐尖，基部阔楔形或近圆形，边缘具细锯齿，
锯齿有时极深而锐利；叶柄通常细长，长为叶片的 1/4 ~ 1/3，但有
时较短。聚伞花序 3 至多花；花序梗略扁，长 1 ~ 2 cm；花 4 基数，
淡白绿色或黄绿色，直径约 8 mm；小花梗长 2.5 ~ 4 mm；雄蕊花
药紫红色，花丝细长，长 1 ~ 2 mm。蒴果倒圆心状，4 浅裂，长
6 ~ 8 mm，直径 9 ~ 10 mm，成熟后果皮粉红色；种子长椭圆状，
长 5 ~ 6 mm，直径约 4 mm，种皮棕黄色，假种皮橙红色，全包种子，

成熟后先端常有小口。花期5～6月，果期9月。

| 生境分布 |

生于山坡、树林。分布于河北阜平、滦平、武安等。

| 资源情况 |

野生资源丰富。药材主要来源于野生。

| 采收加工 |

丝棉木：全年均可采收，洗净，切片，鲜用或晒干。

丝棉木叶：春季采收，晒干。

| 功能主治 |

丝棉木：苦、辛，凉。归肝、脾、肾经。祛风除湿，活血通络，解毒止血。用于风湿性关节炎，腰痛，跌打扭伤，血栓闭塞性脉管炎，肺痛，衄血，疔疮肿毒。

丝棉木叶：苦，寒。清热解毒。用于漆疮，痈肿。

| 用法用量 |

丝棉木：内服煎汤，15～30 g，鲜品加倍；或浸酒；或入散剂。外用适量，捣敷；或煎汤熏洗。

丝棉木叶：外用适量，煎汤熏洗。

卫矛科 Celastraceae 卫矛属 Euonymus

毛脉卫矛

Euonymus alatus (Thunb.) Sieb. var. *pubescens* Maxim.

| 药材名 | 东北卫矛（药用部位：带翅茎枝、根。别名：毛腺卫矛、鬼箭羽、卫矛）。

| 形态特征 | 灌木，高 1 ~ 3 m。小枝常具 2 ~ 4 列宽阔木栓翅；冬芽圆形，长 2 mm 左右，芽鳞边缘具不整齐细坚齿。叶片多为倒卵状椭圆形，叶背脉上被短毛，长 2 ~ 8 cm，宽 1 ~ 3 cm，边缘具细锯齿，两面光滑无毛；叶柄长 1 ~ 3 mm。聚伞花序具 1 ~ 3 花；花序梗长约 1 cm，小花梗长 5 mm；花白绿色，直径约 8 mm，4 基数；萼片半圆形；花瓣近圆形；雄蕊着生于花盘边缘处，花丝极短，开花后稍增长，花药宽阔长方形，2 室顶裂。蒴果 1 ~ 4 深裂，裂瓣椭圆状，长 7 ~ 8 mm；种子椭圆状或阔椭圆状，长 5 ~ 6 mm，种皮褐色或浅棕色，假种皮橙红色，全包种子。花期 5 ~ 6 月，果期 7 ~ 10 月。

| **生境分布** | 生于山坡杂木林中或林缘。分布于河北阜平、武安等。

| **资源情况** | 野生资源一般。药材来源于野生。

| **采收加工** | 全年均可采收带翅茎枝，割取枝条后，取其嫩枝，晒干；秋后采挖根，切片，晒干。

| **功能主治** | 苦，寒。归肝、脾经。通经消肿，止痛杀虫。用于癥瘕积聚，闭经，月经不调，产后瘀血腹痛，胸痹，跌打扭伤，关节肿痛，虫积腹痛。

| **用法用量** | 内服煎汤，6～15 g；或浸酒；或入丸、散剂。外用适量，煎汤洗。

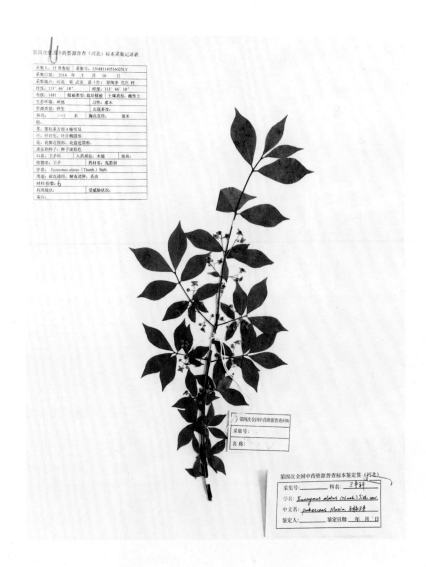

卫矛科 Celastraceae 卫矛属 Euonymus

栓翅卫矛
Euonymus phellomanus Loes.

| 植物别名 |

鬼箭羽。

| 药 材 名 |

翅卫矛（药用部位：枝皮。别名：鬼箭羽、八肋木）。

| 形态特征 |

灌木，高 3 ～ 4 m。枝条硬直，常具 4 纵列木栓厚翅，在老枝上宽可达 5 ～ 6 mm。叶长椭圆形或略呈椭圆状倒披针形，长 6 ～ 11 cm，宽 2 ～ 4 cm，先端窄长渐尖，边缘具细密锯齿；叶柄长 8 ～ 15 mm。聚伞花序 2 ～ 3 回分枝，有花 7 ～ 15；花序梗长 10 ～ 15 mm，第一回分枝长 2 ～ 3 mm，第二回分枝极短或近无；小花梗长达 5 mm；花白绿色，直径约 8 mm，4 基数；雄蕊花丝长 2 ～ 3 mm；花柱短，长 1 ～ 1.5 mm，柱头圆钝不膨大。蒴果具 4 棱，倒圆心状，长 7 ～ 9 mm，直径约 1 cm，粉红色；种子椭圆状，长 5 ～ 6 mm，直径 3 ～ 4 mm，种脐、种皮棕色，假种皮橘红色，包被种子全部。花期 7 月，果期 9 ～ 10 月。

| 生境分布 |

生于海拔 2 000 m 以上的山谷林中。分布于河北涞源等。

| 资源情况 |

野生资源丰富。药材来源于野生。

| 采收加工 |

7 ~ 8 月采收枝，刮取外皮，洗净，切段，晒干。

| 功能主治 |

苦，寒。归肝、肺经。活血化瘀，调经止痛。用于产后瘀血腹痛，跌打扭伤，月经不调，风湿痹痛。

| 用法用量 |

内服煎汤，6 ~ 10 g；或浸酒；或入丸、散剂。

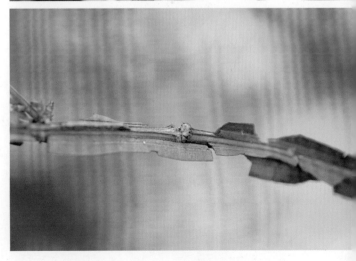

卫矛科 Celastraceae 卫矛属 Euonymus

卫矛

Euonymus alatus (Thunb.) Sieb.

| 植物别名 | 鬼见羽、鬼箭羽、艳龄茶。

| 药 材 名 | 鬼箭羽（药用部位：具翅状物的枝条或翅状附属物。别名：鬼箭、六月凌、四面锋）。

| 形态特征 | 灌木，高1～3m。小枝常具2～4列宽阔木栓翅；冬芽圆形，长2mm左右，芽鳞边缘具不整齐细坚齿。叶卵状椭圆形、窄长椭圆形，偶为倒卵形，长2～8cm，宽1～3cm；边缘具细锯齿，两面光滑无毛；叶柄长1～3mm。聚伞花序具1～3花；花序梗长约1cm；小花梗长5mm；花白绿色，直径约8mm，4基数；萼片半圆形；花瓣近圆形；雄蕊着生于花盘边缘处，花丝极短，开花后稍增长，花药宽阔长方形，2室顶裂。蒴果1～4深裂，裂瓣椭圆状，长7～8mm；种子椭圆状或阔椭圆状，长5～6mm，种皮褐色或

浅棕色，假种皮橙红色，全包种子。花期5～6月，果期7～10月。

| 生境分布 | 生于山坡开阔处林缘。分布于河北抚宁、阜平、井陉等。

| 资源情况 | 野生资源丰富。药材主要来源于野生。

| 采收加工 | 全年均可采收，干燥后除去叶片。

| 药材性状 | 本品茎枝呈圆柱形，有分枝，直径0.3～1 cm。外表面灰绿色或灰黄绿色，粗糙，有细纵棱及顺槽纹，四面生有灰褐色扁平的羽翅，形似箭羽。羽翅在茎上呈轮状排列，薄片状，宽0.3～1 cm，厚可达0.2 cm。表面灰棕色至黄棕色，略有光泽，具细密的纵直纹理，质松脆，易折断或脱落，断面金黄色或棕色（日久呈灰褐色）。枝条木质，常残留羽翅痕迹，坚硬，难折断，断面黄白色，纤维状。无臭，味淡、微苦、微涩。

| 功能主治 | 苦、甘，寒。归肝、脾经。破血通经，解毒消肿，杀虫。用于闭经，产后瘀血腹痛，跌打损伤，虫积腹痛。

| 用法用量 | 内服煎汤，4～9 g；或浸酒；或入丸、散剂。外用适量，捣敷；或煎汤洗；或研末调敷。

| 附　　注 | 本种与毛脉卫矛 *Euonymus alatus* (Thunb.) Sieb. var. *pubescens* Maxim. 的主要区别在于后者叶片多为倒卵状椭圆形，叶背脉上被短毛。

省沽油科 Staphyleaceae 省沽油属 Staphylea

省沽油 *Staphylea bumalda* DC.

| 植物别名 | 水条。

| 药 材 名 | 省沽油（药用部位：果实。别名：珍珠花、双蝴蝶、马铃柴）、省沽油根（药用部位：根）。

| 形态特征 | 落叶灌木，高约 2 m，稀达 5 m；树皮紫红色或灰褐色，有纵棱。枝条开展，绿白色。复叶对生，有长柄，柄长 2.5 ~ 3 cm，具 3 小叶；小叶椭圆形、卵圆形或卵状披针形，长（3.5 ~）4.5 ~ 8 cm，宽（2 ~）2.5 ~ 5 cm，先端锐尖，具长约 1 cm 的尖尾，基部楔形或圆形，边缘有细锯齿，齿尖具尖头，表面无毛，背面青白色，主脉及侧脉有短毛；中间小叶柄长 5 ~ 10 mm，两侧小叶柄长 1 ~ 2 mm。圆锥花序顶生，直立；花白色；萼片长椭圆形，浅黄白色；花瓣 5，白色，倒卵状长圆形，较萼片稍大，长 5 ~ 7 mm；

雄蕊 5，与花瓣略等长。蒴果膀胱状，扁平，2 室，先端 2 裂；种子黄色，有光泽。花期 4 ～ 5 月，果期 8 ～ 9 月。

| 生境分布 |

生于山坡、路旁、溪谷两旁或丛林。分布于河北阜平、武安等。

| 资源情况 |

野生资源丰富。药材主要来源于野生。

| 采收加工 |

省沽油：秋季果实成熟时采摘，晒干。

省沽油根：全年均可采挖，洗净，切片，鲜用或晒干。

| 功能主治 |

省沽油：苦、甘。归肺经。润肺止咳。用于咳嗽。

省沽油根：辛，平。活血化瘀。用于产后恶露不净。

| 用法用量 |

省沽油：内服煎汤，9 ～ 15 g。

省沽油根：内服煎汤，9 ～ 15 g。

| 黄杨科 | Buxaceae | 黄杨属 | Buxus

黄杨

Buxus sinica (Rehd. et E. H. Wils.) M. Cheng

| 植物别名 | 锦熟黄杨、瓜子黄杨、黄杨木。

| 药 材 名 | 黄杨根（药用部位：根）、黄杨叶（药用部位：叶。别名：黄杨脑）、山黄杨子（药用部位：果实）、黄杨木（药用部位：茎、枝。别名：山黄杨、小黄杨、瓜子黄杨）。

| 形态特征 | 灌木或小乔木，高 1 ~ 6 m。枝圆柱形，有纵棱，灰白色；小枝四棱形，全体被短柔毛或外方相对两侧面无毛，节间长 0.5 ~ 2 cm。叶革质，阔椭圆形、阔倒卵形、卵状椭圆形或长圆形，大多数长 1.5 ~ 3.5 cm，宽 0.8 ~ 2 cm，先端圆或钝，常有小凹口，不尖锐，基部圆、急尖或楔形，叶面光亮，中脉凸出，下半段常有微细毛，侧脉明显，叶背中脉平坦或稍凸出，中脉上常密被白色短线状钟乳体，全叶无侧脉；叶柄长 1 ~ 2 mm，上面被毛。花序腋生，头状，

花密集；花序轴长 3 ～ 4 mm，被毛；苞片阔卵形，长 2 ～ 2.5 mm，背部多少有毛。雄花：约 10；无花梗；外萼片卵状椭圆形，内萼片近圆形，长 2.5 ～ 3 mm，无毛；雄蕊连花药长 4 mm，不育雌蕊有棒状柄，末端膨大，高 2 mm 左右（高度约为萼片长度的 2/3 或与萼片几等长）。雌花：萼片长 3 mm；子房较花柱稍长，无毛，花柱粗扁，柱头倒心形，下延达花柱中部。蒴果近球形，长 6 ～ 8（～ 10）mm，宿存花柱长 2 ～ 3 mm。花期 3 月，果期 5 ～ 6 月。

| **生境分布** | 生于海拔 1 200 ～ 2 600 m 的山谷、溪边、林下。分布于河北赤城、迁安、迁西等。

| 资源情况 | 野生资源一般。栽培资源丰富。药材主要来源于栽培。

| 采收加工 | 黄杨根：全年均可采挖，洗净，鲜用，或切片，晒干。
黄杨叶：全年均可采收，鲜用或晒干。
山黄杨子：5 ~ 7 月果实成熟时采收，鲜用或晒干。
黄杨木：全年均可采收，锯段或切段，鲜用或干燥。

| 药材性状 | 黄杨木：本品茎呈圆柱形，有纵棱，小棱四棱形，全体被短柔毛或外方相对两
侧面无毛。气微，味苦。

| 功能主治 | 黄杨根：苦、辛，平。归肝经。祛风止咳，清热除湿。用于风湿痹痛，伤风咳嗽，
湿热黄疸。

黄杨叶：苦，平。清热解毒，消肿散结。用于疮疖肿毒，风火牙痛，跌打伤痛。

山黄杨子：苦，凉。清暑热，解疮毒。用于暑热，疮疖。

黄杨木：苦，平。归心、肝、肾经。祛风除湿，理气止痛。用于风湿痹痛，胸腹气胀，牙痛，疝气疼痛，跌打损伤。

| **用法用量** | **黄杨根**：内服煎汤，9～15 g，鲜品 15～30 g。

黄杨叶：内服煎汤，9 g；或浸酒。外用适量，鲜品捣敷。

山黄杨子：内服煎汤，3～9 g。

黄杨木：内服煎汤，9～15 g；或浸酒。外用适量，鲜品捣敷。

冻绿
Rhamnus utilis Decne.

| 植物别名 | 红冻、黑狗丹、狗李。

| 药 材 名 | 鼠李（药用部位：果实）、鼠李皮（药用部位：树皮或根皮）。

| 形态特征 | 灌木或小乔木，高达 4 m。幼枝无毛，小枝褐色至紫红色，对生或近对生，枝端常具针刺；腋芽小，长 2 ~ 3 mm，有鳞片。叶纸质，对生或近对生，或簇生于短枝上，椭圆形、长椭圆形，少有倒卵状椭圆形，长 4 ~ 12 cm，宽 1.5 ~ 6 cm，先端渐尖或急尖，基部楔形，稀圆形，边缘具细锯齿，上面无毛或仅中脉有疏柔毛，下面干后多变黄色，沿脉或脉腋有金黄色柔毛，侧脉通常 5 ~ 6 对；叶柄长 0.5 ~ 1.5 cm，上面具小沟；托叶披针形，早落。花单性，雌雄异株，黄绿色；花梗长 5 ~ 7 mm，无毛。雄花：花萼 4 裂；退化雌蕊 1，花药狭长，"丁"字形，着生于萼裂片基部，簇生于叶腋。

雌花 2 ~ 6 簇生于叶腋或小枝下部，子房球形，花柱长，柱头 3 裂，退化雄蕊 4。核果圆球形或近球形，成熟时黑色，含 2 具单种子的果核，基部有宿存的萼筒；种子近球形，背侧基部有短沟。花期 4 ~ 6 月，果期 8 ~ 10 月。

| 生境分布 | 生于海拔 1 500 m 以下的山地、丘陵、山坡草丛、灌丛或疏林。分布于河北隆化、青龙、抚宁等。

| 资源情况 | 野生资源相对丰富。药材主要来源于野生。

| 采收加工 | **鼠李**：8 ~ 10 月果实成熟时采收，除去果柄，鲜用或微火烘干。
鼠李皮：春、夏季采剥树皮，秋、冬季采挖根，剥取根皮，鲜用，或切片，晒干。

| 药材性状 | **鼠李**：本品呈近球形，表面黑紫色，具光泽及皱纹。果肉疏松，内层坚硬，通常有果核 2；果核卵圆形，背侧基部有狭沟。

鼠李皮：本品卷成槽状或扁平，厚 2 ~ 3 mm。表面灰黑色，粗糙，有纵、横裂纹及小形横长皮孔。枝皮较光滑。除去栓皮者，外表面呈红棕色，内表面颜色较外表面深，有类白色纵纹理（纤维束）。质脆，易折断，断面纤维性。

| 功能主治 | **鼠李**：苦、甘、凉。归肝、肾经。清热利湿，消积通便。用于腹胀，疮疡，疝瘕，瘰疬，便秘。

鼠李皮：苦，寒。归肺经。清热解毒，凉血，杀虫。用于风热瘙痒，湿疹，腹痛，阴囊湿疹，疥疮。

| 用法用量 | **鼠李**：内服煎汤，6 ~ 12 g；或研末；或熬膏。外用适量，研末油调敷。

鼠李皮：内服煎汤，10 ~ 30 g。外用适量，鲜品捣敷；或研末调敷。

鼠李科 Rhamnaceae 鼠李属 *Rhamnus*

卵叶鼠李
Rhamnus bungeana J. Vass.

| 植物别名 | 麻李、小叶鼠李、护山棘。

| 形态特征 | 小灌木，高达 2 m。小枝对生或近对生，稀兼互生，灰褐色，无光泽，被微柔毛，枝端具紫红色针刺；顶芽未见，腋芽极小。叶对生或近对生，稀兼互生，或在短枝上簇生，纸质，卵形、卵状披针形或卵状椭圆形，长 1 ~ 4 cm，宽 0.5 ~ 2 cm，先端钝或短尖，基部圆形或楔形，边缘具细圆齿，上面绿色，无毛，下面干时常变黄色，沿脉或脉腋被白色短柔毛，侧脉每边 2 ~ 3，有不明显的网脉，两面凸起；叶柄长 5 ~ 12 mm，具微柔毛；托叶钻形，短，宿存。花小，黄绿色，单性，雌雄异株，通常 2 ~ 3 在短枝上簇生或单生于叶腋，4 基数；萼片宽三角形，先端尖，外面有短微毛；花瓣小；花梗长 2 ~ 3 mm，有微柔毛；雌花有退化的雄蕊；子房球形，2 室，

每室有 1 胚珠，花柱 2 浅裂或半裂。核果倒卵状球形或圆球形，直径 5 ~ 6 mm，具 2 分核，基部有宿存的萼筒，成熟时紫色或黑紫色；果柄长 2 ~ 4 mm，有微毛；种子卵圆形，长约 5 mm，无光泽，背面有长为种子 4/5 的纵沟。花期 4 ~ 5 月，果期 6 ~ 9 月。

| 生境分布 | 生于海拔 1 800 m 以下的山坡阳处或灌丛。分布于河北阜平、平泉、青龙、武安等。

| 资源情况 | 野生资源一般。药材主要来源于野生。

| 功能主治 | 辛，凉。归肺、大肠经。清热泻下，解毒消瘰。用于热结便秘，瘰疬，疥癣，疮毒。

| 用法用量 | 内服煎汤，1.5 ~ 3 g。外用适量，捣敷。

| 附　注 | 本种外形与小叶鼠李 *Rhamnus parvifolia* Bunge 相似，但后者叶菱状倒卵形或菱状椭圆形，下面脉腋窝孔内有簇毛，小枝紫色或深褐色，有光泽，种子背面具较窄的纵沟，与本种不同。

鼠李
Rhamnus davurica Pall.

| **植物别名** | 牛李子、女儿茶、老鹳眼。

| **药 材 名** | 鼠李（药用部位：树皮、果实。别名：老乌眼、臭李子）。

| **形态特征** | 灌木或小乔木，高达 10 m。幼枝无毛，小枝对生或近对生，褐色或红褐色，稍平滑，枝先端常有大的芽而不形成刺，或有时仅分叉处具短针刺；顶芽及腋芽较大，卵圆形，长 5 ~ 8 mm；鳞片淡褐色，有明显的白色缘毛。叶纸质，对生或近对生，或在短枝上簇生，宽椭圆形或卵圆形，稀倒披针状椭圆形，长 4 ~ 13 cm，宽 2 ~ 6 cm，先端突尖或短渐尖至渐尖，稀钝或圆形，基部楔形或近圆形，有时稀偏斜，边缘具圆齿状细锯齿，齿端常有红色腺体，上面无毛或沿脉有疏柔毛，下面沿脉被白色疏柔毛，侧脉每边 4 ~ 5（~ 6），两面凸起，网脉明显；叶柄长 1.5 ~ 4 cm，无毛或上面有疏柔毛。花单性，

雌雄异株，4 基数，有花瓣；花梗长 7 ~ 8 mm；雌花 1 ~ 3 生于叶腋或数个至 20 余簇生于短枝端，有退化雄蕊，花柱 2 ~ 3 浅裂或半裂。核果球形，黑色，直径 5 ~ 6 mm，具 2 分核，基部有宿存的萼筒；果柄长 1 ~ 1.2 cm；种子卵圆形，黄褐色，背侧有与种子等长的狭纵沟。花期 5 ~ 6 月，果期 7 ~ 10 月。

| 生境分布 | 生于海拔 1 800 m 以下的山坡林下、灌丛或林缘和沟边阴湿处。分布于河北阜平、沽源、怀安等。

| 资源情况 | 野生资源一般。栽培资源丰富。药材主要来源于栽培。

| 采收加工 | 春季剥取树皮，刮去外面粗皮，切丝，晒干；秋季采收果实，晒干。

| 功能主治 | 树皮，苦，寒。清热，通便。用于大便秘结。果实，甘、微苦，平；有小毒。止咳，祛痰。用于支气管炎，肺气肿，龋齿疼痛，痈疖。

| 用法用量 | 内服制酒剂，树皮 3 ~ 9 g，果实 0.9 ~ 1.5 g。外用适量，果实捣敷。

鼠李科 Rhamnaceae　鼠李属 Rhamnus

乌苏里鼠李
Rhamnus ussuriensis J. Vass.

| 植物别名 | 老鸹眼。

| 药 材 名 | 乌苏里鼠李树皮（药用部位：树皮）。

| 形态特征 | 灌木，高达 5 m，全株无毛或近无毛。小枝灰褐色，无光泽，枝端常有刺，对生或近对生；腋芽和顶芽卵形，具数个鳞片，鳞片边缘无毛或近无毛，长 3 ~ 4 mm。叶纸质，对生或近对生，或在短枝端簇生，狭椭圆形或狭矩圆形，稀披针状椭圆形或椭圆形，长 3 ~ 10.5 cm，宽 1.5 ~ 3.5 cm，先端锐尖或短渐尖，基部楔形或圆形，稍偏斜，边缘具钝锯齿或圆齿状锯齿，齿端常有紫红色腺体，两面无毛或仅下面脉腋被疏柔毛，侧脉每边 4 ~ 5，稀 6，两面凸起，具明显的网脉；叶柄长 1 ~ 2.5 cm；托叶披针形，早落。花单性，雌雄异株，4 基数，有花瓣；花梗长 6 ~ 10 mm；雌花数个至 20 余簇

生于长枝下部叶腋或短枝先端，萼片卵状披针形，较萼筒长 3 ~ 4 倍，有退化雄蕊，花柱 2 浅裂或近半裂。核果球形或倒卵状球形，直径 5 ~ 6 mm，黑色，具 2 分核，基部有宿存的萼筒；果柄长 6 ~ 10 mm；种子卵圆形，黑褐色，背侧基部有短沟，上部有沟缝，通常生于不开裂或不易分离的薄膜质的内果皮中。花期 4 ~ 6 月，果期 6 ~ 10 月。

| 生境分布 | 生于海拔 1 600 m 以下的河边、山地林中或山坡灌丛。分布于河北抚宁、隆化等。

| 资源情况 | 野生资源丰富。药材主要来源于野生。

| 采收加工 | 春、夏季采剥，晒干。

| 功能主治 | 苦，寒。清热通便。用于热结便秘，肺热咳嗽，咳痰。

| 用法用量 | 内服煎汤，3 ~ 10 g。

| 附　　注 | 本种与冻绿 *Rhamnus utilis* Decne. 十分相似，但本种叶较狭，狭椭圆形或狭矩圆形，有较长的叶柄，两面无毛或仅下面脉腋有疏短毛，不难与后者区别。本种与鼠李 *Rhamnus davurica* Pall. 的主要区别是后者的叶椭圆形或卵形，较宽，顶芽通常不形成刺；而本种的叶较狭长，顶芽常变为针刺。

小叶鼠李 *Rhamnus parvifolia* Bunge

| 植物别名 | 麻绿、大绿、黑格铃。

| 药 材 名 | 琉璃枝（药用部位：果实）。

| 形态特征 | 灌木，高 1.5 ~ 2 m。小枝对生或近对生，紫褐色，初时被短柔毛，后变无毛，平滑，稍有光泽，枝端及分叉处有针刺；芽卵形，长达 2 mm；鳞片数个，黄褐色。叶纸质，对生或近对生，稀兼互生，或在短枝上簇生，菱状倒卵形或菱状椭圆形，稀倒卵状圆形或近圆形，长 1.2 ~ 4 cm，宽 0.8 ~ 2（~ 3）cm，先端钝尖或近圆形，稀突尖，基部楔形或近圆形，边缘具圆齿状细锯齿，上面深绿色，无毛或被疏短柔毛，下面浅绿色，干时灰白色，无毛或脉腋窝孔内有疏微毛，侧脉每边 2 ~ 4，两面凸起，网脉不明显；叶柄长 4 ~ 15 mm，上面沟内有细柔毛；托叶钻状，有微毛。花单性，雌雄异株，黄绿色，

4 基数，有花瓣，通常数个簇生于短枝；花梗长 4 ~ 6 mm，无毛；雌花花柱 2 半裂。核果倒卵状球形，直径 4 ~ 5 mm，成熟时黑色，具 2 分核，基部有宿存的萼筒；种子矩圆状倒卵圆形，褐色，背侧有长为种子 4/5 的纵沟。花期 4 ~ 5 月，果期 6 ~ 9 月。

| 生境分布 |

生于海拔 400 ~ 2 300 m 的向阳山坡、草丛或灌丛。分布于河北青龙、井陉、涿鹿等。

| 资源情况 |

野生资源相对丰富。药材主要来源于野生。

| 采收加工 |

果实成熟后采收，鲜用或晒干。

| 功能主治 |

苦，凉；有小毒。清热泻下，解毒消瘰。用于热结便秘，瘰疬，疥癣，疮毒。

| 用法用量 |

内服煎汤，1.5 ~ 3 g。外用适量，捣敷。

鼠李科 Rhamnaceae 鼠李属 *Rhamnus*

圆叶鼠李
Rhamnus globosa Bunge

| 植物别名 | 偶栗子、黑旦子、冻绿树。

| 药 材 名 | 冻绿刺（药用部位：茎、叶、根皮。别名：鸭屎树、野苦楝子、洞皮树）。

| 形态特征 | 灌木，稀小乔木，高 2 ～ 4 m。小枝对生或近对生，灰褐色，先端具针刺，幼枝和当年生枝被短柔毛。叶纸质或薄纸质，对生或近对生，稀兼互生，或在短枝上簇生，近圆形、倒卵状圆形或卵圆形，稀圆状椭圆形，长 2 ～ 6 cm，宽 1.2 ～ 4 cm，先端突尖或短渐尖，稀圆钝，基部宽楔形或近圆形，边缘具圆齿状锯齿，上面绿色，初时被密柔毛，后渐脱落无毛或仅沿脉及边缘被疏柔毛，下面淡绿色，全部或沿脉被柔毛，侧脉每边 3 ～ 4，上面下陷，下面凸起，网脉在下面明显；叶柄长 6 ～ 10 mm，被密柔毛；托叶线状披针形，宿存，有微毛。花单性，雌雄异株，通常数个至 20 簇生于短枝端或长枝下部叶腋，

稀2～3生于当年生枝下部叶腋，4基数，有花瓣，花萼和花梗均有疏微毛；花柱2～3浅裂或半裂；花梗长4～8 mm。核果球形或倒卵状球形，长4～6 mm，直径4～5 mm，基部有宿存的萼筒，具2分核，稀3，成熟时黑色；果柄长5～8 mm，有疏柔毛；种子黑褐色，有光泽，背面或背侧有长为种子3/5的纵沟。花期4～5月，果期6～10月。

| 生境分布 | 生于海拔1 600 m以下的山坡、林下或灌丛。分布于河北赤城、隆化、平泉等。

| 资源情况 | 野生资源丰富。药材主要来源于野生。

| 采收加工 | 夏、秋季采收，晒干。

| 功能主治 | 苦、涩，微寒。归肺、脾、胃、大肠经。杀虫，祛痰，消食。用于绦虫病，哮喘，瘰疬，食积。

| 用法用量 | 内服煎汤，9～15 g。

| 附　　注 | 民间将本种的果实烘干，捣碎，和红糖水煎汤服，用以治疗肿毒。

枣
Ziziphus jujuba Mill.

| 植物别名 |

枣子、大枣、枣树。

| 药 材 名 |

大枣（药用部位：果实）。

| 形态特征 |

落叶小乔木，稀灌木，高达 10 m；树皮褐色至灰褐色；有长枝、短枝和新枝。长枝光滑，无毛，紫红色或灰褐色；幼枝纤细，略呈"之"字形曲折，具 2 托叶刺，长刺粗直，长可达 3 cm，短刺下弯，长 4 ~ 6 mm；短枝短粗，矩状或长圆状，自老枝发出；当年生小枝绿色，下垂，单生或 2 ~ 7 簇生于短枝上。单叶互生；叶纸质，卵形、卵状椭圆形或卵状矩圆形，长 3 ~ 7 cm，宽 1.5 ~ 4 cm，先端钝或圆形，稀锐尖，具小尖头，基部稍偏斜，近圆形，边缘具圆齿状锯齿，上面深绿色，无毛，下面浅绿色，仅沿脉多少被疏微毛或无毛，基生三出脉。花黄绿色，两性；花萼 5裂，无毛，具短总花梗，单生或 2 ~ 8 密集成腋生聚伞花序，萼片卵状三角形；花瓣 5，倒卵圆形，基部有爪，与雄蕊等长；雄蕊 5，与花瓣对生，着生于花盘边缘；花盘厚，肉质，圆形，5 裂；子房 2 室，下部藏于花盘内，与花盘合生，每室有 1 胚珠，花柱 2 半裂。核果矩圆形或长卵圆形，长 2 ～ 3.5 cm，直径 1.5 ～ 2 cm，成熟时红色，渐变为红紫色，中果皮肉质，厚，味甜；核先端锐尖，2 室，具 1 或 2 种子；种子扁椭圆形，长约 1 cm，宽 8 mm。花期 5 ～ 7 月，果期 8 ～ 9 月。

| **生境分布** | 生于海拔 1 700 m 以下的山区、丘陵或平原。分布于河北赞皇、新乐、阜平等。河北太行山有栽培。

| **资源情况** | 野生资源丰富。药材主要来源于栽培。

| **采收加工** | 秋季果实成熟时采收，晒干。

| **药材性状** | 本品呈椭圆形或球形，长 2 ～ 3.5 cm，直径 1.5 ～ 2 cm。表面暗红色，略有光泽，有不规则皱纹，基部凹陷，有短果柄。外果皮薄，中果皮棕黄色至淡褐色，肉质，柔软，富糖性而油润。果核纺锤形，两端锐尖，质坚硬。气微香，味甜。以色红、肉厚、饱满、核小、味甜者为佳。

| **功能主治** | 甘，温。归脾、胃经。益脾胃，补气血，安心神，调营卫，和药性。用于脾胃虚弱，食少便溏，气血不足，倦怠乏力，心悸失眠，妇人脏躁，营卫不和。

| **用法用量** | 内服煎汤，6 ～ 15 g。

| **附　　注** | 在部分地区本种的树皮和根亦可药用。树皮具消炎、止血、止泻的功效。用于支气管炎、肠炎、痢疾，外用于外伤出血。根具行气、活血、调经的功效，用于月经不调、崩漏、带下。

山枣

Ziziphus montana W. W. Smith

| **药 材 名** | 山枣（药用部位：果实）。

| **形态特征** | 乔木或灌木，高达 14 m。幼枝和当年生枝被红褐色绒毛，小枝褐色或紫黑色，具明显的皮孔。叶纸质，椭圆形、卵状椭圆形或卵形，长 5 ~ 8 cm，宽 3 ~ 4.5 cm，先端钝或近圆形，稀短突尖，基部不对称，偏斜，近圆形，边缘具细圆齿，上面绿色，无毛，下面浅绿色，沿脉被锈色疏柔毛，基生三出脉，稀五出脉，叶脉两面凸起，中脉两边无明显的次生侧脉；叶柄长 7 ~ 15 mm，初时多少有疏短柔毛，后变无毛；托叶刺 2，红紫色，直立，长 10 ~ 18 mm。花绿色，两性，5 基数，数个至 10 余密集成腋生二歧式聚伞花序；总花梗短或近无，长 1 ~ 2 mm，被锈色密短柔毛；花梗长 1 ~ 2 mm，被密短柔毛；萼片三角形，长约 2 mm，先端尖，外面被棕色短柔毛；花瓣倒卵圆形，

兜状，与萼片近等长；花盘厚，肉质，5裂；子房球形，大部分藏于花盘内，2室，每室有1胚珠，花柱长，2浅裂。核果球形或近球形，黄褐色，长2.5～3 cm，直径2～2.5 cm，无毛，基部凹陷，边缘不增厚；果柄长6～12 mm，常弯曲，被疏短柔毛；中果皮厚，海绵质，厚6～7 mm，内果皮硬骨质，壁厚3～4 mm，2室，具2种子；种子扁平，倒卵圆形，榄绿色，长、宽均为9～10 mm。花期4～6月，果期5～8月。

| **生境分布** | 生于海拔1 400～2 600 m的山谷疏林或干旱多岩石处。分布于河北丰宁、平泉等。

| **资源情况** | 野生资源一般。栽培资源一般。药材主要来源于栽培。

| **采收加工** | 秋季果实成熟时采收，除去杂质，干燥。

| **功能主治** | 甘、酸，平。行气活血，养心，安神。用于气滞血瘀，胸痹作痛，心悸气短，心神不安。

| **用法用量** | 内服煎汤，1.5～2.5 g。

| **附　　注** | 本种与大果枣 *Ziziphus mairei* Dode 的主要区别在于本种的幼枝和当年枝均被绒毛，叶椭圆形或卵状椭圆形，先端钝或近圆形，中果皮海绵质且厚于内果皮，果实基部边缘不增厚。

鼠李科 Rhamnaceae 枳椇属 Hovenia

北枳椇

Hovenia dulcis Thunb.

| 植物别名 | 甜半夜、拐枣、枳椇子。

| 药 材 名 | 枳椇子（药用部位：成熟种子、带花序轴的果实。别名：木蜜、树蜜、木饧）、枳椇根（药用部位：根）。

| 形态特征 | 高大乔木，稀灌木，高达 10 余米。小枝褐色或黑紫色，无毛，有不明显的皮孔。叶纸质或厚膜质，卵圆形、宽矩圆形或椭圆状卵形，长 7 ~ 17 cm，宽 4 ~ 11 cm，先端短渐尖或渐尖，基部截形，少有心形或近圆形，边缘有不整齐的锯齿或粗锯齿，稀具浅锯齿，无毛或仅下面沿脉被疏短柔毛；叶柄长 2 ~ 4.5 cm，无毛。花黄绿色，直径 6 ~ 8 mm，排成不对称的顶生、稀兼腋生的聚伞状圆锥花序；花序轴和花梗均无毛；萼片卵状三角形，具纵条纹或网状脉，无毛，长 2.2 ~ 2.5 mm，宽 1.6 ~ 2 mm；花瓣倒卵状匙形，长 2.4 ~ 2.6 mm，

宽 1.8 ~ 2.1 mm，向下渐狭成爪部，爪部长 0.7 ~ 1 mm；花盘边缘被柔毛或上面被疏短柔毛；子房球形，花柱 3 浅裂，长 2 ~ 2.2 mm，无毛。浆果状核果近球形，直径 6.5 ~ 7.5 mm，无毛，成熟时黑色；花序轴结果时稍膨大；种子深栗色或黑紫色，直径 5 ~ 5.5 mm。花期 5 ~ 7 月，果期 8 ~ 10 月。

| 生境分布 | 生于海拔 200 ~ 1 400 m 的光照充足的次生林、沟边、路边或山谷。分布于河北阜平、涉县、武安等。

| 资源情况 | 野生资源一般。栽培资源一般。药材主要来源于栽培。

| 采收加工 | **枳椇子**：10 ~ 11 月采摘带有肉质花序轴的成熟果实，晒干，或取出种子，用时捣碎。

枳椇根：秋后采挖，洗净，切片，晒干。

| 药材性状 | **枳椇子**：本品种子扁平圆形，背面稍隆起，腹面较平坦。表面红棕色、棕黑色或绿棕色，有光泽，于放大镜下观察可见散在凹点，基部凹陷处有点状淡色种脐，先端有微凹的合点，腹面有纵行隆起的种脊。种皮坚硬，胚乳白色，子叶淡黄色，肥厚，均富油质。气微，味微涩。

| 功能主治 | **枳椇子、枳椇根**：甘，平。除烦止渴，解酒镇痉，舒筋活络，补益脏腑，通利二便。用于酒醉呕吐，烦热口渴，二便不利，肢体麻木，贫血，酒渣鼻，产后及老人体弱，久热。

| 用法用量 | **枳椇子、枳椇根**：内服煎汤，6 ~ 15 g；或浸酒。

葡萄科 Vitaceae 地锦属 *Parthenocissus*

地锦

Parthenocissus tricuspidata (Sieb. et Zucc.) Planch.

| **植物别名** | 红葡萄藤、趴墙虎。

| **药 材 名** | 地锦（药用部位：藤茎、根）。

| **形态特征** | 木质藤本。小枝圆柱形，几无毛或微被疏柔毛。卷须 5 ~ 9 分枝，相隔 2 节间断与叶对生，先端嫩时膨大成圆珠形，后遇附着物扩大成吸盘。叶为单叶，通常着生在短枝上者 3 浅裂，时有着生在长枝上者小型不裂，叶片通常倒卵圆形，长 4.5 ~ 17 cm，宽 4 ~ 16 cm，先端裂片急尖，基部心形，边缘有粗锯齿，上面绿色，无毛，下面浅绿色，无毛或中脉上疏生短柔毛，基出脉 5，侧脉 3 ~ 5 对，网脉上面不明显，下面微凸出；叶柄长 4 ~ 12 cm，无毛或疏生短柔毛。花序着生在短枝上，基部分枝，形成多歧聚伞花序，长 2.5 ~ 12.5 cm，主轴不明显；花序梗长 1 ~ 3.5 cm，几无毛；花梗长 2 ~ 3 mm，

无毛；花蕾倒卵状椭圆形，高 2 ~ 3 mm，先端圆形；花萼碟形，全缘或呈波状，无毛；花瓣 5，长椭圆形，高 1.8 ~ 2.7 mm，无毛；雄蕊 5，花丝长 1.5 ~ 2.4 mm，花药长椭圆状卵形，长 0.7 ~ 1.4 mm；花盘不明显；子房椭球形，花柱明显，基部粗，柱头不扩大。果实球形，直径 1 ~ 1.5 cm，有种子 1 ~ 3；种子倒卵圆形，先端圆形，基部急尖成短喙，种脐在背面中部呈圆形，腹部中棱脊凸出，两侧洼穴呈沟状，从种子基部向上达种子先端。花期 5 ~ 8 月，果期 9 ~ 10 月。

| **生境分布** | 生于海拔 150 ~ 1 200 m 的山坡崖石壁或灌丛。分布于河北宽城、涞源、灵寿等。

| **资源情况** | 野生资源丰富。药材主要来源于野生。

| **采收加工** | 秋季采收藤茎，去掉叶片，切段；冬季采挖根，洗净，切片，晒干或鲜用。

| **药材性状** | 本品藤茎呈圆柱形，灰绿色，外表面光滑，有细纵条纹及细圆点状凸起的皮孔，棕褐色，节略膨大，节上常有叉状分枝的卷须。断面中部有类白色的髓，木部黄白色，皮部纤维片状剥离。气微，味淡。

| **功能主治** | 辛、微涩，温。归肝经。祛风止痛，活血通络。用于风湿痹痛，中风半身不遂，偏正头痛，产后血瘀，腹生结块，跌打损伤。

| **用法用量** | 内服煎汤，15 ~ 30 g；或浸酒。外用适量，煎汤洗；或磨汁服；或捣敷。

葡萄
Vitis vinifera L.

| 植物别名 |

草龙珠、菩提子。

| 药 材 名 |

葡萄（药用部位：果实）、葡萄根（药用部位：根）。

| 形态特征 |

木质藤本。小枝圆柱形，有纵棱纹，无毛或被稀疏柔毛。卷须二叉分枝，每隔2节间断与叶对生。叶卵圆形，显著3～5浅裂或中裂，长7～18 cm，宽6～16 cm，基生脉五出，侧脉4～5对，网脉不明显凸出；叶柄长4～9 cm，几无毛；托叶早落。圆锥花序密集或疏散，多花，与叶对生，基部分枝发达，长10～20 cm；花序梗长2～4 cm，几无毛或疏生蛛丝状绒毛；花梗长1.5～2.5 mm，无毛；花蕾倒卵圆形，高2～3 mm，先端近圆形；花瓣5，呈帽状黏合脱落；雄蕊5，花丝丝状，长0.6～1 mm，花药黄色，卵圆形，长0.4～0.8 mm，在雌花内显著短而败育或完全退化；花盘发达，5浅裂；雌蕊1，在雄花中完全退化，子房卵圆形，花柱短，柱头扩大。果实球形或椭圆形，直径1.5～2 cm；种子倒卵状椭圆形，先端近圆形，基部有短

喙，种脐在种子背面中部呈椭圆形，种脊微凸出，腹面中棱脊凸起，两侧洼穴宽沟状，向上达种子 1/4 处。花期 4 ~ 5 月，果期 8 ~ 9 月。

| **生境分布** | 河北多地有栽培。分布于河北宣化、昌黎、威县等。

| **资源情况** | 栽培资源丰富。药材主要来源于栽培。

| **采收加工** | 葡萄：夏、秋季果实成熟时采收，鲜用或风干。
葡萄根：夏、秋季采挖，洗净，切片，鲜用或晒干。

| **药材性状** | 葡萄：本品鲜品为椭圆形或圆形，干品皱缩，长 3 ~ 7 mm，直径 2 ~ 6 mm。表面淡黄绿色至暗红色，先端或有残存柱基，微凸尖，基部有果柄痕或残存果柄。质稍柔软，易被撕裂，富含糖质。气微，味甜、微酸。

| 功能主治 | **葡萄**：甘、酸，平。归肺、脾、肾经。补气血，强筋骨，利小便。用于气血虚弱，肺虚咳嗽，心悸盗汗，风湿痹痛，淋证，水肿。

葡萄根：甘，平。归肺、肾、膀胱经。祛风通络，利湿消肿，解毒。用于风湿痹痛，肢体麻木，跌打损伤，水肿，小便不利，痈肿疔毒。

| 用法用量 | **葡萄**：内服煎汤，15～30 g；或捣汁；或熬膏；或浸酒。外用适量，浸酒涂擦；或捣汁含咽；或研末撒。

葡萄根：内服煎汤，15～30 g；或炖肉。外用适量，捣敷；或煎汤洗。

| 附　注 | 河北是我国重要的优势葡萄产区之一，面积和产量均列全国第二位，主栽品种有巨峰、白牛奶、玫瑰香、红地球、龙眼等，集中分布于怀涿盆地、唐山和秦皇岛、冀中南三大产区。龙眼、牛奶是我国的特有品种，怀涿盆地是其最适生长地，已有上千年的栽培历史。河北加工的葡萄品种主要有赤霞珠、品丽珠、梅鹿辄等，集中分布于张家口的怀来盆地、秦皇岛的昌黎和卢龙等。河北的设施葡萄发展迅速，主要分布于滦州和饶阳等地，目前面积已超万亩，设施栽培的葡萄品种有无核白鸡心、无核早红、矢富罗莎、奥古斯特。

葡萄科 Vitaceae 葡萄属 Vitis

山葡萄
Vitis amurensis Rupr.

| 植物别名 | 阿穆尔葡萄。

| 药 材 名 | 山藤藤秧（药用部位：根、藤茎）。

| 形态特征 | 木质藤本。小枝圆柱形，无毛，嫩枝疏被蛛丝状绒毛。卷须 2 ~ 3 分枝，每隔 2 节间断与叶对生。叶阔卵圆形，长 6 ~ 24 cm，宽 5 ~ 21 cm，3 稀 5 浅裂或中裂，或不分裂，叶片或中裂片先端急尖或渐尖，裂片基部常缢缩或间宽阔，裂缺凹成圆形，稀呈锐角或钝角，叶基部心形，基缺凹成圆形或钝角，每侧边缘有 28 ~ 36 粗锯齿，齿端急尖，微不整齐，上面绿色，初时疏被蛛丝状绒毛，以后脱落，基生脉五出，侧脉 5 ~ 6 对，上面明显或微下陷，下面凸出，网脉在下面明显，除最后一级小脉外，或多或少凸出，常被短柔毛或脱落几无毛；叶柄长 4 ~ 14 cm，初时被蛛丝状绒毛，以后脱落无毛；托叶膜质，

褐色，长 4 ～ 8 mm，宽 3 ～ 5 mm，先端钝，全缘。圆锥花序疏散，与叶对生，基部分枝发达，长 5 ～ 13 cm，初时常被蛛丝状绒毛，以后脱落几无毛；花梗长 2 ～ 6 mm，无毛；花蕾倒卵圆形，高 1.5 ～ 30 mm，先端圆形；花萼碟形，高 0.2 ～ 0.3 mm，几全缘，无毛；花瓣 5，呈帽状黏合脱落；雄蕊 5，花丝丝状，长 0.9 ～ 2 mm，花药黄色，卵状椭圆形，长 0.4 ～ 0.6 mm，雌花的雄蕊显著短而败育；花盘发达，5 裂，高 0.3 ～ 0.5 mm；雌蕊 1，子房锥形，花柱明显，基部略粗，柱头微扩大。果实直径 1 ～ 1.5 cm；种子倒卵圆形，先端微凹，基部有短喙，种脐在种子背面中部呈椭圆形，腹面中棱脊微凸起，两侧洼穴狭窄成条形，向上达种子中部或近先端。花期 5 ～ 6 月，果期 7 ～ 9 月。

| 生境分布 | 生于海拔 680 ～ 1 700 m 的向阳山坡、灌丛、林缘、路边及杂木林内。分布于河北邢台及张北等。

| 资源情况 | 野生资源丰富。药材主要来源于野生。

| 采收加工 | 秋、冬季采收，洗净，切片或段，晒干。

| 药材性状 | 本品呈圆形的小段，切面黄白色，外皮灰棕色。质地韧。气微，味淡。

| 功能主治 | 辛，凉。归胃、肝经。祛风止痛。用于风湿骨痛，胃痛，腹痛，神经性头痛，术后疼痛，外伤疼痛。

| 用法用量 | 内服煎汤，3 ～ 9 g。

葡萄科 Vitaceae 蛇葡萄属 Ampelopsis

白蔹

Ampelopsis japonica (Thunb.) Makino

| 植物别名 | 鹅抱蛋、猫儿卵、箭猪腰。

| 药 材 名 | 白蔹（药用部位：块根）。

| 形态特征 | 木质藤本。小枝圆柱形，有纵棱纹，无毛。卷须不分枝或先端有短的分叉，相隔 3 节以上间断与叶对生。叶为掌状 3 ~ 5 小叶，小叶片羽状深裂或边缘有深锯齿而不分裂，羽状分裂者裂片宽 0.5 ~ 3.5 cm，先端渐尖或急尖，掌状 5 小叶者中央小叶深裂至基部并有 1 ~ 3 关节，关节间有翅，翅宽 2 ~ 6 mm，侧生小叶有 1 关节或无，掌状 3 小叶者中央小叶有 1 关节或无，基部狭窄成翅状，翅宽 2 ~ 3 mm，上面绿色，无毛，下面浅绿色，无毛或有时在脉上被稀疏短柔毛；叶柄长 1 ~ 4 cm，无毛；托叶早落。聚伞花序通常集生于花序梗先端，直径 1 ~ 2 cm，通常与叶对生；花序梗长 1.5 ~

5 cm，常呈卷须状卷曲，无毛；花梗极短或几无梗，无毛；花蕾卵球形，高 1.5 ～ 2 mm，先端圆形；花萼碟形，边缘呈波状浅裂，无毛；花瓣 5，卵圆形，高 1.2 ～ 2.2 mm，无毛；雄蕊 5，花药卵圆形，长、宽近相等；花盘发达，边缘波状浅裂；子房下部与花盘合生，花柱短棒状，柱头不明显扩大。果实球形，直径 0.8 ～ 1 cm，成熟后带白色，有种子 1 ～ 3；种子倒卵形，先端圆形，基部喙短钝，种脐在种子背面中部呈带状椭圆形，向上渐狭，表面无肋纹，背部种脊凸出，腹部中棱脊凸出，两侧洼穴呈沟状，从基部向上达种子上部 1/3 处。花期 5 ～ 6 月，果期 7 ～ 9 月。

| 生境分布 | 生于海拔 100 ～ 900 m 的山地、荒坡及灌木林。分布于河北昌黎、承德、易县等。

| 资源情况 | 野生资源较丰富。药材来源于野生。

| 采收加工 | 春、秋季采挖，除去泥沙和细根，切纵瓣或斜片，晒干。

| 药材性状 | 本品纵瓣呈长圆形或近纺锤形，长 4 ～ 10 cm，直径 1 ～ 2 cm；切面周边常向内卷曲，中部有 1 凸起的棱线；外皮红棕色或红褐色，有纵皱纹、细横纹及横长皮孔，易层层脱落，脱落处呈淡红棕色。斜片呈卵圆形，长 2.5 ～ 5 cm，宽 2 ～ 3 cm；切面类白色或浅红棕色，可见放射状纹理，周边较厚，微翘起或略弯曲。体轻，质硬脆，易折断，折断时有粉尘飞出。气微，味甘。

| 功能主治 | 苦，微寒。归心、胃经。清热解毒，消痈散结。用于疔疮，痈疽发背，瘰疬，烫火伤。

| 用法用量 | 内服煎汤，5 ～ 10 g。外用适量，煎汤洗；或研成极细粉敷患处。

| 附 注 | 目前，存在以葫芦科植物马㼎儿 *Zehneria japonica* (Thunberg) H. Y. Liu（又称广东白蔹）、萝摩科植物青羊参 *Cynanchum otophyllum* Schneid.（又称滇白蔹）和牛皮消 *Cynanchum auriculatum* Royle ex Wight 的块根（又称白首乌）冒充白蔹使用的情况，应注意鉴别。

葡萄科 Vitaceae 蛇葡萄属 Ampelopsis

葎叶蛇葡萄 *Ampelopsis humulifolia* Bge.

| 植物别名 | 葎叶白蔹、小接骨丹。

| 药 材 名 | 七角白蔹（药用部位：根皮。别名：小接骨丹、活血丹、葎叶白蔹）。

| 形态特征 | 木质藤本。小枝圆柱形，有纵棱纹，无毛。卷须二叉分枝，相隔 2 节间断与叶对生。叶为单叶，3 ~ 5 浅裂或中裂，稀混生不裂，长 6 ~ 12 cm，宽 5 ~ 10 cm，心状五角形或肾状五角形，先端渐尖，基部心形，基缺先端凹成圆形，边缘有粗锯齿，通常齿尖，上面绿色，无毛，下面粉绿色，无毛或沿脉被疏柔毛；叶柄长 3 ~ 5 cm，无毛或有时被疏柔毛；托叶早落。多歧聚伞花序与叶对生；花序梗长 3 ~ 6 cm，无毛或被稀疏柔毛；花梗长 2 ~ 3 mm，伏生短柔毛；花蕾卵圆形，高 1.5 ~ 2 mm，先端圆形；花萼碟形，边缘呈波状，外面无毛；花瓣 5，卵状椭圆形，高 1.3 ~ 1.8 mm，外面无毛；雄

蕊 5，花药卵圆形，长、宽近相等；花盘明显，波状浅裂；子房下部与花盘合生，花柱明显，柱头不扩大。果实近球形，长 0.6 ~ 10 cm，有种子 2 ~ 4；种子倒卵圆形，先端近圆形，基部有短喙，种脐在种子背面中部向上渐狭，呈带状长卵形，顶部种脊凸出，腹部中棱脊凸出，两侧洼穴呈椭圆形，从下部向上斜展达种子上部 1/3 处。花期 5 ~ 7 月，果期 5 ~ 9 月。

| **生境分布** | 生于海拔 400 ~ 1 100 m 的山沟地边、灌丛林缘或林中。分布于河北赤城、迁安、灵寿等。

| **资源情况** | 野生资源较丰富。药材主要来源于野生。

| **采收加工** | 秋季采挖根部，洗净泥土，剥取根皮，鲜用或晒干。

| **功能主治** | 辛，温。归肝、胃经。祛风湿，散瘀血，解肿毒。用于风湿痹痛，跌打瘀肿，痈疽肿痛。

| **用法用量** | 内服煎汤，9 ~ 15 g；或研末。外用适量，捣敷。

乌头叶蛇葡萄 *Ampelopsis aconitifolia* Bge.

| 植物别名 | 马葡萄、草白蔹。

| 药 材 名 | 过山龙（药用部位：根皮）。

| 形态特征 | 木质藤本。小枝圆柱形，有纵棱纹，被疏柔毛。卷须 2 ~ 3 叉分枝，相隔 2 节间断与叶对生。叶为掌状 5 小叶，小叶 3 ~ 5 羽裂，披针形或菱状披针形，长 4 ~ 9 cm，宽 1.5 ~ 6 cm，先端渐尖，基部楔形，中央小叶深裂，或有时侧生小叶浅裂或不裂，上面绿色，无毛或疏生短柔毛，下面浅绿色，无毛或脉上被疏柔毛，侧脉 3 ~ 6 对，网脉不明显；叶柄长 1.5 ~ 2.5 cm，无毛或被疏柔毛，小叶几无柄；托叶膜质，褐色，卵状披针形，长约 2.3 mm，宽 1 ~ 2 mm，先端钝，无毛或被疏柔毛。花序为疏散的伞房状复二歧聚伞花序，通常与叶对生或假顶生；花序梗长 1.5 ~ 4 cm，无毛或被疏柔毛；花梗

长 1.5 ~ 2.5 mm，几无毛；花蕾卵圆形，高 2 ~ 3 mm，先端圆形；花萼碟形，波状浅裂或几全缘，无毛；花瓣 5，卵圆形，高 1.7 ~ 2.7 mm，无毛；雄蕊 5，花药卵圆形，长、宽近相等；花盘发达，边缘呈波状；子房下部与花盘合生，花柱钻形，柱头扩大不明显。果实近球形，直径 0.6 ~ 0.8 cm，有种子 2 ~ 3；种子倒卵圆形，先端圆形，基部有短喙，种脐在种子背面中部近圆形，种脊向上渐狭成带状，腹部中棱脊微凸出，两侧洼穴呈沟状，从基部向上斜展达种子上部 1/3 处。花期 5 ~ 6 月，果期 8 ~ 9 月。

| 生境分布 | 生于海拔 1 500 m 以下的路边、沟边、山坡林下灌丛、林缘、山坡石砾地及砂质地。分布于河北沙河、涉县、蔚县等。

| 资源情况 | 野生资源一般。药材来源于野生。

| 采收加工 | 全年均可采挖根部，除去泥土及细根，剥取表层栓皮，鲜用或干用。

| 功能主治 | 辛，热。归心、肾经。活血散瘀，生肌长骨，清热解毒，祛风除湿。用于跌打损伤，骨折，疮疖肿痛，风湿性关节炎。

| 用法用量 | 内服煎汤，10 ~ 15 g；或研末，1.5 ~ 3 g。外用适量，捣敷。

| 附　　注 | 掌裂蛇葡萄 *Ampelopsis delavayana* var. *glabra* (Diels & Gilg) C. L. Li 与本种的区别在于其小叶大多不分裂，边缘锯齿通常较深而粗，或混生有浅裂叶，光滑无毛或叶下面微被柔毛，花期 5 ~ 8 月，果期 7 ~ 9 月。

葡萄科 Vitaceae 蛇葡萄属 Ampelopsis

掌裂草葡萄

Ampelopsis aconitifolia var. *palmiloba* (Carr.) Rehd.

| 药 材 名 | 独脚蟾蜍（药用部位：块根）。

| 形态特征 | 木质藤本。小枝圆柱形，有纵棱纹，被疏柔毛。卷须二至三叉分枝，相隔 2 节间断与叶对生。叶为掌状 5 小叶，小叶大多不分裂，边缘锯齿通常较深而粗，或混生有浅裂叶，光滑无毛或叶下面微被柔毛；叶柄长 1.5 ~ 2.5 cm，无毛或被疏柔毛，小叶几无柄；托叶膜质，褐色，卵状披针形，长约 2.3 mm，宽 1 ~ 2 mm，先端钝，无毛或被疏柔毛。花序为疏散的伞房状复二歧聚伞花序，通常与叶对生或假顶生；花序梗长 1.5 ~ 4 cm，无毛或被疏柔毛；花梗长 1.5 ~ 2.5 mm，几无毛；花蕾卵圆形，高 2 ~ 3 mm，先端圆形；花萼碟形，波状浅裂或几全缘，无毛；花瓣 5，卵圆形，高 1.7 ~ 2.7 mm，无毛；雄蕊 5，花药卵圆形，长、宽近相等；花盘发达，

边缘呈波状；子房下部与花盘合生，花柱钻形，柱头扩大不明显。果实近球形，直径 0.6 ~ 0.8 cm，有种子 2 ~ 3；种子倒卵圆形，先端圆形，基部有短喙，种脐在种子背面中部近圆形，种脊向上渐狭成带状，腹部中棱脊微凸出，两侧洼穴呈沟状，从基部向上斜展达种子上部 1/3 处。花期 5 ~ 8 月，果期 7 ~ 9 月。

| **生境分布** | 生于海拔 250 ~ 2 200 m 的沟谷水边或山坡灌丛。分布于河北行唐、井陉、赞皇等。

| **资源情况** | 野生资源丰富。药材来源于野生。

| **采收加工** | 秋、冬季采挖，洗净，切片，鲜用或晒干。

| **功能主治** | 苦，寒；有小毒。清热化痰，解毒散结。用于热病头痛，胃痛，痢疾，痈肿，痰核。

| **用法用量** | 内服煎汤，4 ~ 6 g。外用适量，捣敷；或研末调敷。

锦葵科 Malvaceae 锦葵属 Malva

冬葵
Malva verticillata var. *crispa* Linnaeus

| **植物别名** | 葵菜、冬寒菜、皱叶锦葵。

| **药 材 名** | 冬葵果（药用部位：果实）。

| **形态特征** | 一年生草本，高 1 m，不分枝。茎被柔毛。叶圆形，常 5 ~ 7 裂或角裂，直径 5 ~ 8 cm，基部心形，裂片三角状圆形，边缘具细锯齿，并极皱缩扭曲，两面无毛至疏被糙伏毛或星状毛，在脉上尤为明显；叶柄瘦弱，长 4 ~ 7 cm，疏被柔毛。花小，白色，直径约 6 mm，单生或几个簇生于叶腋，近无花梗至具极短的梗；小苞片 3，披针形，长 4 ~ 5 mm，宽 1 mm，疏被糙伏毛；花萼浅杯状，5 裂，长 8 ~ 10 mm，裂片三角形，疏被星状柔毛；花瓣 5，较萼片略长。果实扁球形，直径约 8 mm，分果片 11，网状，具细柔毛；种子肾形，直径约 1 mm，暗黑色。花期 6 ~ 9 月。

| 生境分布 | 生于村落屋宅旁及田地。分布于河北涞源、灵寿、平泉等。

| 资源情况 | 野生资源一般。栽培资源丰富。药材来源于栽培。

| 采收加工 | 夏、秋季果实成熟时采收，除去杂质，阴干。

| 药材性状 | 本品呈扁球状盘形，直径 4 ~ 7 mm。外被膜质宿萼，宿萼钟状，黄绿色或黄棕色，有的微带紫色，先端 5 齿裂，裂片内卷，其外有条状披针形的小苞片 3。果柄细短。果实由 11 分果爿组成，在圆锥形中轴周围排成 1 轮，分果类扁圆形，直径 1.4 ~ 2.5 mm，表面黄白色或黄棕色，具隆起的环向细脉纹。种子肾形，棕黄色或黑褐色。气微，味涩。

| 功能主治 | 甘、涩，凉。清热利尿，消肿。用于尿闭，水肿，口渴，尿路感染。

| 用法用量 | 内服煎汤，3 ~ 9 g。

| 附   注 | 本种喜冷凉湿润气候，不耐高温和严寒，但耐低温，耐轻霜。

████ 锦葵科 ████ Malvaceae ████ 锦葵属 ████ *Malva*

锦葵

Malva cathayensis M. G. Gilbert, Y. Tang & Dorr

| 植物别名 | 棋盘花、荆葵、钱葵。

| 药 材 名 | 锦葵（药用部位：花、叶、茎）。

| 形态特征 | 二年生或多年生直立草本，高 50 ~ 90 cm，分枝多，疏被粗毛。叶
圆心形或肾形，具 5 ~ 7 圆齿状钝裂片，长 5 ~ 12 cm，宽与长几
相等，基部近心形至圆形，边缘具圆锯齿，两面均无毛或仅脉上疏
被短糙伏毛；叶柄长 4 ~ 8 cm，近无毛，但上面槽内被长硬毛；托
叶偏斜，卵形，具锯齿，先端渐尖。花 3 ~ 11 簇生；花梗长 1 ~ 2 cm，
无毛或疏被粗毛；小苞片 3，长圆形，长 3 ~ 4 mm，宽 1 ~ 2 mm，
先端圆形，疏被柔毛；花萼杯状，长 6 ~ 7 mm，萼裂片 5，宽三角
形，两面均被星状疏柔毛；花紫红色或白色，直径 3.5 ~ 4 cm，花
瓣 5，匙形，长 2 cm，先端微缺，爪具髯毛；雄蕊柱长 8 ~ 10 mm，

被刺毛，花丝无毛；花柱分枝 9 ～ 11，被微细毛。果实扁圆形，直径 5 ～ 7 mm，分果爿 9 ～ 11，肾形，被柔毛；种子黑褐色，肾形，长 2 mm。花期 5 ～ 10 月。

| 生境分布 | 生于荒地、田边、路边、山坡、山顶路边向阳地或宅边。分布于河北抚宁、灵寿、隆化等。

| 资源情况 | 野生资源丰富。栽培资源一般。药材主要来源于野生。

| 采收加工 | 夏、秋季采收，晒干。

| 功能主治 | 咸，寒。利尿通便，清热解毒。用于二便不利，带下，淋巴结结核，咽喉肿痛。

| 用法用量 | 内服煎汤，3 ～ 9 g；或研末，1 ～ 3 g，开水送服。

| 附　注 | 本种与欧锦葵 *Malva sylvestris* Linn. 极相似，不同之处在于本种的果实疏被柔毛，而后者平滑无毛。

锦葵科 Malvaceae 锦葵属 Malva

野葵
Malva verticillata L.

| 植物别名 |

土黄芪、菜葵叶。

| 药 材 名 |

冬葵根（药用部位：根）、冬葵叶（药用部位：叶）、冬葵果（药用部位：成熟果实）。

| 形态特征 |

二年生草本，高 50 ~ 100 cm。茎干被星状长柔毛。叶肾形或圆形，直径 5 ~ 11 cm，通常掌状 5 ~ 7 裂，裂片三角形，具钝尖头，边缘具钝齿，两面被极疏糙伏毛或近无毛；叶柄长 2 ~ 8 cm，近无毛，上面槽内被绒毛；托叶卵状披针形，被星状柔毛。花 3 至多朵簇生于叶腋，具极短柄至近无柄；小苞片 3，线状披针形，长 5 ~ 6 mm，被纤毛；花萼杯状，直径 5 ~ 8 mm，萼裂片 5，广三角形，疏被星状长硬毛；花冠长稍超过萼片，淡白色至淡红色，花瓣 5，长 6 ~ 8 mm，先端凹入，爪无毛或具少数细毛；雄蕊柱长约 4 mm，被毛；花柱分枝 10 ~ 11。果实扁球形，直径 5 ~ 7 mm，分果爿 10 ~ 11，背面平滑，厚 1 mm，两侧具网纹；种子肾形，直径约 1.5 mm，无毛，紫褐色。花期 3 ~ 11 月。

| **生境分布** | 生于海拔 500 ~ 4 500 m 的平原和山野。分布于河北赤城、沽源、怀安等。

| **资源情况** | 野生资源丰富。药材来源于野生。

| **采收加工** | 冬葵根：夏、秋季采挖，洗净，鲜用或晒干。
冬葵叶：夏、秋季采收，鲜用。
冬葵果：夏、秋季采收，除去杂质，阴干。

| **药材性状** | 冬葵果：本品呈扁球状盘形，直径 4 ~ 7 mm。外被膜质宿萼，宿萼钟状，黄绿色或黄棕色，有的微带紫色，先端 5 齿裂，裂片内卷，其外有条状披针形的小苞片 3。果柄细短。果实由 10 ~ 11 分果爿组成，在圆锥形中轴周围排成 1 轮，分果类扁圆形，直径 1.4 ~ 2.5 mm，表面黄白色或黄棕色，具隆起的环向细脉纹。种子肾形，棕黄色或黑褐色。气微，味涩。

| **功能主治** | 冬葵根：甘，寒。归脾、膀胱经。清热利水，解毒。用于水肿，热淋，带下，乳痈，疔疮，蛇虫咬伤。
冬葵叶：甘，寒。归肺、肝、胆经。清热，利湿，滑肠，通乳。用于肺热咳嗽，咽喉肿痛，热毒下痢，湿热黄疸，二便不利，乳汁不下，疮疖痈肿，丹毒。
冬葵果：甘、涩，凉。清热利尿，消肿。用于尿闭，水肿，口渴，尿路感染。

| **用法用量** | 冬葵根：内服煎汤，15 ~ 30 g；或捣汁。外用适量，研末调敷。
冬葵叶：内服煎汤，10 ~ 30 g，鲜品可用至 60 g；或捣汁。外用适量，捣敷；或研末调敷；或煎汤含漱。
冬葵果：内服煎汤，3 ~ 9 g。

| **附　注** | 中华野葵 *Malva verticillata* var. *rafiqii* Abedin 与本种的区别在于其叶浅裂，裂片圆形，花簇生于叶腋，花梗不等长，其中有 1 花梗特长，长达 4 cm。

锦葵科 Malvaceae 锦葵属 Malva

圆叶锦葵 *Malva pusilla* Smith

| 植物别名 | 野锦葵、金爬齿、托盘果。

| 药 材 名 | 圆叶锦葵根（药用部位：根。别名：烧饼花、托盘果、金爬齿）。

| 形态特征 | 多年生草本，高 25 ~ 50 cm，分枝多而常匍生，被粗毛。叶肾形，长 1 ~ 3 cm，宽 1 ~ 4 cm，基部心形，边缘具细圆齿，偶 5 ~ 7 浅裂，上面疏被长柔毛，下面疏被星状柔毛；叶柄长 3 ~ 12 cm，被星状长柔毛；托叶小，卵状渐尖。花通常 3 ~ 4 簇生于叶腋，偶有单生于茎基部者；花梗不等长，长 2 ~ 5 cm，疏被星状柔毛；小苞片 3，披针形，长约 5 mm，被星状柔毛；花萼钟形，长 5 ~ 6 mm，被星状柔毛，裂片 5，具三角状渐尖头；花白色至浅粉红色，长 10 ~ 12 mm，花瓣 5，倒心形；雄蕊柱被短柔毛；花柱分枝 13 ~ 15。果实扁圆形，直径 5 ~ 6 mm，分果爿 13 ~ 15，不为

网状，被短柔毛；种子肾形，直径约 1 mm，被网纹或无。花期夏季。

| **生境分布** | 生于荒野、草坡。分布于河北阜平、灵寿、涉县等。

| **资源情况** | 野生资源一般。药材来源于野生。

| **采收加工** | 夏、秋季采挖，洗净，切片，晒干。

| **药材性状** | 本品呈圆柱形，长 13 ~ 20 cm，直径 0.5 ~ 1.5 cm，上端较粗，通常有 5 ~ 10 簇生的茎残基，下端渐细。表面淡棕黄色至淡棕褐色，有不整齐的纵皱纹及多数横向皮孔，中下部有多数分枝。质硬而韧，断面纤维性强，略具粉质，皮部黄白色，木部淡黄色，具放射状纹理。气微，味甜，嚼之微具特异气及黏液。

| **功能主治** | 甘，温。归脾、肺经。益气止汗，利水通乳，托疮排脓。用于倦怠乏力，内脏下垂，肺虚咳嗽，自汗盗汗，水肿，乳汁不足，崩漏，痈疽难溃，溃后脓稀，疮口难合。

| **用法用量** | 内服煎汤，9 ~ 15 g；或炖肉，30 ~ 60 g。

锦葵科 Malvaceae 棉属 Gossypium

草棉
Gossypium herbaceum L.

| 植物别名 | 阿拉伯棉、小棉。

| 药 材 名 | 棉花（药用部位：种子的绵毛）、棉花壳（药用部位：外果皮）。

| 形态特征 | 一年生草本至亚灌木，高达 1.5 m，疏被柔毛。叶掌状 5 裂，直径 5 ~ 10 cm，通常宽超过长，裂片宽卵形，深裂不及叶片的中部，先端短尖，基部心形，上面被星状长硬毛，下面被细绒毛，沿脉被长柔毛；叶柄长 2.5 ~ 8 cm，被长柔毛；托叶线形，长 5 ~ 10 mm，早落。花单生于叶腋；花梗长 1 ~ 2 cm，被长柔毛；小苞片阔三角形，长 2 ~ 3 cm，宽超过长，先端具 6 ~ 8 齿，沿脉被疏长毛；花萼杯状，5 浅裂；花黄色，内面基部紫色，直径 5 ~ 7 cm。蒴果卵圆形，长约 3 cm，具喙，通常 3 ~ 4 室；种子大，长约 1 cm，分离，斜圆锥形，被白色长绵毛和短绵毛。花期 7 ~ 9 月。

| 生境分布 | 生于田间。分布于河北沧州及辛集等。河北有栽培。

| 资源情况 | 野生资源一般。药材主要来源于野生。

| 采收加工 | 棉花：秋季采收，晒干。
棉花壳：轧取棉花时收集。

| 功能主治 | 棉花：甘，温。止血。用于吐血，便血，血崩，金疮出血。
棉花壳：辛，温。温胃降逆，化痰止咳。用于噎膈，胃寒呃逆，咳嗽气喘。

| 用法用量 | 棉花：内服烧存性研末，5 ~ 9 g。外用适量，烧研撒。
棉花壳：内服煎汤，9 ~ 15 g。

锦葵科 Malvaceae 棉属 Gossypium

陆地棉 *Gossypium hirsutum* L.

| 植物别名 | 大陆棉、高地棉。

| 药 材 名 | 棉花（药用部位：种子的绵毛）、棉花子（药用部位：种子）、棉花壳（药用部位：外果皮）、棉花根（药用部位：根或根皮）。

| 形态特征 | 一年生草本，高 0.6 ~ 1.5 m。小枝疏被长毛。叶阔卵形，直径 5 ~ 12 cm，长、宽近相等或较宽，基部心形或心状截形，常 3 浅裂，很少 5 裂，中裂片常深裂达叶片之半，裂片宽三角状卵形，先端突渐尖，基部宽，上面近无毛，沿脉被粗毛，下面疏被长柔毛；叶柄长 3 ~ 14 cm，疏被柔毛；托叶卵状镰形，长 5 ~ 8 mm，早落。花单生于叶腋；花梗通常较叶柄略短；小苞片 3，分离，基部心形，具腺体 1，边缘具 7 ~ 9 齿，连齿长达 4 cm，宽约 2.5 cm，被长硬毛和纤毛；花萼杯状，裂片 5，三角形，具缘毛；花白色或淡黄色，

后变淡红色或紫色，长 2.5 ~ 3 cm；雄蕊柱长 1.2 cm。蒴果卵圆形，长 3.5 ~ 5 cm，具喙，3 ~ 4 室；种子分离，卵圆形，具白色长绵毛和灰白色不易剥离的短绵毛。花期夏、秋季。

| **生境分布** | 生于田地。分布于河北邱县、涉县、永年等。

| **资源情况** | 野生资源一般。栽培资源丰富。药材主要来源于栽培。

| **采收加工** | 棉花：秋季采收，晒干。

棉花子：秋季采收棉花时，收集种子，晒干。

棉花壳：轧取棉花时收集。

棉花根：秋季采收棉花时采挖根，切片，晒干；或剥取根皮，切段，晒干。

| **药材性状** | 棉花子：本品呈卵状，长约 1 cm，直径约 0.5 cm。外被 2 层白色绵毛，1 层长绵毛及 1 层短茸毛，少数仅具 1 层长绵毛。质柔韧，研开后种仁黄褐色，富油性。有油香气，味微辛。

棉花根：本品呈圆柱形，稍弯曲，长 10 ～ 20 cm，直径 0.4 ～ 2 cm。表面黄棕色，有不规则的纵皱纹及横裂的皮孔，皮部薄，红棕色，易剥离。质硬，折断面纤维性，黄白色。无臭，味淡。

| **功能主治** | 棉花：甘，温。止血。用于吐血，便血，血崩，金疮出血。

棉花子：辛，热；有毒。归肝、肾、脾、胃经。温肾，通乳，活血止血。用于阳痿，腰膝冷痛，带下，遗尿，胃寒疼痛，乳汁不通，崩漏，痔血。

棉花壳：辛，温。温胃降逆，化痰止咳。用于噎膈，胃寒呃逆，咳嗽气喘。

棉花根：甘，温。归肺经。止咳平喘，通经止痛。用于咳嗽，气喘，月经不调，崩漏。

|用法用量| 　棉花：内服烧存性研末，5～9 g。外用适量，烧研撒。

棉花子：内服煎汤，6～10 g；或入丸、散剂。外用适量，煎汤熏洗。

棉花壳：内服煎汤，9～15 g。

棉花根：内服煎汤，15～30 g。

木芙蓉 *Hibiscus mutabilis* L.

| 植物别名 | 芙蓉花、酒醉芙蓉。

| 药 材 名 | 木芙蓉叶（药用部位：叶）、木芙蓉花（药用部位：花）。

| 形态特征 | 落叶灌木或小乔木，高 2 ~ 5 m；小枝、叶柄、花梗和花萼均密被星状毛与直毛相混的细绵毛。叶宽卵形至圆卵形或心形，直径 10 ~ 15 cm，常 5 ~ 7 裂，裂片三角形，先端渐尖，具钝圆锯齿，上面疏被星状细毛和点，下面密被星状细绒毛，主脉 7 ~ 11；叶柄长 5 ~ 20 cm；托叶披针形，长 5 ~ 8 mm，常早落。花单生于枝端叶腋间；花梗长 5 ~ 8 cm，近端具节；小苞片 8，线形，长 10 ~ 16 mm，宽约 2 mm，密被星状绵毛，基部合生；花萼钟形，长 2.5 ~ 3 cm，裂片 5，卵形，具渐尖头；花初开时白色或淡红色，后变深红色，直径约 8 cm，花瓣近圆形，直径 4 ~ 5 cm，外面被毛，

基部具髯毛；雄蕊柱长 2.5 ~ 3 cm，无毛；花柱枝 5，疏被毛。蒴果扁球形，直径约 2.5 cm，被淡黄色刚毛和绵毛，分果爿 5；种子肾形，背面被长柔毛。花期 8 ~ 10 月。

| 生境分布 | 生于光照充足、温暖的环境。分布于河北保定、衡水等。河北多地有栽培。

| 资源情况 | 野生资源一般。栽培资源丰富。药材主要来源于栽培。

| 采收加工 | 木芙蓉叶：夏、秋季采收，干燥。
木芙蓉花：秋季采收，晒干。

| 药材性状 | 木芙蓉叶：本品多卷缩、破碎，全体被毛，完整叶片展平后呈卵圆状心形，宽 10 ~ 15 cm，掌状 5 ~ 7 浅裂，裂片三角形，边缘有钝齿。上表面暗黄绿色，下表面灰绿色，叶脉 7 ~ 11，于两面凸起。叶柄长 5 ~ 20 cm。气微，味微辛。
木芙蓉花：本品卷缩，呈不规则卵圆形，长 1.5 ~ 3 cm，直径 1.5 ~ 2.5 cm。小苞片 8，线形，被毛；花萼钟状，上部 5 裂，灰绿色，表面被星状毛；花冠淡红色至棕色，皱缩，中心有黄褐色的花蕊。质软。气微，味微辛。

| 功能主治 | 木芙蓉叶：辛，平。归肺、肝经。凉血，解毒，消肿，止痛。用于痈疽焮肿，蛇串疮，烫伤，目赤肿痛，跌打损伤。
木芙蓉花：辛，凉。归肺、肝经。清肺凉血，散热解毒，消肿排脓。用于肺热咳嗽，瘰疬，肠痈，带下；外用于痈疖脓肿，脓耳，无名肿毒，烫火伤。

| 用法用量 | 木芙蓉叶：内服煎汤，10 ~ 30 g。外用适量。
木芙蓉花：内服煎汤，10 ~ 30 g。外用适量，鲜品捣敷；或干品研末油调涂；或干品研末熬膏。

| 附　注 | 本种喜肥沃湿润而排水良好的砂壤土。重瓣木芙蓉 *Hibiscus mutabilis* L. f. Plenus (Andrews) S. Y. Hu 与本种的区别在于其花系重瓣。

锦葵科 Malvaceae 木槿属 Hibiscus

木槿 *Hibiscus syriacus* L.

| 植物别名 |

木棉、荆条、喇叭花。

| 药 材 名 |

木槿根（药用部位：根）、木槿花（药用部位：花）、木槿皮（药用部位：茎皮或根皮）、木槿子（药用部位：果实。别名：朝天子）。

| 形态特征 |

落叶灌木，高 3 ~ 4 m。小枝密被黄色星状绒毛。叶菱形至三角状卵形，长 3 ~ 10 cm，宽 2 ~ 4 cm，为深浅不同的 3 裂或不裂，先端钝，基部楔形，边缘具不整齐齿缺，下面沿叶脉微被毛或近无毛；叶柄长 5 ~ 25 mm，上面被星状柔毛；托叶线形，长约 6 mm，疏被柔毛。花单生于枝端叶腋间；花梗长 4 ~ 14 mm，被星状短绒毛；小苞片 6 ~ 8，线形，长 6 ~ 15 mm，宽 1 ~ 2 mm，密被星状绒毛；花萼钟形，长 14 ~ 20 mm，密被星状短绒毛，裂片 5，三角形；花钟形，淡紫色，直径 5 ~ 6 cm，花瓣倒卵形，长 3.5 ~ 4.5 cm，外面疏被纤毛和星状长柔毛；雄蕊柱长约 3 cm；花柱枝无毛。蒴果卵圆形，直径约 12 mm，密被黄色星状绒毛；种子肾形，背部被黄白色长柔毛。花期 7 ~ 10 月。

| 生境分布 | 生于山坡草丛。分布于河北平泉、迁安、邱县等。河北有栽培。

| 资源情况 | 野生资源一般。栽培资源丰富。药材主要来源于栽培。

| 采收加工 | 木槿根：全年均可采挖，洗净，切片，鲜用或晒干。

木槿花：夏季花半开时采摘，鲜用或晒干。

木槿皮：4～5月剥取茎皮，晒干。秋末采挖根，剥取根皮，晒干。

木槿子：9～10月果实黄绿色时采收，晒干。

| 药材性状 | 木槿花：本品皱缩成卵状或不规则圆柱状，常带有短花梗，全体被毛，长
1.5～3.5 cm，宽1～2 cm。苞片6～8，线形。花萼钟状，灰黄绿色，先端5裂，
裂片三角形。花瓣类白色、黄白色或浅棕黄色，单瓣5或重瓣10余。雄蕊多数，
花丝连合成筒状。气微香，味淡。

木槿皮：本品多内卷成长槽状或单筒状，大小不一，厚1～2 mm。外表面灰色
或灰褐色，有细而略弯曲的纵皱纹，散在点状皮孔。内表面类白色至淡黄白色，
平滑，具细致的纵纹理。质坚韧，折断面强纤维性，类白色。气微，味淡。

木槿子：本品呈长椭圆形，长1.5～2 cm，直径1～1.2 cm。外表面黄绿色，
密被黄色短绒毛，有5纵向浅沟及5纵缝线；先端短尖，有的沿缝线开裂为5瓣；
基部有宿存钟状花萼，5裂，萼下有狭条形的苞片7～8，排成1轮，或部分脱
落；有残余的短果柄；果皮质脆。种子多数，扁肾形，深棕色，无光泽，四周
密布乳白色至黄色长绒毛。气微，味微苦，种子味淡。

功能主治	**木槿根**：甘，凉。归肺、肾、大肠经。清热解毒。用于肠风下血，痢疾，肺痈，肠痈，痔疮肿痛，赤白带下，疥癣，肺结核。
	木槿花：甘、淡，凉。归脾、肺经。清热凉血，解毒消肿。用于肠风下血，赤白痢疾，肺热咳嗽，咳血，带下，疮疖痈肿，烫伤。
	木槿皮：甘、苦，寒。归大肠、肝、脾经。清热利湿，杀虫止痒。用于湿热泻血，肠风下血，脱肛，痔疮，赤白带下，滴虫性阴道炎，疥癣，阴囊湿疹。
	木槿子：甘，寒。归肺经。清肺化痰，止痛，解毒。用于痰喘咳嗽，支气管炎，偏正头痛，黄水疮，湿疹。
用法用量	**木槿根**：内服煎汤，15 ~ 25 g，鲜品 50 ~ 100 g。外用适量，煎汤熏洗。

木槿花：内服煎汤，3 ~ 9 g，鲜品30 ~ 60 g。外用适量，研末敷；或鲜品捣敷。

木槿皮：内服煎汤，3 ~ 9 g。外用适量，酒精搓擦；或煎汤熏洗。

木槿子：内服煎汤，9 ~ 15 g。外用适量，煎汤熏洗。

| 附 注 | 白花重瓣木槿 *Hibiscus syriacus* f. *albus-plenus* Loudon. 与本种的区别在于其花白色，重瓣，直径6 ~ 10 cm。粉紫重瓣木槿 *Hibiscus syriacus* var. *amplissimus* L. F. Gagnep. 与本种的区别在于其花粉紫色，花瓣内面基部洋红色，重瓣。

野西瓜苗 *Hibiscus trionum* L.

| 植物别名 | 香铃草、灯笼花、小秋葵。

| 药 材 名 | 野西瓜苗（药用部位：全草或根）、野西瓜苗子（药用部位：种子）。

| 形态特征 | 一年生直立或平卧草本，高 25 ~ 70 cm。茎柔软，被白色星状粗毛。
叶二型，下部的叶圆形，不分裂，上部的叶掌状 3 ~ 5 深裂，直径
3 ~ 6 cm，中裂片较长，侧裂片较短，裂片倒卵形至长圆形，通常
羽状全裂，上面疏被粗硬毛或无毛，下面疏被星状粗刺毛；叶柄长
2 ~ 4 cm，被星状粗硬毛和星状柔毛；托叶线形，长约 7 mm，被星
状粗硬毛。花单生于叶腋；花梗长约 2.5 cm，果时延长达 4 cm，被
星状粗硬毛；小苞片 12，线形，长约 8 mm，被粗长硬毛，基部合生；
花萼钟形，淡绿色，长 1.5 ~ 2 cm，被粗长硬毛或星状粗长硬毛，
裂片 5，膜质，三角形，具纵向紫色条纹，中部以上合生；花淡黄

色，内面基部紫色，直径 2 ~ 3 cm，花瓣 5，倒卵形，长约 2 cm，外面疏被极细柔毛；雄蕊柱长约 5 mm，花丝纤细，长约 3 mm，花药黄色；花柱枝 5，无毛。蒴果长圆状球形，直径约 1 cm，被粗硬毛，分果片 5，果皮薄，黑色；种子肾形，黑色，具腺状突起。花期 7 ~ 10 月。

| **生境分布** | 生于平原、山野、丘陵或田埂。分布于河北巨鹿、涞源、沙河等。

| **资源情况** | 野生资源丰富。药材主要来源于野生。

| **采收加工** | **野西瓜苗**：7 ~ 9 月采收，鲜用或晒干。
野西瓜苗子：秋季采摘成熟果实，晒干，打下种子，筛净，再晒干。

| **药材性状** | **野西瓜苗**：本品茎柔软，长 30 ~ 60 cm，表面具星状粗毛。单叶互生，叶柄长 2 ~ 4 cm；上部叶片掌状 3 ~ 5 深裂，直径 3 ~ 6 cm，裂片倒卵形，通常羽状全裂，下面有星状粗刺毛。质脆。气微，味甘、淡。

| **功能主治** | **野西瓜苗**：甘，寒。清热解毒，利咽止咳。用于咽喉肿痛，咳嗽，泻痢，疮毒，烫伤。
野西瓜苗子：辛，平。补肾，润肺。用于肾虚头晕，耳鸣，耳聋，肺痨咳嗽。

| **用法用量** | **野西瓜苗**：内服煎汤，15 ~ 30 g，鲜品 30 ~ 60 g。外用适量，鲜品捣敷；或干品研末油调涂。
野西瓜苗子：内服煎汤，9 ~ 15 g。

锦葵科 Malvaceae 木槿属 Hibiscus

朱槿 *Hibiscus rosa-sinensis* L.

| **植物别名** | 扶桑、佛桑、大红花。

| **药 材 名** | 扶桑叶（药用部位：叶）、扶桑花（药用部位：花）、扶桑根（药用部位：根）。

| **形态特征** | 常绿灌木，高1～3 m。小枝圆柱形，疏被星状柔毛。叶阔卵形或狭卵形，长4～9 cm，宽2～5 cm，先端渐尖，基部圆形或楔形，边缘具粗齿或缺刻，两面除背面沿脉上有少许疏毛外均无毛；叶柄长5～20 mm，上面被长柔毛；托叶线形，长5～12 mm，被毛。花单生于上部叶腋间，常下垂；花梗长3～7 cm，疏被星状柔毛或近平滑无毛，近端有节；小苞片6～7，线形，长8～15 mm，疏被星状柔毛，基部合生；花萼钟形，长约2 cm，被星状柔毛，裂片5，卵形至披针形；花冠漏斗形，直径6～10 cm，玫瑰红色或淡红色、

淡黄色等，花瓣倒卵形，先端圆，外面疏被柔毛；雄蕊柱长 4 ~ 8 cm，平滑无毛；花柱枝 5。蒴果卵形，长约 2.5 cm，平滑无毛，有喙。花期全年。

| 生境分布 | 生于温暖、湿润处。分布于河北保定及井陉等。河北多地有栽培。

| 资源情况 | 野生资源一般。栽培资源丰富。药材来源于栽培。

| 采收加工 | **扶桑叶**：随用随采。
扶桑花：花半开时采摘，晒干。
扶桑根：10 ~ 11 月采挖，晒干。

| 药材性状 | **扶桑花**：本品皱缩成长条状，长 5.5 ~ 7 cm。小苞片 6 ~ 7，线形，分离，比萼短。花萼黄棕色，长约 2 cm，有星状毛，5 裂，裂片披针形或尖三角形；花瓣 5，紫色或淡棕红色，有的为重瓣，花瓣先端圆或具粗圆齿，但不分裂。雄蕊管长，突出花冠之外，上部有多数具花药的花丝。子房五棱形，被毛，花柱 5。体轻，气清香，味淡。

| 功能主治 | **扶桑叶**：甘，平。归心、肝经。清热利湿，解毒。用于带下，淋证，疔疮肿毒，疖腮，乳痈，淋巴结炎。
扶桑花：甘，寒。归心、肺、肝、脾经。清肺，凉血，利湿，解毒。用于肺热咳嗽，咯血，鼻衄，崩漏，带下，痢疾，赤白浊，痈肿疮毒。
扶桑根：甘，平。归肝、脾、肺经。调经，利湿，解毒。用于月经不调，崩漏，带下，白浊，痈肿疮毒，尿路感染，急性结膜炎。

| 用法用量 | **扶桑叶**：内服煎汤，15 ~ 30 g。
外用适量，捣敷。
扶桑花：内服煎汤，15 ~ 30 g。
外用适量，捣敷。
扶桑根：内服煎汤，15 ~ 30 g。

| 附　注 | 本种喜生于富含有机质的微酸性壤土上。

锦葵科 Malvaceae 苘麻属 Abutilon

苘麻
Abutilon theophrasti Medicus

| **植物别名** | 桐麻、车轮草、磨盘草。

| **药 材 名** | 苘麻子（药用部位：种子）。

| **形态特征** | 一年生亚灌木状草本，高达 1 ~ 2 m。茎枝被柔毛。叶互生，圆心形，长 5 ~ 10 cm，先端长渐尖，基部心形，边缘具细圆锯齿，两面均密被星状柔毛；叶柄长 3 ~ 12 cm，被星状细柔毛；托叶早落。花单生于叶腋；花梗长 1 ~ 13 cm，被柔毛，近先端具节；花萼杯状，密被短绒毛，裂片 5，卵形，长约 6 mm；花黄色，花瓣倒卵形，长约 1 cm；雄蕊柱平滑无毛；心皮 15 ~ 20，长 1 ~ 1.5 cm，先端平截，具扩展、被毛的长芒 2，排列成轮状，密被软毛。蒴果半球形，直径约 2 cm，长约 1.2 cm，分果片 15 ~ 20，被粗毛，先端具长芒 2；种子肾形，褐色，被星状柔毛。花期 7 ~ 8 月。

| 生境分布 |

生于路旁、田野、荒地。分布于河北邢台及武安、兴隆等。

| 资源情况 |

野生资源丰富。药材来源于野生。

| 采收加工 |

秋季采收成熟果实，晒干，打下种子，除去杂质。

| 药材性状 |

本品呈三角状肾形，长 3.5 ~ 6 mm，宽 2.5 ~ 4.5 mm，厚 1 ~ 2 mm。表面灰黑色或暗褐色，有白色稀疏茸毛，凹陷处有类椭圆状种脐，种脐淡棕色，四周有放射状细纹。种皮坚硬，子叶 2，重叠折曲，富油性。气微，味淡。

| 功能主治 |

苦，凉。归大肠、小肠、膀胱经。清热解毒，利湿，退翳。用于赤白痢疾，淋证，痈肿疮毒，目生翳膜。

| 用法用量 |

内服煎汤，3 ~ 9 g。

锦葵科 Malvaceae 秋葵属 Abelmoschus

黄蜀葵
Abelmoschus manihot (L.) Medicus

| 植物别名 | 荞面花、豹子眼睛花、追风药。

| 药 材 名 | 黄蜀葵花（药用部位：花冠）。

| 形态特征 | 一年生或多年生草本，高 1 ~ 2 m，疏被长硬毛。叶掌状 5 ~ 9 深裂，直径 15 ~ 30 cm，裂片长圆状披针形，长 8 ~ 18 cm，宽 1 ~ 6 cm，具粗钝锯齿，两面疏被长硬毛；叶柄长 6 ~ 18 cm，疏被长硬毛；托叶披针形，长 1 ~ 1.5 cm。花单生于枝端叶腋；小苞片 4 ~ 5，卵状披针形，长 15 ~ 25 mm，宽 4 ~ 5 mm，疏被长硬毛；花萼佛焰苞状，5 裂，近全缘，较长于小苞片，被柔毛，果时脱落；花大，淡黄色，内面基部紫色，直径约 12 cm；雄蕊柱长 1.5 ~ 2 cm，花药近无柄；柱头紫黑色，匙状盘形。蒴果卵状椭圆形，长 4 ~ 5 cm，直径 2.5 ~ 3 cm，被硬毛；种子多数，肾形，被多条柔毛组成的条纹。

花期 8 ~ 10 月。

| 生境分布 | 生于山谷草丛、田边或沟旁灌丛。分布于河北涉县等。

| 资源情况 | 野生资源一般。药材来源于栽培。

| 采收加工 | 夏、秋季花开时采摘，及时干燥。

| 药材性状 | 本品多皱缩、破碎，完整的花瓣呈三角状阔倒卵形，长 7 ~ 10 cm，宽 7 ~ 12 cm，外面有呈放射状的纵向脉纹，淡棕色，边缘浅波状；内面基部紫褐色。雄蕊多数，连合成管状，长 1.5 ~ 2 cm，花药近无柄。柱头紫黑色，匙状盘形，5 裂。气微香，味甘、淡。

| 功能主治 | 甘，寒。归肾、膀胱经。清利湿热，消肿解毒。用于湿热壅遏，淋浊水肿；外用于痈疽肿毒，烫火伤。

| 用法用量 | 内服煎汤，10 ~ 30 g；或研末，3 ~ 5 g。外用适量，研末调敷。

咖啡黄葵

Abelmoschus esculentus (L.) Moench

植物别名

羊角豆、糊麻、秋葵。

药材名

秋葵（药用部位：根、叶、花、种子）。

形态特征

一年生草本，高 1 ~ 2 m。茎圆柱形，疏生
散刺。叶掌状 3 ~ 7 裂，直径 10 ~ 30 cm，
裂片阔至狭，边缘具粗齿及凹缺，两面均被
疏硬毛；叶柄长 7 ~ 15 cm，被长硬毛；托
叶线形，长 7 ~ 10 mm，被疏硬毛。花单生
于叶腋间；花梗长 1 ~ 2 cm，疏被糙硬毛；
小苞片 8 ~ 10，线形，长约 1.5 cm，疏被硬
毛；花萼钟形，较长于小苞片，密被星状短
绒毛；花黄色，内面基部紫色，直径 5 ~
7 cm，花瓣倒卵形，长 4 ~ 5 cm。蒴果筒状
尖塔形，长 10 ~ 25 cm，直径 1.5 ~ 2 cm，
先端具长喙，疏被糙硬毛；种子球形，多数，
直径 4 ~ 5 mm，具毛脉纹。花期 5 ~ 9 月。

生境分布

河北多地有栽培。分布于河北曲周、大名、
武安等。

| 资源情况 |

栽培资源丰富。药材主要来源于栽培。

| 采收加工 |

11 月至翌年 2 月前采挖根，抖去泥土，晒干或炕干；9 ~ 10 月采收叶，晒干；6 ~ 8 月采摘花，晒干；9 ~ 10 月采摘成熟果实，脱粒，晒干。

| 功能主治 |

淡，寒。利咽，通淋，下乳，调经。用于咽喉肿痛，小便淋沥涩痛，产后乳汁稀少，月经不调。

| 用法用量 |

内服煎汤，9 ~ 15 g。

锦葵科 Malvaceae 蜀葵属 Alcea

蜀葵
Alcea rosea Linnaeus

| 植物别名 | 一丈红、麻杆花。

| 药 材 名 | 蜀葵花（药用部位：花）、蜀葵子（药用部位：种子）、蜀葵根（药用部位：根）、蜀葵苗（药用部位：茎叶）。

| 形态特征 | 二年生直立草本，高达 2 m。茎枝密被刺毛。叶近圆心形，直径 6 ~ 16 cm，掌状 5 ~ 7 浅裂或具波状棱角，裂片三角形或圆形，中裂片长约 3 cm，宽 4 ~ 6 cm，上面疏被星状柔毛，粗糙，下面被星状长硬毛或绒毛；叶柄长 5 ~ 15 cm，被星状长硬毛；托叶卵形，长约 8 mm，先端具 3 尖。花腋生，单生或近簇生，排列成总状花序式，具叶状苞片；花梗长约 5 mm，果时延长至 1 ~ 2.5 cm，被星状长硬毛；小苞片杯状，常 6 ~ 7 裂，裂片卵状披针形，长 10 mm，密被星状粗硬毛，基部合生；花萼钟状，直径 2 ~ 3 cm，

5 齿裂，裂片卵状三角形，长 1.2 ~ 1.5 cm，密被星状粗硬毛；花大，直径 6 ~ 10 cm，有红色、紫色、白色、粉红色、黄色和黑紫色等，单瓣或重瓣，花瓣倒卵状三角形，长约 4 cm，先端凹缺，基部狭，爪被长髯毛；雄蕊柱无毛，长约 2 cm，花丝纤细，长约 2 mm，花药黄色；花柱分枝多数，微被细毛。果实盘状，直径约 2 cm，被短柔毛，分果爿近圆形，多数，背部厚达 1 mm，具纵槽。花期 2 ~ 8 月。

| 生境分布 | 生于路旁、田野、荒地、堤岸。分布于河北丰宁、滦平、平泉等。

| 资源情况 | 野生资源一般。药材来源于栽培。

| 采收加工 | 蜀葵花：3 ~ 8 月花开时采收，鲜用或晒干。

蜀葵子：9 ~ 11 月采摘成熟果实，晒干，打下种子，再晒干。

蜀葵根：冬季采挖，刮去栓皮，切片，晒干。

蜀葵苗：6 ~ 10 月采收，鲜用或晒干。

| 药材性状 | 蜀葵花：本品卷曲，呈不规则的圆柱状，长 2 ~ 4.5 cm，有的带有花萼和副萼。花萼杯状，5 裂，裂片三角形，长 1.2 ~ 1.5 cm，副萼 6 ~ 7 裂，长 5 ~ 10 mm，两者均呈黄褐色，并被有较密的星状毛。花瓣皱缩卷折，展平后呈倒卵状三角形，爪有长毛状物。雄蕊多数，花丝连合成筒状。花柱上部分裂成丝状。质柔韧而稍脆。气微香，味淡。

蜀葵根：本品呈圆锥形，略弯曲，长 5 ~ 20 cm，直径 0.5 ~ 1 cm；表面土黄色，栓皮易脱落。质硬，不易折断，断面不整齐，纤维状，切面淡黄色或黄白色。气淡，味微甘。

| 功能主治 | 蜀葵花：甘、咸，凉。和血止血，通便，解毒。用于吐血，衄血，月经不调，赤白带下，二便不利，小儿风疹，疟疾，痈疽疔肿，蜂蝎螫伤，烫火伤。

蜀葵子：凉。利水通淋，解毒排脓。用于水肿，淋证，带下，乳汁不通，疥疮，无名肿毒。

蜀葵根：甘、咸，寒。清热利湿，凉血，解毒。用于淋证，带下，痢疾，吐血，血崩，外伤出血，疮疡肿毒，烫火伤。

蜀葵苗：甘，凉。清热利湿，解毒。用于热毒下痢，淋证，无名肿毒，烫火伤，金疮。

| **用法用量** | 蜀葵花：内服煎汤，3～9g；或研末，1～3g。外用适量，研末捣敷；或鲜品捣敷。

蜀葵子：内服煎汤，3～9g；或研末。外用适量，研末捣敷。

蜀葵根：内服煎汤，9～15g。外用适量，捣敷。

蜀葵苗：内服煎汤，6～18g；或煮食；或捣汁。外用适量，捣敷；或烧存性研末调敷。

椴树科 Tiliaceae 扁担杆属 Grewia

扁担杆
Grewia biloba G. Don

| 药 材 名 | 扁担杆（药用部位：全株或根。别名：娃娃拳）。

| 形态特征 | 灌木或小乔木，高 1 ~ 4 m，多分枝。嫩枝被粗毛。叶薄革质，椭圆形或倒卵状椭圆形，长 4 ~ 9 cm，宽 2.5 ~ 4 cm，先端锐尖，基部楔形或钝，两面有稀疏星状粗毛，基出脉 3，两侧脉上行过半，侧脉 3 ~ 5 对，边缘有细锯齿；叶柄长 4 ~ 8 mm，被粗毛；托叶钻形，长 3 ~ 4 mm。聚伞花序腋生，多花；花序梗长不及 1 cm；花梗长 3 ~ 6 mm；苞片钻形，长 3 ~ 5 mm；萼片狭长圆形，长 4 ~ 7 mm，外面被毛，内面无毛；花瓣长 1 ~ 1.5 mm；雌雄蕊柄长 0.5 mm，有毛；雄蕊长 2 mm；子房有毛，花柱与萼片平齐，柱头扩大，盘状，浅裂。核果红色，有 2 ~ 4 分核。花期 5 ~ 7 月。

| 生境分布 | 生于平原、低山灌丛或疏林。分布于河北昌黎、抚宁、磁县等。

│资源情况│

野生资源丰富。药材来源于野生。

│采收加工│

夏、秋季采收，洗净，晒干或鲜用。

│功能主治│

甘、辛，温。归肺、脾经。健脾益气，祛风除湿，固精止带。用于脾虚食少，久泻脱肛，小儿疳积，蛔虫病，风湿痹痛，遗精，崩漏，带下，子宫脱垂。

│用法用量│

内服煎汤，9 ~ 15 g；或浸酒。外用适量，鲜品捣敷。

│附　注│

小花扁担杆 *Grewia biloba* var. *parviflora* (Bunge) Hand.-Mazz. 与本种的区别在于其叶下面密被黄褐色软茸毛，花较短小。

椴树科 Tiliaceae 扁担杆属 Grewia

小花扁担杆

Grewia biloba var. *parviflora* (Bunge) Hand.-Mazz.

| 药 材 名 | 吉利子树（药用部位：枝叶）。

| 形态特征 | 落叶灌木或小乔木，高 1 ~ 4 m，多分枝。小枝密生黄褐色短毛。叶薄革质，椭圆形或菱状卵形，长 3 ~ 10 cm，宽 1.5 ~ 5 cm，先端锐尖，基部圆形或广楔形，边缘密生不整齐的小牙齿，有时不明显浅裂，上面有稀疏星状毛，下面密被黄褐色软茸毛，基出脉 3；叶柄长 2 ~ 15 mm，有粗毛。聚伞花序与叶对生，多花；花淡黄色；萼片 5，窄披针形，长 4 ~ 8 mm，外面密生短绒毛；花瓣 5，较小；雌雄蕊柄长 0.5 mm，有毛；雄蕊长 2 mm；子房有毛，花柱盘状，浅裂。核果红色，有 2 ~ 4 分核。花期 6 ~ 8 月，果期 7 ~ 9 月。

| 生境分布 | 生于丘陵、低山路边草地、灌丛或疏林。分布于河北滦平、内丘、赞皇等。

| 资源情况 | 野生资源较丰富。药材来源于野生。

| 采收加工 | 春、夏季采收，晒干。

| 功能主治 | 甘、苦，温。健脾益气，祛风除湿。用于小儿疳积，脘腹胀满，脱肛，崩漏，带下，风湿痹痛。

| 用法用量 | 内服煎汤，9～15 g；或浸酒。

| 附　　注 | 本种与扁担杆 *Grewia biloba* G. Don 的区别在于本种叶下面密被黄褐色软茸毛，花较短小。

椴树科 Tiliaceae 椴树属 Tilia

椴树
Tilia tuan Szyszyl.

| 药 材 名 | 椴树根（药用部位：根）。

| 形态特征 | 乔木，高 20 m；树皮灰色，直裂。小枝近秃净，顶芽无毛或有微毛。叶卵圆形，长 7 ～ 14 cm，宽 5.5 ～ 9 cm，先端短尖或渐尖，基部单侧心形或斜截形，上面无毛，下面初时有星状茸毛，后变秃净，在脉腋有毛丛，干后灰色或褐绿色，侧脉 6 ～ 7 对，边缘上半部有疏而小的齿突；叶柄长 3 ～ 5 cm，近秃净。聚伞花序长 8 ～ 13 cm，无毛；花梗长 7 ～ 9 mm；苞片狭窄倒披针形，长 10 ～ 16 cm，宽 1.5 ～ 2.5 cm，无柄，先端钝，基部圆形或楔形，上面通常无毛，下面有星状柔毛，下半部 5 ～ 7 cm 与花序梗合生；萼片长圆状披针形，长 5 mm，外面被茸毛，内面有长茸毛；花瓣长 7 ～ 8 mm；退化雄蕊长 6 ～ 7 mm；雄蕊长 5 mm；子房有毛，花柱长 4 ～ 5 mm。果实

球形，宽 8 ~ 10 mm，无棱，有小突起，被星状茸毛。花期 7 月。

| 生境分布 |

生于有深厚、肥沃、湿润的土壤的山谷和山坡。分布于河北丰宁、兴隆等。

| 资源情况 |

野生资源一般。药材来源于野生。

| 采收加工 |

秋季采挖，洗净泥土，切片，晒干。

| 功能主治 |

苦，温。祛风除湿，活血止痛，止咳。用于风湿痹痛，四肢麻木，跌打损伤，久咳。

| 用法用量 |

内服煎汤，15 ~ 30 g；或浸酒。外用适量，浸酒搽。

| 附　注 |

毛芽椴（变种）*Tilia tuan* Szyszyl. var. *chinensis* Rehd. et Wils. 的嫩枝及顶芽有茸毛，叶阔卵形，长 10 ~ 12 cm，宽 7 ~ 10 cm，下面有灰色星状茸毛，边缘有明显锯齿，花序有花 16 ~ 22，苞片长 8 ~ 12 cm，无柄，果实球形，可以以此与本种区别。

椴树科 Tiliaceae 椴树属 Tilia

紫椴
Tilia amurensis Rupr.

| 植物别名 | 籽椴。

| 药 材 名 | 紫椴（药用部位：花）。

| 形态特征 | 乔木，高 25 m，直径达 1 m；树皮暗灰色，片状脱落。嫩枝初时有白丝毛，很快变秃净；顶芽无毛，有鳞苞 3。叶阔卵形或卵圆形，长 4.5 ~ 6 cm，宽 4 ~ 5.5 cm，先端急尖或渐尖，基部心形，有时斜截形，上面无毛，下面浅绿色，脉腋内有毛丛，侧脉 4 ~ 5 对，边缘有锯齿，齿尖突出 1 mm；叶柄长 2 ~ 3.5 cm，纤细，无毛。聚伞花序长 3 ~ 5 cm，纤细，无毛，有花 3 ~ 20；花梗长 7 ~ 10 mm；苞片狭带形，长 3 ~ 7 cm，宽 5 ~ 8 mm，两面均无毛，下半部或下部 1/3 与花序梗合生，基部有长 1 ~ 1.5 cm 的柄；萼片阔披针形，长 5 ~ 6 mm，外面有星状柔毛；花瓣长 6 ~ 7 mm；退化雄蕊不存在；

雄蕊较少，约 20，长 5 ~ 6 mm；子房有毛，花柱长 5 mm。果实卵圆形，长 5 ~ 8 mm，被星状茸毛，有棱或棱不明显。花期 7 月。

| 生境分布 | 生于山坡、针阔叶混交林及阔叶杂木林。分布于河北丰宁、阜平、平泉等。

| 资源情况 | 野生资源丰富。药材来源于野生。

| 采收加工 | 6 ~ 7 月花开时采收，烘干或晾干。

| 药材性状 | 本品花蕾呈圆球形，直径 5 ~ 10 mm，表面淡黄色至黄棕色，常数朵聚生。花序梗下部与苞片合生，苞片匙形或近矩圆形，长 3 ~ 7 cm，宽 5 ~ 8 mm。花萼 5，灰绿色，两面均被白色星状毛。花瓣 5，淡黄色。雄蕊多数。气香，味淡、微甜。以无杂质、色黄者为佳。

| 功能主治 | 辛，凉。解表，清热。用于感冒发热，口腔炎，喉炎，肾盂肾炎。

| 用法用量 | 内服煎汤，3 ~ 10 g。

| 附　　注 | 本种近似华东椴 *Tilia japonica* Simonk.，惟叶片及苞片均较小，花序较短，且与花梗均极纤细等而不同。小叶紫椴 *Tilia amurensis* Rupr. var. *taquetii* (Schneid.) Liou et Li 与本种的区别在于其嫩枝及花序被淡红色星状柔毛，叶片较小，基部不呈心形，往往为截形或微凹入。

椴树科 Tiliaceae 田麻属 Corchoropsis

田麻

Corchoropsis crenata Siebold & Zuccarini

| 药 材 名 | 田麻（药用部位：全草）。

| 形态特征 | 一年生草本，高 40 ~ 60 cm。分枝有星状短柔毛。叶卵形或狭卵形，长 2.5 ~ 6 cm，宽 1 ~ 3 cm，边缘有钝牙齿，两面均密生星状短柔毛，基出脉 3；叶柄长 0.2 ~ 2.3 cm；托叶钻形，长 2 ~ 4 mm，脱落。花有细梗，单生于叶腋，直径 1.5 ~ 2 cm；萼片 5，狭窄披针形，长约 5 mm；花瓣 5，黄色，倒卵形；发育雄蕊 15，每 3 枚成一束；退化雄蕊 5，与萼片对生，匙状条形，长约 1 cm；子房被短茸毛。蒴果角状圆筒形，长 1.7 ~ 3 cm，有星状柔毛。果期秋季。

| 生境分布 | 生于丘陵、低山干山坡或多石处。分布于河北迁安、涉县、兴隆等。

| 资源情况 | 野生资源一般。药材来源于野生。

| **采收加工** | 夏、秋季采收，切段，鲜用或晒干。

| **功能主治** | 苦，凉。清热利湿，解毒止血。用于痈疖肿毒，咽喉肿痛，疥疮，小儿疳积，带下，外伤出血。

| **用法用量** | 内服煎汤，9 ~ 15 g，大剂量可用 30 ~ 60 g。外用适量，鲜品捣敷。

梧桐科 Sterculiaceae 梧桐属 Firmiana

梧桐
Firmiana simplex (Linnaeus) W. Wight

|药 材 名|

梧桐根（药用部位：根）、梧桐白皮（药用部位：去掉栓皮的树皮。别名：梧桐皮）、梧桐叶（药用部位：叶）、梧桐花（药用部位：花）、梧桐子（药用部位：种子）。

|形态特征|

落叶乔木，高达 16 m；树皮青绿色，平滑。叶心形，掌状 3 ~ 5 裂，直径 15 ~ 30 cm，裂片三角形，先端渐尖，基部心形，两面均无毛或略被短柔毛，基生脉 7；叶柄与叶片等长。圆锥花序顶生，长 20 ~ 50 cm，下部分枝长达 12 cm，花淡黄绿色；花萼 5 深裂几至基部，萼片条形，向外卷曲，长 7 ~ 9 mm，外面被淡黄色短柔毛，内面仅在基部被柔毛；花梗与花几等长；雄花的雌雄蕊柄与萼等长，下半部较粗，无毛，15 花药不规则地聚集在雌雄蕊柄的先端，退化子房梨形且甚小；雌花的子房圆球形，被毛。蓇葖果膜质，有柄，成熟前开裂成叶状，长 6 ~ 11 cm，宽 1.5 ~ 2.5 cm，外面被短茸毛或几无毛，每蓇葖果有种子 2 ~ 4；种子圆球形，表面有皱纹，直径约 7 mm。花期 6 月。

| **生境分布** | 常栽培于村边、宅旁、山坡等。河北多地有栽培。分布于河北武安、易县、永年等。

| **资源情况** | 栽培资源丰富。药材来源于栽培。

| **采收加工** | 梧桐根：全年均可采挖，洗去泥沙，切片，鲜用或晒干。

梧桐白皮：全年均可采收，剥取韧皮部，晒干。

梧桐叶：夏、秋季采集，随用随采，鲜用或晒干。

梧桐花：6 月采收，晒干。

梧桐子：秋季种子成熟时将果枝采下，打落种子，除去杂质，晒干。

| 药材性状 | **梧桐叶**：本品多皱缩、破碎，完整者呈心形，掌状 3 ~ 5 裂，直径 15 ~ 30 cm，裂片三角形，先端渐尖，基部心形，表面棕色或棕绿色，两面均无毛或被短柔毛，基生脉 7；叶柄与叶片等长。气微，味淡。

梧桐花：本品淡黄绿色，基部有梗。无花瓣。花萼筒状，裂片 5，长条形，向外卷曲，外面被淡黄色短柔毛。雄蕊 15 合生，约与萼等长。气微，味淡。

梧桐子：本品呈球形，状如豌豆，直径约 7 mm，表面黄棕色至棕色，微具光泽，有明显隆起的网状皱纹。质轻而硬，外层种皮较脆，易破裂，内层种皮坚韧。剥除种皮，可见淡红色的数层外胚乳，内为肥厚的淡黄色内胚乳，油质，子叶 2，薄而大，紧贴在内胚乳上，胚根在较小的一端。

| 功能主治 | **梧桐根**：甘，平。祛风除湿，调经止血，解毒疗疮。用于风湿关节疼痛，吐血，肠风下血，月经不调，跌打损伤。

梧桐白皮：甘、苦，凉。祛风除湿，活血通经。用于风湿痹痛，月经不调，痔疮脱肛，丹毒，恶疮，跌打损伤。

梧桐叶：苦，寒。祛风除湿，解毒消肿，降血压。用于风湿痹痛，跌打损伤，痈疮肿毒，痔疮，小儿疳积，泻痢，高血压。

梧桐花：甘，平。利湿消肿，清热解毒。用于水肿，小便不利，无名肿毒，创伤红肿，头癣，烫火伤。

梧桐子：甘，平。归心、肺、肾经。顺气和胃，健脾消食，止血。用于胃脘疼痛，

伤食腹泻，疝气，须发早白，小儿口疮，鼻衄。

| **用法用量** | 梧桐根：内服煎汤，9 ~ 15 g，鲜品 30 ~ 60 g；或捣汁。外用适量，捣敷。

梧桐白皮：内服煎汤，10 ~ 30 g。外用适量，捣敷；或煎汤洗。

梧桐叶：内服煎汤，10 ~ 30 g。外用适量，鲜品贴敷；或煎汤洗；或研末调敷。

梧桐花：内服煎汤，6 ~ 15 g。外用适量，研末调涂。

梧桐子：内服煎汤，3 ~ 9 g；或研末，2 ~ 3 g。外用适量，煅存性研末敷。

狼毒
Stellera chamaejasme L.

| **植物别名** | 断肠草、燕子花。

| **药材名** | 瑞香狼毒（药用部位：根）。

| **形态特征** | 多年生草本，高 20 ～ 50 cm。根茎木质，粗壮，圆柱形，不分枝或分枝，外面棕色，内面淡黄色。茎直立，丛生，不分枝，纤细，绿色，有时带紫色，无毛，草质，基部木质化，有时具棕色鳞片。叶散生，稀对生或近轮生，薄纸质，披针形或长圆状披针形，稀长圆形，长 12 ～ 28 mm，宽 3 ～ 10 mm，先端渐尖或急尖，稀钝形，基部圆形至钝形或楔形，上面绿色，下面淡绿色至灰绿色，全缘，不反卷或微反卷，中脉在上面扁平，在下面隆起，侧脉 4 ～ 6 对，第二对直伸，长达叶片的 2/3，两面均明显；叶柄短，长约 1.1 mm，基部具关节，上面扁平或微具浅沟。花白色、黄色至带紫色，芳香，

多花的头状花序，顶生，圆球形；具绿色叶状总苞片；无花梗；萼筒细瘦，长9～11 mm，具明显纵脉，基部略膨大，无毛，裂片 5，卵状长圆形，长 2～4 mm，宽约 2 mm，先端圆形，稀截形，常具紫红色的网状脉纹；雄蕊 10，2 轮，下轮着生于萼筒的中部以上，上轮着生于萼筒的喉部，花药微伸出，黄色，线状椭圆形，长约 1.5 mm，花丝极短；花盘一侧发达，线形，长约 1.8 mm，宽约 0.2 mm，先端微 2 裂；子房椭圆形，几无柄，长约 2 mm，直径 1.2 mm，上部被淡黄色丝状柔毛，花柱短，柱头头状，先端微被黄色柔毛。果实圆锥形，长 5 mm，直径约 2 mm，上部或顶部有灰白色柔毛，为宿存的萼筒所包围，种皮膜质，淡紫色。花期 4～6 月，果期 7～9 月。

| **生境分布** | 生于干燥而向阳的高山草坡、草坪或河滩台地。分布于河北崇礼、围场、蔚县等。

| **资源情况** | 野生资源稀少。药材来源于栽培。

| **采收加工** | 春、秋季采挖，除去杂质及泥土，晒干。

| **药材性状** | 本品呈圆锥形、纺锤形，有的具分枝，略弯曲，长 7～30 cm，直径 1.5～7 cm。表面紫棕色或棕褐色，有扭曲纵皱纹及横长皮孔，根头部有数个地上茎残基，尾部分枝或已被切除。体轻质松而韧，不易折断，断面纤维性，呈类白色或微黄色，木部具黄色环纹 2～3 轮及黄色星点，皮层多绵毛状纤维。气微，味微甘而辛。

| **功能主治** | 辛、苦，平；有大毒。归肺、心经。峻下逐水，破积，杀虫，止痛。用于胸腹积水，水肿喘满，心腹疼痛；外用于疥癣，恶疮。

| **用法用量** | 内服煎汤，1～2.5 g。外用适量，磨汁涂；或研末调敷。

瑞香科 Thymelaeaceae 荛花属 Wikstroemia

河朔荛花 *Wikstroemia chamaedaphne* Meisn.

| 植物别名 | 羊厌厌、岳彦花。

| 药 材 名 | 黄芫花（药用部位：花蕾）。

| 形态特征 | 灌木，高约 1 m，分枝多而纤细，无毛。幼枝近四棱形，绿色，后变为褐色。叶对生，无毛，近革质，披针形，长 2.5 ~ 5.5 cm，宽0.2 ~ 1 cm，先端尖，基部楔形，上面绿色，干后稍皱缩，下面灰绿色，光滑，侧脉每边 7 ~ 8，不明显；叶柄极短，近于无。花黄色，花序穗状或为由穗状花序组成的圆锥花序，顶生或腋生，密被灰色短柔毛；花梗极短，具关节，花后残留；花萼长 8 ~ 10 mm，外面被灰色绢状短柔毛，裂片 4，其中大裂片 2，小裂片 2，卵形至长圆形，先端圆，长约等于花萼的 1/3；雄蕊 8，2 列，着生于萼筒中部以上，花药长圆形，长约 1 mm，花丝短，近于无；子房棒状，具柄，顶部

被短柔毛，花柱短，柱头圆珠形，顶基稍压扁，具乳突；花盘鳞片 1，线状披针形，先端钝，约长 0.8 mm。果实卵形，干燥。花期 6 ~ 8 月，果期 9 月。

| 生境分布 | 生于低山阳坡、路旁、山沟灌丛。分布于河北涿鹿、易县、涉县等。

| 资源情况 | 野生资源一般。药材来源于野生。

| 采收加工 | 7 ~ 8 月采摘，阴干或烘干。

| 药材性状 | 本品呈棒状或细长筒状，多散在聚集成束，两性。不具花瓣。花萼圆筒状而细，少弯曲，长 3 ~ 8 mm，表面浅灰绿色或灰黄色，密被短柔毛，先端裂片长为全长的 1/6 ~ 1/4，背面也有短柔毛。解剖观察可见花萼先端裂片亦为 4，卵圆形；雄蕊 8，排成 2 列，着生于萼筒内，不具花丝。气微弱，味甘，有辣感。

| 功能主治 | 辛，温；有小毒。归肺、大肠经。泻下逐水，涤痰。用于水肿，痰饮，咳嗽，病毒性肝炎，精神分裂症，癫痫。

| 用法用量 | 内服煎汤，3 ~ 6 g；或研末，1.5 ~ 3 g。治疗精神分裂症时用量可加大至 6 g，煎汤服。

瑞香科 Thymelaeaceae 瑞香属 Daphne

芫花 *Daphne genkwa* Sieb. et Zucc.

| **植物别名** | 药鱼草、老鼠花、闹鱼花。

| **药 材 名** | 芫花（药用部位：花蕾）、芫花根（药用部位：根或根皮）。

| **形态特征** | 落叶灌木，高 30 ~ 100 cm，多分枝；树皮褐色，无毛。幼枝密被淡黄色丝状毛，老枝褐色或紫红色。叶对生，稀互生，纸质，卵形、卵状披针形或长椭圆形，长 3 ~ 4 cm，宽 1 ~ 2 cm，上面无毛，幼叶下面密被淡黄色柔毛，老叶仅叶脉基部疏被毛；叶柄长约 2 mm，被灰色柔毛。花先叶开放，淡紫红色或紫色，3 ~ 6 簇生于叶腋；萼筒 0.6 ~ 1 cm，外面被丝状柔毛，裂片 4，卵形或长圆形，长 5 mm，宽 4 mm，先端圆形，花冠状；雄蕊 8，2 轮，分别着生于萼筒中部和上部；花盘环状；子房倒卵形，密被淡黄色柔毛，花柱短或几无，柱头橘红色。核果，熟时白色，椭圆形，长约 7 mm，包于

宿存花萼下部，具种子1。花期3～5月，果期6～7月。

| **生境分布** | 生于海拔300～1000 m的路旁、山坡。分布于河北井陉等。

| **资源情况** | 野生资源一般。药材来源于栽培。

| **采收加工** | 芫花：春季花未开前采摘，拣去杂质，晒干或烘干。

芫花根：7～10月采挖根或剥取根皮，洗净，鲜用，或切片，晒干。

| **药材性状** | 芫花：本品常3～7簇生于短花轴上，基部有苞片1～2，多脱落为单朵。单朵呈棒槌状，多弯曲，长1～1.7 cm，直径约1.5 mm；花被筒表面淡紫色或灰绿色，密被短柔毛，先端4裂，裂片淡紫色或黄棕色。质软。气微，味甘、微辛。

| **功能主治** | 芫花：辛、苦，温；有毒。归肺、脾、肾经。泻水逐饮，祛痰止咳，解毒杀虫。用于水肿，臌胀，痰饮胸水，喘咳，痈疖疮癣。

芫花根：辛、苦，温；有毒。逐水，解毒，散结。用于水肿，瘰疬，乳痈，痔瘘，疥疮，风湿痹痛。

| 用法用量 | **芫花**：内服煎汤，1.5 ~ 3 g；或醋芫花研末吞服，1 次 0.6 ~ 0.9 g，1 日 1 次。外用适量。

芫花根：内服煎汤，1.5 ~ 4.5 g；或捣汁；或入丸、散剂。外用适量，捣敷；或研末调敷；或熬膏涂。

| 附　注 | 本种为落叶灌木，叶对生，稀互生，花紫色或淡蓝紫色，常 3 ~ 6 花簇生于叶腋或侧生，比叶先开放，易于与本属其他种相区别。

胡颓子科 Elaeagnaceae 胡颓子属 Elaeagnus

胡颓子
Elaeagnus pungens Thunb.

| 植物别名 |

蒲颓子、半含春、卢都子。

| 药 材 名 |

胡颓子（药用部位：果实）、胡颓子叶（药
用部位：叶）、胡颓子根（药用部位：根）。

| 形态特征 |

常绿直立灌木，高 3 ~ 4 m，具刺；刺顶生
或腋生，长 20 ~ 40 mm，有时较短，深褐色。
幼枝微扁棱形，密被锈色鳞片；老枝鳞片脱
落，黑色，具光泽。叶革质，椭圆形或阔椭
圆形，稀矩圆形，长 5 ~ 10 cm，宽 1.8 ~ 5 cm，
两端钝形或基部圆形，边缘微反卷或皱波状，
上面幼时具银白色鳞片和少数褐色鳞片，成
熟后脱落，具光泽，干燥后褐绿色或褐色，
下面密被银白色鳞片和少数褐色鳞片，侧脉
7 ~ 9 对，与中脉开展成 50° ~ 60° 的角，
近边缘分叉而互相连接，上面显著凸起，下
面不甚明显，网状脉在上面明显，在下面不
清晰；叶柄深褐色，长 5 ~ 8 mm。花白色
或淡白色，下垂，密被鳞片，1 ~ 3 花生于
叶腋锈色短小枝上；花梗长 3 ~ 5 mm；萼
筒圆筒形或漏斗状圆筒形，长 5 ~ 7 mm，
在子房上骤收缩，裂片三角形或矩圆状三角

形，长 3 mm，先端渐尖，内面疏生白色星状短柔毛；雄蕊的花丝极短，花药矩圆形，长 1.5 mm；花柱直立，无毛，上端微弯曲，超过雄蕊。果实椭圆形，长 12 ～ 14 mm，幼时被褐色鳞片，成熟时红色，果核内面具白色丝状绵毛；果柄长 4 ～ 6 mm。花期 9 ～ 12 月，果期翌年 4 ～ 6 月。

| **生境分布** | 生于海拔 1 000 m 以下的向阳山坡或路旁。分布于河北阜平、武安等。

| **资源情况** | 野生资源一般。药材来源于栽培。

| **采收加工** | 胡颓子：4 ～ 6 月果实成熟时采收，晒干。
胡颓子叶：秋季采收，晒干。
胡颓子根：全年均可采挖，洗净，晒干。

| **药材性状** | 胡颓子叶：本品稍皱缩，展平后呈椭圆形或长椭圆形，长 4 ～ 10 cm，宽 2 ～ 5 cm，先端钝或稍尖，基部圆形，边缘微波状而反卷，上表面黄绿色，有光泽，下表面灰白色，被白色鳞片，散生点状褐色鳞斑；叶柄长 0.6 ～ 0.8 cm。厚革质。气微，味微涩。
胡颓子根：本品多为不规则的段块，长 2 ～ 4 cm，直径 1 ～ 1.5 cm；外表面灰褐色或棕褐色，粗糙不平，栓皮多不整齐纵裂而呈鳞片状，脱落处呈棕红色或棕色。有的可见支根痕。根皮内表面浅黄色或浅棕黄色，具网状纹理，根皮折断面呈明显纤维状，内侧呈层状。易沿纵向撕成薄层，其表面观呈致密网眼状，浅黄色。木部占根的大部分，浅黄色。质地坚实，难折断，横断面隐约可见同心环层。气微，味涩。

| **功能主治** | 胡颓子：酸、涩、平。归肺、胃、大肠经。收敛止泻，健脾消食，止咳平喘，止血。用于泄泻，痢疾，食欲不振，消化不良，咳嗽气喘，崩漏，痔疮下血。
胡颓子叶：酸，平。归肺经。止咳平喘，止血解毒。用于咳嗽，气喘，咳血，吐血，外伤出血，痈疽，痔疮肿痛。
胡颓子根：酸，平。祛风利湿，止血。用于风湿关节痛，跌打损伤，吐血，咯血，便血。

| **用法用量** | 胡颓子：内服煎汤，9 ～ 15 g。外用适量，煎汤洗。
胡颓子叶：内服煎汤，9 ～ 15 g；或捣汁；或研末，2 ～ 3 g。外用适量，捣敷；或研末调敷；或煎汤洗。
胡颓子根：内服煎汤，15 ～ 30 g；或浸酒。外用适量，煎汤洗；或捣敷。

| 附 注 | 卵叶胡颓子 *Elaeagnus ovata* Serv. 与本种的区别在于其为灌木，无刺；幼枝锈色，成熟后锈灰色，光亮；叶脱落，近革质，卵形或近圆形，甚小，长 2 ~ 2.5 cm，宽 1.3 ~ 1.5 cm，边缘波状，上面绿色，有时散生银色鳞片，下面银白色，散生红色鳞片，叶柄有沟槽，银白色；花单生，直立，白色，发亮，常 1 ~ 3 花生于极短枝上，萼筒近四角形，极短，长 2.5 mm，裂片三角形，内面几无毛，稀微被星状柔毛，长 2.5 mm，花柱略具毛，先端内弯，不贴生于花药，花药无毛，几无花丝，与裂片平齐，花盘不明显；果实未见。

胡颓子科 Elaeagnaceae 胡颓子属 Elaeagnus

牛奶子

Elaeagnus umbellata Thunb.

| 植物别名 | 甜枣、剪子果。

| 药 材 名 | 牛奶子（药用部位：根、叶、果实）。

| 形态特征 | 落叶直立灌木，高 1 ~ 4 m，具长 1 ~ 4 cm 的刺。小枝甚开展，多分枝，幼枝密被银白色鳞片和少数黄褐色鳞片；老枝鳞片脱落，灰黑色。叶纸质或膜质，椭圆形至卵状椭圆形或倒卵状披针形。花较叶先开放，黄白色，芳香，密被银白色盾形鳞片，1 ~ 7 花簇生于新枝基部，单生或成对生于幼叶的叶腋；花梗白色，长 3 ~ 6 mm；萼筒圆筒状漏斗形，稀圆筒形，长 5 ~ 7 mm，在裂片下面扩展，向基部渐窄狭，在子房上略收缩，裂片卵状三角形，长 2 ~ 4 mm，先端钝尖，内面几无毛或疏生白色星状短柔毛；雄蕊的花丝极短，长约为花药的一半，花药矩圆形，长约 1.6 mm；花柱直立，疏生少数白色星状柔毛和鳞

片，长 6.5 mm，柱头侧生。果实几球形或卵圆形，长 5 ~ 7 mm，幼时绿色，被银白色鳞片或有时全被褐色鳞片，成熟时红色；果柄直立，粗壮，长 4 ~ 10 mm。花期 4 ~ 5 月，果期 7 ~ 8 月。

| 生境分布 |

生于向阳的林缘、灌丛、荒坡和沟边。分布于河北灵寿、磁县、武安等。

| 资源情况 |

野生资源一般。药材来源于野生。

| 采收加工 |

夏、秋季采挖根，洗净，切片，晒干；夏、秋季采收叶、果实，晒干。

| 功能主治 |

苦、酸，凉。归肺、肝、大肠经。清热止咳，解毒利湿。用于肺热咳嗽，泄泻，痢疾，淋证，带下，崩漏，乳痈。

| 用法用量 |

内服煎汤，根或叶 15 ~ 30 g，果实 3 ~ 9 g。

沙枣
Elaeagnus angustifolia L.

植物别名	红豆、牙格达、银柳胡颓子。
药材名	沙枣（药用部位：成熟果实）、沙枣花（药用部位：花）、沙枣树皮（药用部位：树皮、根皮）、沙枣胶（药用部位：沙枣茎枝渗出的胶汁）。
形态特征	落叶乔木或小乔木，高 5 ~ 10 m，无刺或具刺；刺长 30 ~ 40 mm，棕红色，发亮。幼枝密被银白色鳞片；老枝鳞片脱落，红棕色，光亮。叶薄纸质，矩圆状披针形至线状披针形，长 3 ~ 7 cm，宽 1 ~ 1.3 cm，先端钝尖或钝形，基部楔形，全缘，上面幼时具银白色圆形鳞片，成熟后部分脱落，带绿色，下面灰白色，密被白色鳞片，有光泽，侧脉不甚明显；叶柄纤细，银白色，长 5 ~ 10 mm。花银白色，直立或近直立，密被银白色鳞片，芳香，常 1 ~ 3 花簇生于新枝基部最初 5 ~ 6 叶的叶腋；花梗长 2 ~ 3 mm；萼筒钟形，长 4 ~ 5 mm，

在裂片下面不收缩或微收缩，在子房上骤收缩，裂片宽卵形或卵状矩圆形，长
3 ~ 4 mm，先端钝渐尖，内面被白色星状柔毛；雄蕊几无花丝，花药淡黄色，
矩圆形，长 2.2 mm；花柱直立，无毛，上端甚弯曲；花盘明显，圆锥形，包围
花柱的基部，无毛。果实椭圆形，长 9 ~ 12 mm，直径 6 ~ 10 mm，粉红色，
密被银白色鳞片；果肉乳白色，粉质；果柄短，粗壮，长 3 ~ 6 mm。花期 5 ~ 6
月，果期 9 月。

| 生境分布 | 生于沙漠地区。分布于河北枣强、昌黎、涿鹿等。

| 资源情况 | 野生资源一般。药材主要来源于野生。

| 采收加工 | 沙枣：9 月果实成熟时分批采摘，鲜用或烘干。
沙枣花：5 ~ 6 月采摘，晒干。
沙枣树皮：7 ~ 10 月采剥内层树皮，9 ~ 11 月采挖根，剥取根皮，晒干。
沙枣胶：将茎枝渗出的汁液，取下晒干。

| 药材性状 | 沙枣：本品呈矩圆形或近球形，长 1 ~ 1.2 cm，直径 0.7 ~ 1 cm。表面黄色、
黄棕色或红棕色，具光泽，被稀疏银白色鳞毛。一端具果柄或果柄痕，另一端
略凹陷，密被鳞毛。果肉淡黄色，疏松，细颗粒状。果核卵形，表面有灰白色
至灰棕色棱线和褐色条纹 8，纵向相间排列，一端有小突尖，质坚硬，剖开后
内面有银白色鳞毛及长绢毛。种子 1。气微香，味甜、酸、涩。

| 功能主治 | **沙枣**：酸、甘，凉。养肝益肾，健脾调经。用于肝虚目眩，肾虚腰痛，脾虚腹泻，消化不良，带下，月经不调。

沙枣花：甘、涩，温。止咳，平喘。用于慢性支气管炎。

沙枣树皮：涩、苦，凉。归心、肝、脾经。清热止咳，利湿止痛，解毒，止血。用于慢性支气管炎，胃痛，肠炎，急性肾小球肾炎，黄疸性肝炎，带下，烫火伤，外伤出血。

沙枣胶：涩、苦，平。接骨续筋，活血止痛。用于骨折。

| 用法用量 | **沙枣**：内服煎汤，15 ~ 30 g。

沙枣花：内服煎汤，3 ~ 6 g；或入丸、散剂。

沙枣树皮：内服煎汤，9 ~ 15 g。外用适量，煎汁涂；或研末撒。

沙枣胶：外用适量，调敷。

| 附　　注 | 本种显著的特征是幼枝叶和花果均密被银白色鳞片，叶片披针形，花柱基部围绕着明显的无毛的圆锥形花盘，果实粉质。

胡颓子科 Elaeagnaceae 沙棘属 Hippophae

沙棘 *Hippophae rhamnoides* L.

| 植物别名 | 黄酸刺、酸刺柳、黑刺。

| 药 材 名 | 沙棘（药用部位：果实）。

| 形态特征 | 落叶灌木或乔木，高 1 ~ 5 m，生于高山沟谷者高可达 18 m；棘刺较多，粗壮，顶生或侧生。嫩枝褐绿色，密被银白色而带褐色的鳞片或有时具白色星状柔毛，老枝灰黑色，粗糙；芽大，金黄色或锈色。单叶通常近对生，与枝条着生相似，纸质，狭披针形或矩圆状披针形，长 30 ~ 80 mm，宽 4 ~ 10（~ 13）mm，两端钝形或基部近圆形，基部最宽，上面绿色，初被白色盾形毛或星状柔毛，下面银白色或淡白色，被鳞片，无星状毛；叶柄极短，长 1 ~ 1.5 mm 或几无。果实圆球形，直径 4 ~ 6 mm，橙黄色或橘红色；果柄长 1 ~ 2.5 mm；种子小，阔椭圆形至卵形，有时稍扁，长 3 ~ 4.2 mm，黑色或紫黑色，

具光泽。花期 4 ~ 5 月，果期 9 ~ 10 月。

| 生境分布 | 生于山坡灌丛、路边。分布于河北阜平、涉县、涿鹿等。

| 资源情况 | 野生资源丰富。药材来源于野生。

| 采收加工 | 秋、冬季果实成熟或冻硬时采收，除去杂质，干燥或蒸后干燥。

| 药材性状 | 本品呈类球形或扁球形，有的数个粘连，单个直径 4 ~ 6 mm。表面橙黄色或棕红色，皱缩，先端有残存花柱，基部具短小果柄或果柄痕。果肉油润，质柔软。种子斜卵形，长约 4 mm，宽约 2 mm；表面褐色，有光泽，中间有 1 纵沟；种皮较硬，种仁乳白色，有油性。气微，味酸、涩。

| 功能主治 | 酸、涩，温。归脾、胃、肺、心经。健脾消食，止咳祛痰，活血散瘀。用于脾虚食少，食积腹痛，咳嗽痰多，胸痹心痛，瘀血闭经，跌仆瘀肿。

| 用法用量 | 内服煎汤，3 ~ 10 g。